BRO'R EISTEDDFOD 2

ABERTAWE A'R CYLCH

Adelina Patti, gan Gustave Dorè
(Cafwyd gan Gyngor Dinas Abertawe)

BRO'R EISTEDDFOD 2

ABERTAWE A'R CYLCH

Golygwyd gan
Ieuan M. Williams

Gwasg Christopher Davies
Llandybïe

Cyhoeddwyd gan
Christopher Davies (Cyhoeddwyr) Cyf
Heol Rawlings, Llandybïe
Dyfed SA18 3YD

Argraffwyd gan
Wasg Salesbury Cyf
Llandybïe, Rhydaman
Dyfed

Cynnwys

Rhagair

Er mor gyfarwydd erbyn hyn yw Abertawe a'i chyffiniau â chroesawu'r Eisteddfod Genedlaethol, deil yr ymweliad i fod yn fater o ddathlu brwd; a chyfrannu at y dathlu hwnnw yw un o brif bwrpasau'r gyfrol hon. Achubir ar y cyfle hefyd i gyflwyno i'r miloedd a fydd yn mynychu'r Eisteddfod ryw gymaint o gefndir ac o gymeriad y ddinas a'i chylchoedd. Fe wneir hynny bid siŵr yn y wybodaeth sicr mai rhannol ac anghyflawn yw'r cyflwyno. Wrth benderfynu ar bynciau, gofidiwyd na fu'n bosibl i gynnwys hefyd ymdriniaeth ag agweddau eraill megis twf y ddrama, llenorion y cylch, hanes addysg, trafnidiaeth a chwaraeon, i nodi ond rhai. At hynny, ymateb cyson y mwyafrif a wahoddwyd i gyfrannu, wedi iddynt gychwyn ar eu gwaith, oedd i gywasgu neu gwtogi maes y pwnc dechreuol am fod cymaint o ddeunydd wrth law. Mae'r ddau amgylchiad hyn yn codi'r gobaith y bydd i'r gyfrol drydydd pwrpas, sef ysgogi a chadarnhau'r awydd i ychwanegu'n sylweddol at yr astudiaethau prin o hanes a nodweddion y cylch a ysgrifennwyd hyd yma yn Gymraeg.

Yn y cyfamser, diolchir o galon i'r cyfranwyr am eu gwaith a'u cefnogaeth. Bu'r trafod a'r gyfathrach yn gynnes adeiladol. Lluniwyd yr ysgrifau oll yn arbennig ar gyfer y llyfr hwn, ac ar y cyfan nid ymyrrwyd â'r gwreiddiol ond er mwyn cysoni pethau fel atalnodi a sillebu enwau lleoedd.

Rhaid diolch yn wresog iawn i Mr G. B. Lewis o Adran Ddaearyddiaeth y Coleg am y mapiau dillyn a luniodd ar gyfer y gyfrol; i Dr David Painting o Lyfrgell y Coleg a Dr John Alban, Archifydd Dinas Abertawe am eu cymorth a'u cyngor gyda rhai o'r lluniau; ac yn wir i bawb a roes fenthyg lluniau. Pleser yw cydnabod hefyd waith a chwrteisi Mr John Phillips wrth lywio'r gyfrol drwy'r Wasg, a Gwasg Salesbury ei hun am lendid yr argraffwaith. Beier y golygydd am unrhyw frychau a erys.

Haf 1982   IEUAN M. WILLIAMS

Eisteddfod Genedlaethol Abertawe, 1891

Hywel Teifi Edwards

Eleni, fe fydd Abertawe a'i chyffiniau'n croesawu'r Eisteddfod Genedlaethol am y chweched tro. Agorodd ei drysau iddi eisoes yn 1863, 1891, 1907, 1926 ac 1964 gan roi i'r ymwelreg bob cyfle i ddangos ei gorchest. Manteisiodd hithau ar ei chroeso gan roi i'w gwesteiwyr yn hael o'i doniau, a'u synnu a'u swyno bob yn ail â'i phersonoliaeth afrosgo, enillgar. Yn wir, bu perthynas Abertawe â'r 'Genedlaethol' yn gyson broffidiol hyd yn hyn. Bu pob un o'r chwe Gŵyl a nodwyd yn atynfa ryfeddol a ddenodd filoedd o gefnogwyr i godi hwyl ar lannau'r bae cydnaws. Bellach, mae'r Ŵyl a'r bae fel ei gilydd yn dioddef drwg effeithiau'r oes sydd ohoni. Difwynir y bae gan wastraff a llethir yr Ŵyl gan chwyddiant. Aeth pris ei chadw'n ddychryn i'r gwesteiwr mwyaf rhadlon. Bydd angen ymron tri chwarter miliwn o bunnau i'w chartrefu eleni. Heb y Pafiliwn bydd rhaid ymddiried mewn tent (a thent yw tent pa mor fodernaidd bynnag y bo), ac mae'n eithaf posibl mai dyfalu maint y golled yn hytrach na phroffwydo swm yr elw y bydd y trefnyddion pan ddaw'r cyfan i ben. Eto i gyd, o ystyried y gorffennol fe fentraf geiniog neu ddwy ar lwyddiant Eisteddfod Genedlaethol 1982. 'Does ond tref Caernarfon a all ymfalchïo mewn cyfres o Eisteddfodau hafal i gyfres Abertawe ac yn 1964, er i'r costau fod gyfuwch ag £83,550-17-8 — yn uwch, hynny yw, nag y buasent erioed — gwnaed elw o £17,054-18-7 ar gefn Gŵyl a welodd gynifer â 5,415 o amryfal gystadleuwyr yn dilyn eu dileit. Diolch byth, y mae nifer o selogion 1964 eto'n fyw a thrwyddynt, mae'n siŵr gen i, fe lifa trydan traddodiad Abertawe i danio a goleuo Eisteddfod 1982 yn ei thro.

Er mwyn ceisio cysylltu cynulleidfa gyfoes ag egni'r traddodiad hwnnw, 'rwyf am ymatal rhag cyffredinoli am y pum Gŵyl a fu a chymryd un ohonynt yn destun sylw. 'Rwy'n dewis Eisteddfod Genedlaethol 1891 am fy mod o'r farn ei bod yn cynrychioli uchafbwynt brwdfrydedd eisteddfodol Oes Victoria. Hon, debygwn i, oedd Eisteddfod fwyaf y ganrif ddiwethaf o ran maint ei Phafiliwn a'r torfeydd a'i mynychodd. Gallai 15,000 *eistedd* ym Mhafiliwn 1891 a bu'n orlawn fwy nag unwaith yn ystod y pedwar diwrnod helyntus, 18-21 Awst, pan fu'n ganolbwynt diddordeb y wlad. At hynny, trechodd stormydd na bu rhaid i'r un Eisteddfod, na chynt na chwedyn, wynebu eu gwaeth. Ond, os lladdwyd un druanes o eisteddfodreg, nid ildiodd Gŵyl 1891 i'r elfennau. Droeon a thro yn ystod y ganrif a'i dilynodd rhoes y 'Genedlaethol' brawf o'r unrhyw ddycnwch ac mae'n briodol fod Gŵyl 1982, Gŵyl a all dystio eto i'w gallu i ymgynnal, wedi dychwelyd i'r fro lle rhoes brawf mor gofiadwy o'r gallu hwnnw yn 1891.

Ni allasai honno agor yn fwy dramatig pe bai Wagner ei hun (neu un o gyfarwyddwyr Marcsaidd benthyg ein Cwmni Opera Cenedlaethol) wedi'i llwyfannu. Erbyn i O. M. Edwards gyrraedd Abertawe, nos Lun, 17 Awst, 'roedd eisoes wedi cael achos i ofidio. Ar ei daith drwy Dir-y-dail a Phontarddulais ymosodwyd ar y trên gan wynt a glaw a roes daw ar bob siarad, ac ar ei ffordd i'w lety pasiodd 'O.M.' 'y babell enfawr wleb oedd fel pe'n rhynnu yn y gwynt didrugaredd a'r glaw'. Y noson honno, breuddwydiodd ei bod 'wedi ei chwalu'n ddarnau mân dros holl fro Morgannwg'.

Trannoeth, dihunodd i weld bore heulog braf yn gwenu arno ac aeth yn gynnar i archwilio'r Pafiliwn a safai ym Mharc Victoria, nid nepell o'r fan lle saif Pafiliwn Patti nawr. Er gwaetha'r tywydd garw,

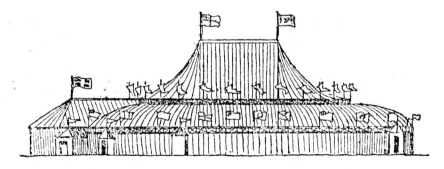

Pafiliwn Eisteddfod Genedlaethol 1891

10

'doedd fawr o waith cymhennu arno gan nifer o forwyr cyn dechrau ar raglen y dydd, ac i bob golwg byddai'n barod i dderbyn y dorf a ddynesai: 'O'i hamgylch, gyda'i hochrau pren, rhedai rhes o feinciau'n codi'n raddol o'i llawr hyd ei bargod, ac o'r rhain gwelid y gwaelod eang, a'r llwyfan dan ei nen o goed. Uwchben yr oedd to o liain bras, trwm yn crogi wrth ddau bolyn uchel, a nofiai fel cwmwl i gysgodi'r babell, ond nid oedd yn llawn ddigon i'w ymylon gyrraedd ochrau'r babell.' Ni welai gohebydd y *Western Mail* ddim o'i le ar yr adeilad chwaith: 'It is almost circular in form, with seats throughout. Above, supported by a wooden trellis work running round beneath, was a vast umbrella-like structure made of white-brown sailcloth, and it was so arranged as to move up and down by the influence of the ventilation of the building.' Go brin fod lle i amau unrhyw berygl. Wedi'r cyfan, codwyd y Pafiliwn gan C. P. Clarke, y contractor o Stoke-on-Trent a godasai'r union un fath o adeilad ar gyfer Eisteddfod Genedlaethol Aberhonddu, 1889, ac 'roedd hwnnw wedi cynnal, heb ddim trafferth, dorf o 15,000 a oedd wedi'i gwallgofi gan ganu Adelina Patti. 'Roedd Pafiliwn a allai ddal hyrddiadau eilun-addoliaeth y Cymry, heb wegian, yn sicr o fod yn un solet.

Ond ni fargeiniwyd am ddrycin prynhawn dydd Mawrth, 18 Awst 1891. Fel pe wedi'i chynddeiriogi gan y derbyniad a gawsai'r tenor, Maldwyn Humphreys, ar ôl iddo lansio'r Ŵyl trwy ganu 'O na byddai'n haf o hyd!', rhuthrodd tymestl ddialgar ar draws y bae i rwygo to'r Pafiliwn yn rhacs. I ddyfynnu tystiolaeth O. M. Edwards: 'Dechreuodd to'r babell ysgwyd, gwelem hi rhyngom a'r awyr fygythiol fel llong mewn ystorm. Daliai'r bobl eu hanadl, gwelwn y miloedd yn eistedd fel delwau duon, ac yr oedd duwch yr ystorm wedi taflu rhyw gysgod prudd ar bob wyneb. Taran, fflach mellten, a dyna ni yn y dilyw a'r ystorm. Ni fedrid clywed dim gan sŵn y cenllif glaw trystfawr, a buan y gwacawyd canol y babell gan bobl yn wlybion at eu crwyn. Gwynt rhyferthwy, — dacw'r rhaffau'n gollwng, y prennau'n torri, a tho'r babell yn dod i lawr. Graddol iawn y disgynnodd, fel llong yn suddo, ond gwelais lawer yn ymlafurio ymysg y rhaffau a'r prennau a ddisgynasai arnynt, ond yr oedd rhyw swyn i mi yng nghwymp araf y babell, ac am ennyd ni allaswn ddianc.' 'Waeth beth am apêl y storm at y fandal yn 'O.M.', ni welai gohebydd y *Cambria Daily Leader* ddim i'w gysuro. Ymddangosai fel petae Gŵyl 1891 wedi'i difetha mewn moment: 'The pavilion was now a sorry sight indeed. The unfortunate canvas — torn into shreds at the edges, but still clinging with some tenacity to the sounding board, above the reserved seats — hung like a balloon not yet fully inflated, while the flags which looked so pretty in the morning were now dirty and dripping, the mottoes which had brightened up the sides of the building were rapidly getting undecipherable.'

Er hyn i gyd, ymgadwodd y dorf rhag gwylltio. Cydrhyngddynt, llwyddodd yr arweinydd swyddogol, y Parch. T. C. Edwards (Cynonfardd), dau o lywyddion y dydd, yr Archddiacon Griffiths a Syr J. T. D. Llewelyn, Maer Abertawe, a Syr J. Jones-Jenkins i'w hargyhoeddi nad oedd dim byd ofnadwy o anarferol wedi digwydd ac aeth Gurnos i'r llwyfan i adrodd storïau digrif am dri phobydd! Gan i wŷr glew'r llwyfan ymateb i siars yr Archddiacon drwy ymddwyn 'fel Cristnogion', ymdawelodd y miloedd yn rhyfeddol. 'Ni welais,' meddai 'O.M.', 'dorf erioed yn ymddwyn yn fwy pwyllog a doeth' a chyffelyb oedd barn sylwebydd *Y Geninen* a haerodd na fu 'panic' yn nes i'r Pafiliwn y prynhawn hwnnw nag adroddiadau'r wasg trannoeth yr helynt.

Ganrif yn ddiweddarach deil hunan-ddisgyblaeth y dorf honno'n destun diolch, oherwydd buasai o fewn trwch blewyn i drychineb eisteddfodol enbyd. Fel mae'n digwydd ni laddwyd ond un. Daethai Matilda Williams o Brompton Brain, Swydd Henffordd i'r Wŷl gyda Thomas Watkins, gwas ffarm o Leintwardin. Morwyn oedd hi i Mr Clark, Leedley House, Leedley ac eisteddai wrth ochor ei chyfaill pan darawyd hi ar ei phen gan un o'r ddau bolyn a ddisgynnodd gyda'r canfas. Aed â'r druanes anymwybodol i'r ysbyty lle bu farw tua 6 p.m. Yn y cwest penderfynwyd iddi farw trwy ddamwain ac fe'i claddwyd ar gost Pwyllgor Gwaith yr Eisteddfod a roes, yn ogystal, £15 i'w rhannu rhwng ei pherthnasau. (Ni ellir namyn dyfalu teimladau'r contractor, C. P. Clarke, pan dderbyniodd delegram yn dweud wrtho fod ei fab yntau wedi'i ladd gan drên, fore Iau, 20 Awst).

Hyd y gwyddys, Matilda Williams yw'r unig berson erioed i'w ladd mewn damwain ym Mhafiliwn y 'Genedlaethol'. Mae'n syn, o

12

feddwl am balasau brau'r Ŵyl yn y ganrif ddiwethaf a'r torfeydd enfawr a'u cyrchai, nad un o lawer ydoedd. Yn sicr, nid i awdurdodau'r cyfnod hwnnw mae'r diolch fod pethau wedi bod cystal. Meddylier am y cyfuniad blynyddol o goed, llathenni ar lathenni o ganfas a ffelt, degau o oleuadau nwy anystywallt a miloedd o eisteddfodwyr yn rhesi tynn, sardinaidd o'r naill ben i'r adeilad i'r llall heb, fel rheol, hanner digon o ddrysau iddynt fedru dianc drwyddynt pe bae rhaid. (Gyda llaw, honnwyd y byddai'r polyn a laddodd Matilda Williams wedi peri mwy o ddifrod onibai iddo daro'n erbyn pibell nwy ar ei ffordd lawr o'r to!). Mae meddwl am y posibiliadau trychinebus yn nyddiau'r Ddeddf Iechyd a Diogelwch yn oeri ymysgaroedd dyn. Yn y cwest ar Matilda Williams esboniodd y pensaer, Edward Bath, nad oedd angen tystysgrif gan syrfëwr y fwrdeistref i warantu diogelwch adeilad dros dro, megis Pafiliwn 1891, cyn ei agor i'r cyhoedd. A hyd y gwn i defnyddid adeiladau o'r fath yn gyson gan eisteddfodwyr Oes Victoria o'r 60au ymlaen heb boeni am yswirio neb na dim. Sôn am ffydd!

Ac erbyn nos Fercher, 19 Awst 1891, cawsai trefnyddion Abertawe brawf nodedig pellach o hydwythder y 'Genedlaethol'. Y diwrnod hwnnw dylifodd 20,000 i'r Pafiliwn a derbyniwyd digon wrth y mynedfeydd, rhyw £1,700, i glirio cost ei godi. Ni welsai'r un Eisteddfod cyn hynny gynulleidfa debyg iddi, a hyd y gwn i ni ragorwyd arni erioed. Ni raid dyfalu beth a alwodd y miloedd ynghyd, gan gynnwys mil o America a ddaethai drosodd ar y 'City of Exeter' yn ôl y papurau lleol. Uwchben llwyfan yr Ŵyl crogai slogan mwyaf pwerus y genedl, 'Môr o gân yw Cymru i gyd', a thonnau'r môr hwnnw a orlifodd Bafiliwn Abertawe trannoeth storm prynhawn dydd Mawrth. Daeth y llwythau ynghyd i wylio a gwrando'r brif gystadleuaeth gorawl ac i ddathlu o'r newydd y gred yn rhagoriaeth yr athrylith gerddorol a fuasai'n gynhaliaeth ysbrydol iddynt er pan y'i plannwyd yn naear eu hangen gan Gôr Mawr Caradog yn 1872-3. 'Doedd yr un ddrycin yn mynd i rwystro'r genedl rhag dod i'r Ŵyl lle câi ddangos i'r byd ei bod yn cyfrif yn rhinwedd ei chân. Daeth i Abertawe i gadarnhau'i ffydd ynddi'i hun — a dyna a wnaeth.

Yn wir, dechreuwyd sugno cysur o'r broses ddefodol honno yn

union sgîl storm dydd Mawrth pan arhosodd 5,000 yn y Pafiliwn drylliog i glywed pump o gorau Cymreig (75-100 o leisiau) yn canu 'Coed yr Hydref' (D. Emlyn Evans) a 'Stone him to death' (Mendelssohn) am wobr o £50 a Medal Aur i'r arweinydd buddugol. Yno y buont am oriau, yn wlyb hyd at eu crwyn, yn ceisio cymaint o gysgod ag a oedd i'w gael wrth ymyl y llwyfan tra canai Corau Pontarddulais, Dyffryn Aman, Glyn Ebwy, Glantawe, Treforys a Chastellnewydd Emlyn. A phan ddyfarnwyd Côr Treforys yn orau a Glantawe'n ail bu'n agos i'r gymeradwyaeth ledu'r rhwyg yn nho'r Pafiliwn, canys 'roedd y feirniadaeth a draddodwyd gan Signor Randegger ar ran ei gyd-feirniaid — William Shakespeare, Pencerdd Gwalia, Joseph Parry a David Jenkins — yn un hael iawn. 'Roedd Duw 'Gwlad y Gân' yn Ei nef wedi'r cyfan.

Ar ôl i O. M. Edwards weld cyflwr y maes a'r Pafiliwn ar fore Mercher aeth ymaith yn ddigalon i lochesu yn Llyfrgell y dref. Ni chredai fod modd i'r Ŵyl fynd rhagddi. Pan ddychwelodd am 2 p.m. 'roedd 20,000 o eisteddfodwyr gwlyb a diamynedd yn ysu am ornest y Corau Mawr. Ychydig a wyddai am y 'stormydd' y bu'n rhaid i Mabon, arweinydd y dydd, geisio'u tawelu ymhell cyn iddo ef fentro dychwelyd. Bu cynnwrf mawr yn y Pafiliwn pan benderfynodd y miloedd di-gysgod a di-sedd yn y cefn feddiannu'r seddi cadw niferus yn y ffrynt. Fel sylwebyddion *Y Geninen* a'r *Diwygiwr* mae'n amlwg iddynt farnu ei bod yn bryd iddynt gael eu priod le yn yr Eisteddfod gan mai 'eiddo y bobl yw y sefydliad'. Onid sefydliad cenedlaethol, rhagor 'dosbarthiadol' ydoedd yn ei hanfod? 'Doedd dim amdani ond chwyldro, 'a daeth y gwyr syllatu yn fuan iawn yn wyr haner-coronau, a thri-a-chwechau, ie, yn wir, gwyr coronau cyfain . . .' Arswydwyd gohebydd y *Cambria Daily Leader* gan gymaint diffyg parch i'r drefn gydnabyddedig: 'The multitude rolled towards the platform like a mighty wave sweeping away all opposition. Chairs were thrown helter skelter, and people with them. On, on they came, over the barriers, to the no small dismay of those in the reserved seats and on the platform. So great did the alarm become, that several ladies left hurriedly by the platform exits, but the majority courageously stuck to their seats.' Felly y gwelwyd dannedd 'Gweriniaeth yr Eisteddfod' yn 1891.

Sut yn y byd y gallai neb meidrol yn y dyddiau di-feicroffôn hynny

14

William Abraham A.S. (Mabon)

wastrodi torf o'r fath? Yn syml, trwy apelio at yr hyn yr ymfalchïai ynddo — ei chariad at gân a'i hymffrost yng nghantorion Cymru. Ar gais Arglwydd Windsor (Arglwydd Raglaw Morgannwg) a oedd yn un o lywyddion y dydd, daeth Miss Minnie Robinson i'r llwyfan ac ymlonyddodd y miloedd gerbron 'the young Royal Academician', megis y gwnaethent gerbron Edith Wynne mewn argyfwng cyffelyb yn 1863. Cyn gynted ag y tawodd hi camodd Mabon ymlaen a ledio'r emyn, 'Bydd myrdd o ryfeddodau' ar y dôn 'Babel' — a dyna ben ar bob terfysg. Bu'r 'quick gymanfa' honno, *pace* Max Boyce, mor effeithiol â hudlath dewin. Nid bod pawb, cofier, yn hoffi'r defnydd eisteddfodol a wnâi Mabon o emynau. 'Roedd ymateb y cerddor,

David Jenkins, yn ddigon plaen: 'Nis gallwn lai na chondemnio, yn yr iaith gryfaf feddwn, yr arferiad sydd o ganu emynau cysegredig yn y cyfarfodydd hyn. Pan y rhuthrodd y dorf yn mlaen fel gwallgofiaid boreu dydd Mercher, nes dychrynu pawb tua'r llwyfan, pa reswm oedd mewn canu "Oll yn eu gynau gwynion, ac ar eu newydd wedd?" buasai lawer mwy priodol canu "Oll o'r pwll diwaelod, yn wylltiaid wallgof wedd", na chanu am y nefoedd yn nghanol y fath annibendod: yr oedd yn halogrwydd anfaddeuol. Pa ryfedd fod meddwon yn myned i ganu emynau ar ol yr hyn wneir gan ddynion sobr, os sobr hefyd, yn yr Eisteddfod?' Beth, tybed, a allasai fod barn y Parch. W. Griffiths, Pentre-Estyll ar y mater gan iddo'r diwrnod cynt ennill gwobr o £10 am draethawd ar 'Emynyddiaeth Gymreig: Ei hanes, ei neillduolion, a'i dylanwad'?

Ta waeth, bu'n dda i'r Eisteddfod wrth Mabon a'i emynau y diwrnod hwnnw. Gwyddai ef trwy brofiad am eu hudoliaeth. Yn Aberhonddu yn 1889 sobrodd gynulleidfa o 15,000 a ddaethai ynghyd i addoli Patti trwy ledio 'O fryniau Caersalem'. Ym marn O. M. Edwards, ef oedd yr unig arweinydd a allasai gadw trefn ar dorf 1891. 'Roedd honno, erbyn awr dechrau gornest y Corau Mawr, yn beryglus o aflonydd. Yn wir, 'roedd amryw frwydrau yn cael eu hymladd yng ngwahanol rannau'r Pafiliwn a'r ergydion, yn ôl 'O.M.', a ddiolchai mai hanner coron a roesai am ei un ef, 'i gyd yn disgyn ar hetiau rhai nad oedd ganddynt ran na chyfran yn y ddadl'. Ac unwaith eto, ni chafwyd mo Mabon yn brin. Dechreuodd ganu Hen Wlad fy Nhadau a llwyddo i gael yr 20,000 i'w ddilyn 'mewn undeb gogoneddus' cyn eistedd i wrando'r cyntaf o'r corau'n ymosod ar y darnau prawf — 'The People shall hear', *Israel in Egypt* (Handel); 'He watcheth over Israel', *Elijah* (Mendelssohn); 'Nawr y chwyrnlif genllif gwyd', *Dafydd a Saul* (David Jenkins).

Cafwyd cystadleuaeth gofiadwy a barhaodd am oriau rhwng pump o gorau a roesai'u bryd ar ennill y wobr gyntaf o £200 a Batwn Aur gwerth £70 i'r arweinydd buddugol — sef y Batwn y bu'n rhaid i W. O. Jones, arweinydd Côr Caernarfon, ei ildio ar ôl i rai o'i gantorion ddwyn achos yn ei erbyn mewn llys barn. Nid oedd nifer y lleisiau ymhob côr i fod dros 250 na than 150 ac fe ymddangosodd cyfanswm o 1,014 o gantorion ar lwyfan 1891 os cywir y manylion yn adroddiad *Y Cerddor* am y pum côr — Cymdeithas Gorawl

16

Caernarfon (234); Cymdeithas Gorawl Porth a Chymer (230); Cymdeithas Philharmonig y Rhondda (198); Cymdeithas Gorawl Llanelli (194) a Chymdeithas Gorawl Dowlais (158). Gellid tybio y byddai sŵn cynifer o leisiau i'w glywed ledled Abertawe, ond mewn gwirionedd prin, ar adegau, y gellid clywed eu canu y tu fewn i'r Pafiliwn ei hun gan mor ffyrnig y tabyrddai'r glaw ar ei do clytiog. Fodd bynnag, 'doedd dim stopio i fod.

Câi'r naill gôr ar ôl y llall gryn drafferth i gyrraedd y llwyfan oherwydd maint y dorf, a thra'n aros am 'y nesaf' lediai Mabon emynau er dirfawr foddhad i'w gydwladwyr. Galwodd, hefyd, ar denor y dydd, Ben Davies, i wneud ei ran a chanodd Hen Wlad Fy Nhadau nes oedd pawb yn gorfoleddu. Dilynwyd yntau'n ddiweddarach gan y Tywysog Henry o Battenburg, mab yng nghyfraith Victoria a ddaethai mewn iot yn lle Tywysog Cymru (caeth i'w 'prior engagements' eto fyth) i sicrhau'r brodorion fod y Frenhines yn eu caru'n driw. Cafodd, wrth gwrs, yn ôl arfer y Cymry 'hearty cheers' — dim cymaint ag a gafodd Brenhines Roumania flwyddyn ynghynt ym Mangor chwaith — ac yna diflannodd gyda'i osgordd. Yn ddiweddarach, gofynnodd O. M. Edwards i un o'r trefnyddion faint yn llai fuasai yn y Pafiliwn y diwrnod hwnnw pe na ddaethai'r Tywysog heibio, a chafodd ateb mewn gair — 'Un'. Ond i bwysigion y llwyfan 'roedd presenoldeb Henry o Battenburg yn fodd i fyw a sylwodd gohebydd *Cwrs y Byd* ar y teimlad 'addolgar, ymgrymol' a'u meddiannodd pan ymddangosodd. 'Y mae yn amheus a gafodd y Gwaredwr y fath erioed ganddynt.'

Felly yr aeth pethau rhagddynt nes cododd Signor Randegger, y proffeswr o'r Academi Gerdd Frenhinol, i ddyfarnu Cymdeithas Gorawl Llanelli dan arweiniad R. C. Jenkins yn gyntaf a Chymdeithas Gorawl Caernarfon dan arweiniad John Williams yn ail. 'Roedd wedi'i blesio'n fawr gan safon y gystadleuaeth ac wedi'i syfrdanu gan 'solemn and almost judicial calm' y dorf. 'Roedd hithau'n y seithfed nef o gael ei ganmoliaeth ef, ac am 'Wŷr y Sosban' 'does wybod ym mha nef yr oeddent hwy. Dyna'u buddugoliaeth gyntaf yn y 'Genedlaethol'. O fewn y deufis blaenorol enillasai'r Côr £500 mewn gwobrau yn ogystal â thri batwn a medal aur. Er ei sefydlu yn 1883 enillasai gyfanswm o £1,020. Goleuwyd strydoedd y dref i dderbyn y cewri'n ôl ganol nos

17

Signor Randegger

a chariwyd R. C. Jenkins yn fuddugoliaethus i'w gartref, y Cambrian Hotel, gyda'r miloedd yn ei ddilyn a band pres y dref o'i flaen yn chwythu nodau'r 'Conquering Hero' drwy Shir Gâr. Chwedl y *Llanelly Guardian*: 'The victory was a glorious and a well deserved one. The singing of the choir, untouched by any of the others for refinement and for pathos, was a brilliant exhibition of what Welsh workingmen and women can do in the divinest of arts when trained by a master mind.'

Trannoeth camp Llanelli, ar derfyn cystadleuaeth i gorau o un gynulleidfa, cafodd torf 1891 achos pellach i lawenhau pan drechodd Côr Capel Ebenezer, Abertawe Gôr Wesleyaidd Saltaire, Swydd

Efrog — Côr, fe ddywedid, nad oedd wedi'i drechu ers rhyw bum mlynedd. (Barnai ei gynrychiolydd na fuasai wedi colli yn Abertawe, chwaith, onibai am ddiffyg cwsg. Bu'n rhaid teithio i'r Ŵyl dros nos). Ond heb os, cystadleuaeth y Corau Meibion ar ddiwrnod ola'r Eisteddfod, cystadleuaeth a aeth rhagddi am chwe awr, a lanwodd ffiol gorfoledd torf 1891 hyd yr ymyl. Daeth deg o brif Gorau Meibion y De i Abertawe (60-80 o leisiau ymhob côr) i ganu 'The Destruction of Gaza' (L. de Rille) a 'Y Pererinion' (Joseph Parry) am wobr o £30 a Medal Aur i'r arweinydd buddugol, gan lwyddo i adael argraff arhosol ar gof y sawl a'u clywodd. Tan ddylanwad yr heulwen (!) a'r canu treuliodd O. M. Edwards ddiwrnod yr oedd yn sicr y gallai'i gyfrif 'ymhlith holl ddyddiau fy mywyd . . . ymysg y dedwyddaf rai.'

Rhwng datganiadau'r gwahanol gorau canai'r dorf 'Duw mawr y rhyfeddodau maith' ar y dôn 'Huddersfield', a 'Beth sydd imi yn y byd' ar y dôn 'Aberystwyth' bob yn ail â Hen Wlad Fy Nhadau. Meddiannwyd hi gan 'ysbryd nefolaidd' ac fe'i codwyd ar ei thraed gan berfformiad y buddugwyr, Côr Pontycymer dan arweiniad athrylithgar Thomas Richards (Ap Glyndwr), brodor o Faesteg a weithiai ym Mhwll Glo'r Ffaldau fel y gwnâi'r mwyafrif o'i gantorion. Yn Abertawe arweiniodd hwy i'w nawfed concwest o'r bron ac nid dim ond y dorf a wefreiddiwyd ganddynt. Gwnaethant dasg y beirniaid yn ofer: 'Wele feirniadaeth Signor Randegger mewn tri gair, "Touching, expressive, inspiring"; a dywedodd Mr Shakespeare, "I never heard anything approaching it"; tra Dr Parry ei hun yn wylo fel plentyn . . .' 'Does ryfedd i ryw fardd ddweud am Thomas Richards nad oedd 'Un pertach o flaen parti' i'w gael a'r fath barti a oedd ganddo ym Mhontycymer:

Bechgyn ffamws — trwmps i'r blewyn,
Lleisiau megis tanau telyn;
Os nad ydynt ddim ond 'colliers',
Tric yw ffeindio pertach 'scholars'.

Bechgyn ëon llawen ydynt,
Nis gwn ofon pwy sydd arnynt;
Yr unig foddion sy'n eu sobri
Ydyw llygaid tanllyd Tommy.

19

Do, fe gafodd myth 'Gwlad y Gân' fodd i fyw'n rymus yn Eisteddfod Genedlaethol 1891, oherwydd ategwyd tystiolaeth y corau gan Gôr yr Eisteddfod (300 o leisiau) dan arweiniad yr enwog Eos Morlais a ganodd ddwy oratorio, *Redemption* (Gounod) ac *Emmanuel* (Joseph Parry) i gyfeiliant cerddorfa o 80 o offerynwyr dan arweiniad W. F. Hulley, a'u canu ag arddeliad. Ac nac anghofier yr unawdwyr disglair a ddaeth i'r Ŵyl i anadlu ysbrydoliaeth eu llwyddiannau Llundeinig i'r myth a roes fod iddynt — Mary Davies, 'the divine Mary'; Maggie Davies; Ben Davies; Maldwyn Humphreys; Lucas Williams a David Hughes — dyna'r sêr a symbylau'r llu o gystadleuwyr lleisiol a deithiodd i Abertawe i geisio'u hefelychu. Ystyrier y ffigurau. 'Roedd 72 bariton am ennill y gini a gynigiwyd am ganu 'Merch y Cadben' (R. S. Hughes). Cystadlodd 71 baswr am wobr o £2 am ganu 'Cân y Toreador', *Carmen* (Biset). Mewn dwy gystadleuaeth i sopranos cafwyd 33 (ddwywaith) i ganu 'Ar y Traeth' ac 'I rejoice in my youth' (Macfarren), a 53 tenor (ddwywaith) mewn dwy gystadleuaeth i ganu 'Y Wlad Well' (R. S. Hughes) a 'Through the Forest' (Weber) am wobrau o £2. Daeth hefyd 24 contralto i ganu 'Ai gwir, O, ai gwir?' (Joseph Parry), nifer teilwng iawn o gofio mor aml y cwynai corfeistri'r cyfnod am brinder altos da. 'Does rhaid ond cymharu'r cystadlaethau hyn â'r rhai a gafwyd yn Eisteddfod Genedlaethol 1863 i weld cymaint a fu'r cynnydd mewn chwarter canrif. Yn 1863 dim ond Megan Watts a gynigiodd am Ysgoloriaeth Leisiol gwerth £50 ac ni ofynnwyd iddi wneud mwy na chanu 'Bugeilio'r Gwenith Gwyn'. Yn 1891 daeth wyth o ddisgyblion Madam Clara Novello Davies o Gaerdydd i gystadlu am 13 o wobrau, gan lwyddo i ennill naw ohonynt a rhannu un arall. 'Roedd yn amlwg fod rhai o hyrwyddwyr 'Gwlad y Gân' yn daer dros sylweddoli ei hasedion, ac mor briodol ydyw fod Ysgoloriaeth bwysig W. Towyn Roberts er cof am ei briod Violet Jones yn cael ei chynnig am y tro cyntaf yn Abertawe eleni, pan fydd yn foddion, gobeithio, i hwyluso gyrfa canwr ifanc arall a ddaw cyn hir yn destun balchder i bawb ohonom.

Ni olyga hyn fod Gŵyl 1891 o ran 'y canu' wedi diweddu mewn hwyl hunanfodlon ddigymysg. Mae'n sicr fod yna lawenydd yn sgîl yr arddangosiad diweddaraf o 'athrylith' y genedl, ond yr oedd gwylwyr ar y twr a fynnai dynnu sylw at ddiffygion. Er enghraifft, nodwyd mai dau'n unig a gystadlodd am y £5 a gynigiwyd i Gymry dan 21 oed am (i) darllen cerddoriaeth ar y pryd, lleisiol neu offerynnol, mewn Sol-ffa neu Hen Nodiant (ii) ateb cwestiynau ar elfennau cerddoriaeth yn dilyn astudio *Gramadeg Alawydd* a *Llawlyfr Elfenau Cerddoriaeth*, J. H. Roberts, Mus.Bac. Siomedig, hefyd, oedd cynnyrch cyfansoddwyr 'Gwlad y Gân'. Pump a gystadlodd am y £15 a'r Fedal Aur a gynigiwyd am y set orau o dair canig i'r pedwar llais, gwobr a enillwyd gan Tom Price, Merthyr Tudful. Tri a geisiodd gyfansoddi pedwarawd seciwlar i'r pedwar llais. Pedwar a geisiodd gyfansoddi triawd seciwlar ac wyth ddeuawd seciwlar. A phedwar yn unig a ymgymrodd â chyfansoddi pedwarawd llinynnol hawdd. 'Roedd O. M. Edwards yn y Pafiliwn i glywed Signor Randegger wrth feirniadu'r gystadleuaeth honno'n datgan nad oedd ond un yn deilwng a bod cof hwnnw'n rhy gryf i haeddu'r wobr am waith gwreiddiol. 'Tybiwn,' meddai, 'fod y geiriau amlwg oedd ar y llwyfan — "Môr o gân yw Cymru i gyd" — yn gwrido ac yn myned yn llai lai. Medrwn ganu'n ardderchog, ond canu caneuon wedi i eraill eu gwneud.'

Cawsai amharodrwydd y Cymry i gymryd cerddoriaeth offerynnol o ddifrif ei edliw droeon iddynt yn y 'Genedlaethol' o'r 60au ymlaen. Mae'n amlwg, fodd bynnag, i drefnwyr . 1891 benderfynu ei bod yn bryd ymateb yn bendant i'r broblem. Nid digon oedd darparu cystadlaethau i chwaraewyr y piano (degau ohonynt erbyn 1891), yr harmonium a'r feiolin. Noddwyd dwy gystadleuaeth i bumawd offerynnol gan Gymdeithas Genedlaethol y Cerddorion, y naill yn agored i'r byd a'r llall yn gyfyngedig i amaturiaid a drigai yng Nghymru. Cynigiwyd 5 gini i'r pedwarawd offerynnol gorau am berfformio Rhif 3 Mozart yn B Fflat a chafwyd cystadleuaeth a enillwyd gan barti o Ferthyr dan arweiniad Lizzie Poole. Rhoes Frederic Griffith 3 gini i'w hennill am ddatganiad ar unrhyw offeryn cerddorfaol ac eithrio'r feiolin, a gwobrwywyd James Protheroe o Ferthyr, y gorau o'r chwe ymgeisydd. Yn goron ar y cyfan, noddodd Cymdeithas Genedlaethol y Cerddorion gystadleuaeth i 'Seindyrf Cerddorfaol (Orchestral Bands)', gan gynnig gwobr o £50 a Medal Aur i'r arweinydd buddugol, a £10 i'r ail orau. Plesiwyd y beirniaid gan safon y tair cerddorfa a aeth i'r afael â'r darn prawf, sef Simffoni yn D (Haydn). Gosodwyd Cymdeithas

Gerddorfaol Caerdydd dan arweiniad W. A. Morgan yn gyntaf a Chymdeithas Gerddorol Abertawe dan arweiniad John Squire, un o brif symbylwyr diwylliant cerddorol y dref, yn ail gan ddiolch, yn ogystal, i Gymdeithas Gerddorfaol Amatur Casnewydd dan arweiniad E. B. Newman am ei rhan mewn cystadleuaeth ragorol ac arloesol, 'yr oreu ydym wedi gael yn Nghymru' ym marn David Jenkins.

Y mae'n bwysig fod y wedd hon ar Adran Gerddoriaeth Gŵyl 1891 yn cael ei chydnabod. Mae'n sicr nad oedd cynulleidfa eisteddfodol yn bod ar gyfer y cystadlaethau hyn bryd hynny — yn wir, nid tan yn *gymharol ddiweddar* yn hanes yr Eisteddfod y cafwyd unrhyw fath o gynulleidfa deilwng iddynt. Mater o wthio'r amhoblogaidd i sylw'r anfoddog fu dwyn cerddoriaeth offerynnol gerbron Cymry'r Eisteddfod am y rhan orau o ganrif. Dôi'r miloedd 'i glywed y canu' — a dyna ben arni. Cefnogwyd ymdrechion trefnwyr cerdd 1891 gan y Cymmrodorion trwy wahodd C. Francis Lloyd, Mus. Bac. (mab John Ambrose Lloyd) a John Squire i ddarllen papurau ar 'The Improvement of Orchestral and Instrumental Music in Wales' yn y 'Royal Institution' ar fore Mercher, 19 Awst, a chyhoeddwyd eu sylwadau yn Adroddiad Blynyddol Cymdeithas yr Eisteddfod Genedlaethol mewn ymgais i sicrhau iddynt gylchrediad ehangach. Gwyddai cerddorion Cymru maint y dasg a'u hwynebai. Fel y dywedwyd yn ystod un o'r trafodaethau, 'roedd eu cydwladwyr 'o ran y gelfyddyd gerddorol' yn dal yn eu babandod: 'Y mae yn wir ein bod yn sefyll yn uchel fel cantorion côrawl, ond dyna yn mron yr oll ellir ddyweyd.' (A chwarae teg i ohebydd y *Llanelly Guardian*, ni phetrusodd gyhoeddi'r gwir am y corau hefyd. Er cymaint ei edmygedd o Gôr Llanelli gwyddai fod nifer yr aelodau a allai ddarllen cerddoriaeth yn 'deplorably small', ac os dyna gyflwr Côr buddugol 1891, beth am y lleill?) Barnai O. M. Edwards mai 'Ysbryd cenedl sy'n gwneud cerddor a bardd': fe ddôi'r cyfansoddwyr pan alwai'r genedl amdanynt. Barnai'r cerddorion nad trwy gonsurio yn gymaint â thrwy gynhyrchu bwriadus y cyflenwid yr angen, a diau yr atebai 'O.M.' eu bod yn dweud yr un peth mewn geiriau gwahanol.

O droi oddi wrth helynt y Pafiliwn a chynnwrf y canu down wyneb yn wyneb â'r broblem arall honno a wnâi fywyd yn anodd i gynifer o Gymry'r dydd — y Gymraeg. Buasai'r druanes mewn perygl o'i boddi ar ei haelwyd ei hun gan y cenllif Saesneg o'r 60au ymlaen a gwaetha'r modd ymladd am ei bywyd fu ei hanes yn 1891 eto. Er fod mwy o'r Gymraeg wedi'i chlywed yn y Cyngherddau nag a glywsid ers blynyddoedd yn ôl David Jenkins, rhaid casglu mai 'mwy' o'i gymharu â'r nesaf peth i ddim ydoedd. Llawenydd i D. Emlyn Evans oedd fod un Cyngerdd wedi'i neilltuo ar gyfer perfformio 'prif waith' gan gyfansoddwr o Gymro, sef *Emmanuel* Joseph Parry — ond tristwch i O. M. Edwards oedd clywed canu'r fersiwn Saesneg o'r oratorio, gan ymwrthod â geiriau Cymraeg Gwilym Hiraethog, a mwy o dristwch iddo oedd clywed rhai o'r Corau Meibion yn canu'r 'Pilgrims' yn lle'r 'Pererinion'. Na, yr 'imperial tongue' oedd piau Cyngherddau 1891 er fod y werin wedi cael ambell friwsionyn yn ôl y disgwyl — 'Llam y Cariadau', 'Colomen Wen', 'Bedd Llewelyn', 'Ffarwel iti Gymru Fad', a 'Dafydd y Garreg Wen'. Dyna'r drefn gydnabyddedig a 'doedd neb mewn difrif am ei newid. Credai O. M. Edwards fod y delyn a Cherdd Dant wedi apelio cryn dipyn at gynulleidfa 1891, ond tri yn unig a gystadlodd am y 2 gini a gynigiwyd i'r gorau am chwarae'r delyn deir-rhes ac fel 'comic turn' yr edrychid ar ganu penillion o hyd: 'Penillion singing with the harp afforded much amusement.'

Mae'n wir i'r Orsedd, a wyliwyd gan 7,000 yn Seremoni'r Cyhoeddi, 24 Gorffennaf 1890, atynnu llu o wylwyr chwilfrydig i'w sesiynau boreol a chafodd Gadeirio a Choroni bardd gerbron torf werthfawrogol enfawr. Cadeiriwyd Pedrog (y Parch. J. O. Williams) am ei awdl i'r 'Haul' ('roedd un wág o'r farn mai'r testun hwnnw a gynddeiriogodd y gwynt a'r glaw), a Choronwyd Hawen (y Parch. D. Adams, B.A.) am ei arwrgerdd i 'Oliver Cromwell' — dwy gerdd nad yw'n angharedig dweud iddynt fethu â rhoi'r byd ar dân. Deuddeg a gynigiodd am y Gadair a phedwar am y Goron, a thri'n unig a gynigiodd, yn ofer, fel mae'n digwydd, am y £15 o wobr am gyfansoddi pryddest ar 'Arthur yn Nghymru'. Mae'r ffaith fod Cromwell yn fwy ei apêl nag Arthur i feirdd 1891 yn dipyn o syndod o gofio fod mudiad Cymru Fydd eisoes wrthi'n rhamantu gorffennol y genedl, ond mae'n rhaid nodi fod wyth o bryddestwyr wedi canu i arwr cyfoes iawn ym mherson H. M. Stanley, 'o bob dyn byw . . . y mwyaf poblogaidd ar wyneb y ddaear y dydd heddyw'.

Siom *fawr* oedd i'r 'Cymro' arwrol hwn fethu â dod i Abertawe i lywyddu a derbyn rhyddfraint y fwrdeistref oherwydd damwain a'i cadwodd yn gaeth yn Mürren. Ta waeth, enillodd Iolo Caernarfon (y Parch. J. J. Roberts) £10 am foli 'Ioan Rowland, plentyn Cymru fach' a oedd wedi 'gogoneddu' ei hanes trwy gyflawni gorchestion 'In Darkest Africa' a sicrhâi mai ef, bellach, fyddai 'Arthur ein Chwedloniaeth'. Ac am foli Cymraes fabwysiedig enwoca'r dydd mewn cerdd i 'Craig-y-Nos Castle' rhoes Lewis Morris £5 i 'Red Dragon' tra'n cydnabod nad oedd un o'r 16 ymgeisydd 'quite in touch with the subject'. Wythnos cyn cynnal Gŵyl Abertawe agorodd Patti ei 'bijou theatre' yng Nghraig-y-Nos ac, meddai'r *Western Mail*, 'by appearing in opera with a locally-trained chorus and orchestra has added to the list of kindnesses which she has conferred on the residents of our locality — she has put herself in touch, for the first time, with our Welsh musicians, and has given many of them substantial encouragement for the future.' Cyfansoddodd 'Red Dragon' megis addolwr:

> Hail! Craig-y-Nos Castle, how joyous and free,
> The world's sweetest nightingale nestles in thee!
> Dear Eden of bliss 'mid Old Gwalia's green vales,
> Patti's home of adoption, her sweet home in Wales.
> God guard this bright home! This beautiful home!

Rhoddwyd £5 i'r Parch. W. Griffiths, Ystradgynlais am fynegi'r un teimladau'n gymwys mewn Cymraeg.

Er gwaethaf y llifeiriant geiriau ni chynhyrchodd yr un bardd gerdd ar gyfer Eisteddfod Genedlaethol 1891 i adfer bri'r awen Gymraeg ac er fod deunaw o gystadleuwyr wedi'u denu gan y gwobrau o £30 ac £20 a gynigiwyd gan y Mri D. Duncan am 'ffug-chwedlau', sef storïau cyfres yn portreadu'r gymdeithas Gymreig neu ddigwyddiadau yn hanes Cymru, ni chafodd y beirniaid neb tebyg i Ddaniel Owen i'w wobrwyo. Lledfyw, gwaetha'r modd, fu ymateb nofelwyr 1891 i'w cyfle ac ni roes O. M. Edwards air o sylw iddynt er iddo gymeradwyo'r unig gystadleuydd a gyfoethogodd lên Cymru'n ddigamsyniol y flwyddyn honno, sef y plismon Charles Ashton, a enillodd £50 am draethawd ar 'Hanes Llenyddiaeth Gymreig o 1650 hyd 1850', traethawd sy'n enghraifft dda o ddull yr amatur ymroddgar hwnnw o weithio mewn maes anodd mewn cyfnod pan oedd beirniadaeth lenyddol Gymraeg eto'n cropian. Mae'n werth nodi yn y cyswllt hwn mai dau a gystadlodd am y £5 a gynigiwyd yn 1891 am 'Traethawd hanesyddol, dadansoddol a beirniadol ar feirniaid yr Eisteddfod', a 'doedd yr un ohonynt yn deilwng. (Gyda llaw, mae'n drueni na fyddai testun mor werth chweil wedi'i atgyfodi ar gyfer 1982. Byddai'n sicr o oleuo llawer agwedd ar lenyddiaeth Gymraeg y ddwy ganrif ddiwethaf, heb sôn am godi cwestiynau buddiol am swyddogaeth y beirniad eisteddfodol — pe ceid cystadleuaeth wrth gwrs). Na, ni ddylid anghofio cyfraniad Charles Ashton a dylid cyplysu ag ef draethodwr buddugol arall, sef y Parch. J. M. Jones (Gwenallt) a enillodd £20 am draethu ar 'Y Newyddiadur a'r Cylchgrawn Cymreig: Eu hanes, a'u dylanwad ar fywyd y genedl'. Bu yntau'n llyfryddwr amatur diwyd yn ei ddydd a phrin fod rhaid dweud ein bod yn dal i ddisgwyl ymdriniaeth safonol â'r pwnc y bu'n ei drafod ganrif yn ôl. Diolch byth, mae'r nofel heddiw gryn dipyn yn nes at gael ei Choroni nag ydoedd yn 1891 pan ddadleuai 'O.M.' dros roi Coron i'r prif draethodwr er cydnabod y ffaith fod rhyddiaith, bellach, cyn bwysiced â barddoniaeth. Tybed a gaiff nofelydd Cymraeg Goron, yn ogystal â £500 Cwmni Teledu Harlech wrth reswm, cyn diwedd y degawd hwn?

Bid a fo am hynny, o safbwynt 1891 problem i'w chadw rhag gwaethygu oedd y Gymraeg, fel y gallai'n hawdd wneud pe caniateid i'r Orsedd gael gormod o'i ffordd. Tra parhâi'r patriarch, Clwydfardd, 91 oed yn sumbol ohoni fe fyddai popeth yn iawn. Ymgorfforai ef ryw hynafiaeth ddiniwed y gellid ei tholach yn ddiogel: 'I know of no man living,' meddai'r *Western Mail*, 'coming up so thoroughly to one's ideal of Gray's "Last Minstrel" as "Clwydfardd". His reach of arm, magnificent carriage, and strength of frame make one feel that he could shake the life out of a Saxon and the next moment could strike the strings of the harp of Wales and draw from it the sweetest harmony.' (Da y gwyddai'r *Western Mail* i 'Bard' Gray gyflawni hunanladdiad.) 'Doedd fawr o berygl i Glwydfardd, druan, ysgwyd dim na neb. Nid oedd namyn slogan cig a gwaed i goffáu'r dyddiau gynt, rhywun i'w gadw'n fyw yn enw gwedduster, megis y cadwodd un o'i gymwynaswyr ef yn fyw yn

25

ystod cystadleuaeth hirfaith y Corau Meibion trwy fynd â chinio twym iddo i'r llwyfan! Ym marn y beirdd, fodd bynnag, 'roedd y 'Moses' hwn wedi hen chwythu'i blwc. Chwedl 'John Jones' wrth amddiffyn yr Orsedd yn *Y Geninen*: 'Gresyn fod Clwydfardd mor hen: a gallwn ddweyd mai hynawsedd y beirdd sydd yn ei oddef. Dylai, ar bob cyfrif, fod yna un yn ei le i wneyd y gwaith; a chadwer ef i agor a chauad yr Orsedd cyhyd ag y bydd yn teimlo y gall wneyd hyny. Byddai yn hwylusdod anrhaethol i waith yr Orsedd i gael dyn yn gweled ac yn clywed yn gyflym i fyned drwy y gwaith.' 'Roedd 'Aaron', ym mherson Hwfa Môn, yn fwy na pharod i'w alw a gorau po gyntaf y ceid Archdderwydd awdurdodol i roi stop ar y math o ffolineb y bu cannoedd yn dystion iddo tu allan i'r Guildhall pan fu Gurnos a Morien yn cecran â'i gilydd ar y Maen Llog ynglŷn â tharddiad yr Orsedd.

Un peth oedd anwesu Clwydfardd. Peth arall oedd rhoi mwy o lais i'r beirdd yn nhrefniadaeth y 'Genedlaethol'. Nid oedd eisiau estyn cylch dylanwad y Gymraeg. Dywedodd y *Cambria Daily Leader* hynny'n blaen: 'The Gorsedd is the only seat from which Cymraeg has not been ousted, and its tenure of even that sacred spot is shaky. On the platform Welsh is a barbarous tongue and at the Cymmrodorion gatherings it tumbles at the sound of its own voice.' Gwir pob gair. Clymodd yr Adran honno'r Eisteddfod wrth y meddylfryd Prydeinig, yn ôl ei harfer bryd hynny, o'r foment y dechreuodd Lewis Morris lefaru yn ei chyfarfod agoriadol ar un o bynciau mawr yr oes, 'Higher Education and the University of Wales'. Mor eironig yr ymddengys ei frawddeg glo yn 1982 pan yw Prifysgol Cymru yn ymladd am ei hanadl y tu fewn i'r drefn yr oedd yn *rhaid* perthyn iddi yn 1891: 'Before the commencement of the twentieth century I do sincerely hope and believe that the efforts of the pioneers of Welsh Education, living and dead, will have issued in the addition of a new treasure to the sum of our Imperial resources, the long unsuspected genius and energy of the ancient Cymric people of Wales.' (Wrth eu hansoddeiriau yr adnabyddwch hwynt!)

Yn y cyfamser, 'roedd yr Athro J. E. Lloyd am weld y rhai a gawsai addysg yn trefnu cylchoedd o ddarllenwyr dyfal ymhlith y werin, darllenwyr Cymraeg a Saesneg, er mwyn sicrhau mwy o sylwedd yn niwylliant y wlad. Ac mewn papur ar 'The Welsh

Students' Union and Home Reading for Wales' (papur diddorol i'r sawl sy'n ymwneud ag addysg oedolion), dadleuodd dros gydweithredu â'r 'National Home Reading Union' a mabwysiadu'r dulliau a brofwyd yn llwyddiannus yn Lloegr. Y broblem fyddai cael digon o lyfrau Cymraeg priodol i ateb gofyn y cylchoedd — heb sôn am greu chwant darllen Cymraeg pan oedd y 'shilling shocker' mor apelgar!

Yn naturiol, pwysleisiwyd dimensiwn Prydeinig yr Ŵyl yn ogystal gan ei llywyddion a oedd mor daer bob dim â Lewis Morris dros weld talentau'r Cymry yn cael eu datblygu er gogoniant i'r Ymerodraeth. Fel yr Archddiacon John Griffiths gallai'r Barwnig, Syr H. Hussey Vivian, A.S., fostio iddo lywyddu yn Eisteddfod Genedlaethol 1863 pan fu'n cynghori'i wrandawyr mai eu rhesymol wasanaeth oedd bod yn Gymry ac yn Saeson yr un pryd. Yn 1891 mynnodd fod y Cymry'n genedl *ar wahân* ac mai'r arwahanrwydd anrhydeddus hwnnw a gyfiawnhâi ei hawl ef a'i debyg yn San Steffan i fynnu grantiau teilwng er hybu addysg uwch yng Nghymru. Hynny yw, 'roedd arwahanrwydd honedig y genedl yn teilyngu nawdd cyfundrefn addysg Brydeinig a wnâi bopeth yn ei gallu i ddileu'r arwahanrwydd hwnnw.

Yn ôl y Barwnig 'roedd 'great intellectual power' y Cymry yn ffaith anwadadwy. Fe'i profid yn flynyddol gan yr Eisteddfod a gawsai'r gorau ar bob collfarn ac a wynebai, bellach, ar ddyfodol llachar: 'That magnificent assembly would make itself felt throughout England.' Erbyn hyn y mae dyfodol yr Eisteddfod ei hun ynghlwm wrth grantiau llywodraeth y dydd ac ymhen canrif arall diau y bydd rhyw ymchwilydd yn pondro'r modd yr amododd rheini — yn enwedig ofn eu colli — ffordd nifer o Gymry'r dwthwn hwn o feddwl am iawn ymddygiad y 'Genedlaethol' fel herald ein harwahanrwydd. Faint o waith pondro a gaiff gan Ŵyl 1982 tybed? A glywir rhywun eleni yn cyfiawnhau arddangosiad ymosodol o'n harwahanrwydd trwy ailadrodd geiriau Hussey Vivian yn 1891: 'If ever there was a nation in the world the Welsh had a right to the title.' Os gwneir, mae'n sicr y bydd newyddiadur neu ddau yn barod mewn ateb i ailadrodd rhybudd y *Globe* ynglŷn â 'the advisability of cultivating intensely provincial sentiment' a chysylltu'r Gymraeg 'with a not very agreeable growth of nationalism, in an objectionable sense, which the possession of a separate tongue helps to hide, and therefore to render more mischievous.'

Rhaid tewi â sôn am un o Eisteddfodau mwyaf digwyddlon y cyfnod a ddilynodd sefydlu Cymdeithas yr Eisteddfod Genedlaethol yn 1880, ond nid cyn crybwyll balchder ei threfnyddion yn yr Arddangosfa Gelf a Chrefft a gynhaliwyd mewn oriel 'kindly lent . . . by the stewards of the Bath and West of England and Southern Counties Association'. Yn ôl yr hanes arddangoswyd gwaith 366 o gyfranwyr mewn wyth o adrannau: Paentio (220); Cerfio (25); Pensaernïaeth (5); Mecanyddwaith (3); Ffotograffiaeth (41); Gwniadwaith (27); Basgedwaith (21); Amrywiol (17). Enillwyd y brif wobr am baentio, 30 gini a Medal Aur, gan F. W. Davies, Birmingham a roes ar ganfas ei syniad ef o 'Yule-tide Festival. Bringing in of the Boar's Head'. Ond llawer gwell gen i heddiw fyddai cael gweld paentiad H. A. Chapman o eisteddfodwyr adnabyddus yn eu gwisgoedd gorseddol o gwmpas y Garreg Siglo ym Mhontypridd. Beth ddaeth ohono? A beth ddaeth o'r ffotograffau amhrisiadwy hynny? A sawl ffotograffydd a geisiodd am y chwe gwobr, dwy 7 gini a phedair 3 gini a gynigiwyd iddynt am, er enghraifft, 'Best Series of Views of Ancient Buildings of South Wales, not to exceed 12 by 10' a 'Best Series of Views of Gower (12 views), not to exceed 12 by 10'? I Eisteddfod Genedlaethol Abertawe yn 1891 y perthyn y clod am roi i'r camera ei le haeddiannol yn y diwylliant eisteddfodol. O am gael *gweld* y canlyniadau!

Bu llawer o drin a thrafod ar ôl yr Ŵyl. Ymosododd *Y Faner, Y Cymro, Y Tyst* a'r *Genedl* ar yr anhrefn dybryd ac ymatebodd *Y Geninen* a'r *Cambrian* yn ddig, gan gyhuddo'r wasg yn y Gogledd o gynnal *vendetta* yn erbyn y De. Synnwyd y naill gan 'y teimlad sur, plentynaidd ac anghenedlaethol' a godasai i'r wyneb, tra nad oedd i'r llall namyn 'one more example of the unnaturalness and the ungenerousness of the so-called "national" feeling in Wales.' Cyhuddwyd Hwfa Môn o ennyn sectyddiaeth trwy ymfalchïo'n gyhoeddus yn llwyddiant y ddau fardd Annibynnol, Pedrog a Hawen, cyhuddiad, hwyrach, a ysgogodd *Tarian y Gweithiwr* i ddadlau ei bod yn bryd i'r Methodistiaid roi mwy o gefnogaeth i'r Eisteddfod rhag iddi ddiffygio o eisiau'r bobol orau! Y papur hwnnw, hefyd, a gondemniodd y ffolineb o ganiatáu i rywbeth mor anfad â thent cwrw gael ei godi dros wythnos yr Ŵyl ym mhorth y Pafiliwn, lle treuliodd ugeiniau o laslanciau eu hamser yn potio a betio ar y corau. Yn anffodus, nid ymddengys fod derbyniadau'r tent hwnnw wedi'u cyhoeddi, ond prin fod eisiau amau i'r rhent am y plot lle'i codwyd, tua £70, gael ei dalu'n ddidrafferth.

Ta waeth, na chreded neb fod a wnelo meddwdod ag anffodion 1891. Ar ddydd Sadwrn, 22 Awst, gwnaeth dau Ustus Heddwch ddatganiad cyhoeddus ar ôl cynnal Llys Heddlu Abertawe. Dywedodd W. Rosser a A. H. Thomas fod 40,000 o ymwelwyr yn y dref dros yr Ŵyl ac nid arestiwyd un ohonynt am fod yn feddw. 'Roedd honno'n ffaith a ddywedai fwy na digon am foesoldeb y Cymry — ffaith a haeddai'i chwhwfan gerbron y byd. (Mae'n debyg y dywedai ambell sinig ei bod yn adlewyrchiad trist ar ansawdd cwrw Abertawe — 'does dim modd plesio pawb wedi'r cyfan). Ni chafodd hyd yn oed O.M. Edwards le i gwyno am syched glöwyr y De. I'r gwrthwyneb, aeth adref â'i ffydd yng ngwerin wâr unigryw Gwalia yn gryfach nag erioed. Gwelodd foneddigeiddrwydd ar bob llaw yn y Pafiliwn, gwelodd egni anorchfygol 'y Deffroad' yn disgwyl am rywun i roi ffurf iddo a'i droi'n 'ymdrech wir dros Gymru'. Byddai'r werin yn iawn ond iddi gael arweiniad iawn. Aeth 'O.M.' adref gan roi'i fendith ar arwr y Gymru ddiwydiannol — y Gymru beryglus: 'Clywais droeon mai creadur garw ac anhyblyg ydyw glöwr y Deheudir; ond, wedi ei weled yn ei Eisteddfod ei hun, bydd gennyf barch iddo tra byddaf byw.' Ychwanegwyd mwy na chufydd at fyth 'Gwerin Cymru' gan Eisteddfod Genedlaethol 1891.

Er gwaethaf pob storm gwnaed elw o ryw £800. Ni allodd sioe'r Mri Teague a Jenkins yn y 'Central Athletic Grounds' gerllaw gadw'r miloedd rhag mynd i'r 'Genedlaethol' chwaith — ac nid sioe ddwy a dimai mohoni: 'The famous Australian bicyclist, trick-rider, and athlete — Minting — who has gained celebrity by the performance of the seemingly impossible feat of ascending and descending on one wheel a spiral some 150 feet high, promises a performance each afternoon. Miss Nellie Reed is as great a celebrity in her line, with her high-jumping thoroughbred "Sydney", son of "Hermit", Derby winner. Professor Alec Mackay also promises to make a balloon ascent and parachute descent each day; and the De Calmars, who have, doubtless, been engaged on account of the extreme novelty of their feats of riding the tight rope on bicycles, with trapezes suspended from the axles, will prove another item worth seeing.' Oedd, 'roedd sioe Teague a Jenkins yn wrthwynebydd drws nesaf grymus i'r hen Ŵyl ac i Gaerdydd fe ddaeth y Gymdeithasfa Brydeinig i agor ei sioe flynyddol, uchel-ael hithau ar 19 Awst. Wynebodd y 'Genedlaethol' y cyfan yn fuddugoliaethus. Derbyniwyd £1,637.9.6 mewn tanysgrifiadau a chymerwyd £2,560.18.5 wrth y clwydi. 'Doedd dim dwywaith amdani meddai'r *Western Mail*, 'roedd hyd yn oed Pafiliwn 1891 yn rhy fach i ateb gofynion y fath boblogrwydd. Eto i gyd, ffolineb oedd sôn am godi Pafiliwn ansymudol, 'for much of the success of the Eisteddfod is due to its itinerary character. The enthusiasm which characterises the proceedings would be lost if the meetings were always held at the same place, and the business would have to be entrusted to paid officials.'

Ymhen canrif mae'n fwy na thebyg y bydd rhyw gwis-feistr yn dyfynnu'r geiriau yna ar un o raglenni S4C (neu un o'i mynych epil) gan ofyn ai yn 1891, 1982 neu 2082 y llefarwyd hwy. Mae gen i gymaint â hyn'na o ffydd yng ngheidwadaeth 'Gŵyl Gwalia'.

Abertawe a'r Fro
Cyn y Chwyldro Diwydiannol

Prys Morgan

Byddai'n hawdd maddau i ymwelydd am ofyn 'A oes yna unrhyw hanes i Abertawe cyn y Chwyldro Diwydiannol?' Mae olion unrhyw ddiwylliant cyn y cyfnod modern mor brin, ar yr olwg gyntaf, ag ydynt dyweder yn Queensland neu Oklahoma. Mae'r ymwelydd o Gymro yn debyg o ddod at ddinas Abertawe o gyfeiriad Caerfyrddin neu Gwm Tawe neu Gaerdydd, ac olion diwydiant ar bob llaw. Ar waethaf hynny, y mae i'r dref hanes hir a chymhleth. Y ffordd orau i dreiddio yn ôl a gweld y lle fel yr oedd cyn cyfnod diwydiant yw teithio i mewn o gyfeiriad Bro Gŵyr, neu weld Abertawe o long yn dod i mewn i Fae Abertawe. Mae'n ymrithio felly fel tref farchnad neu fel porthladd. Cyn y cyfnod diwydiannol 'Swansey' oedd y sillafiad arferol yn Saesneg, a'r *ey* yn fwy na thebyg yn cyfeirio at ynys fechan yn nyfroedd aber afon Tawe lle 'roedd rhyw Lychlynwr neu Ficing o'r enw Sweyn wedi glanio neu wedi ei gladdu. Mae yna hen olion ar fynydd Rhosili yn dwyn yr enw Sweyn's Houses, ac efallai mai at yr un Sweyn y cyfeirir yno; ni all neb fod yn siŵr.

Mae'n debyg fod yna bentre bach hollol Gymreig ar lannau aber afon Tawe yn y cyfnodau cynharaf, ond tref a sefydlwyd gan estroniaid yw Abertawe, fel cymaint o'r trefi yng Nghymru. Nid oes olion caer Rufeinig yma, fel sydd yng Nghaerfyrddin neu Gaerdydd, er bod olion *villa* Rufeinig yn Ystumllwynarth o fewn tafliad carreg i Abertawe. Yn ôl y dystiolaeth y Normaniaid a sefydlodd dref fechan yma tua dechrau'r ddeuddegfed ganrif, fel rhan o'u hymdrech i gael troedle ym mhob man cyfleus ar hyd arfordir y De. Concwest dameidiog iawn oedd concwest y Normaniaid yn y De,

31

Sweyn's Houses
(Cafwyd gan Gomisiwn Brenhinol Henebion yng Nghymru)

ond buont yn llwyddiannus yn gafael yn dynn yn y fro o gwmpas Abertawe, a rhaid oedd cael porthladd diogel a chaer i gadw'r milwyr. O 1102 i 1106 fe ddefnyddiodd y Normaniaid un o'r Cymry, Hywel ap Goronwy, i reoli'r fro o gwmpas Abertawe, ond wedi hynny y Normaniaid eu hunain a ddaeth yn arglwyddi. Yr oedd y fro o gwmpas wedi bod yn uned naturiol ers canrifoedd, felly 'roedd yr arglwyddi Normanaidd yn olynwyr hen arglwyddi o Gymry.

Enw'r arglwyddiaeth newydd oedd *Gower*, addasiad o'r enw Cymraeg *Gŵyr*. Mae'r enw yn para hyd heddiw yn enw ar etholaeth seneddol, ac yn rhyfedd iawn, y mae ffiniau'r etholaeth, yn gyffredinol, yn dilyn ffiniau'r arglwyddiaeth; yn y gogledd y mae'n ymestyn o gyffiniau Rhydaman a Bannau Brycheiniog a blaenau Cwm Tawe i lawr i'r de trwy Gwm Tawe a thros fryniau Llangyfelach i'r môr, i Gasllwchwr yn y gorllewin ac i Abertawe yn y

32

dwyrain. Yn ogystal y mae'n ymestyn ar hyd pentir hir Bro Gŵyr, rhwng Bae Abertawe ac aber afon Llwchwr mor bell ag y mae'n bosibl i fynd i benrhyn Gŵyr yn Rhosili. Hen gwmwd Cymreig ydoedd Gŵyr, ambell dro wedi ei gysylltu â Morgannwg, ond fynychaf wedi ei gysylltu ag Ystrad Tywi ac felly yn rhan o Ddeheubarth. Mae Gŵyr felly yn esiampl o uned sydd yn undod hanesyddol, heb fod yn sir fel Gwent neu yn dalaith fel Gwynedd, a pheth go brin yn y de yw hyn, er bod nifer o fröydd tebyg yn y gogledd fel Llŷn neu Edeyrnion neu Benllyn. Cwmwd Cymreig ydoedd, ac enwau Cymraeg yw'r enwau cynharaf trwy'r fro, a seintiau'r eglwys Geltaidd yw nawddseintiau'r hen eglwysi.

Ymladdodd y Cymry yn ddygn a chaled i geisio adennill y cwmwd oddi wrth y Normaniaid, ac fe losgwyd y castell a godwyd yn Abertawe droeon gan arglwyddi fel yr Arglwydd Rhys a Rhys Gryg; ac fe goncrwyd y dref am ychydig gan Owain Glyndŵr ar ddechrau'r bymthegfed ganrif. Ond 'roedd hyn yn ofer ac fe gafodd y methiant hwn i adennill y cwmwd effeithiau a oedd yn llawer iawn mwy difrifol nag yn y mwyafrif o fröydd Cymru, a hynny am fod Normaniaid arglwyddiaeth Gŵyr wedi mynd yn llawer pellach na choncro'r Cymry. Eu bwriad oedd sefydlu trefedigaethau, a setlo Saeson neu Normaniaid ar unrhyw dir ffrwythlon a geid, a dyna a wnaethpwyd yn llwyddiannus ar diroedd isel Gŵyr. Yng ngolwg gwladychwyr y ddeuddegfed ganrif yr unig dir ffrwythlon oedd y tir isel, tir calch gan amlaf, tir hyar hydrin, yn ymestyn am bymtheng milltir i'r gorllewin o Abertawe at Rosili. Mae'n bosibl eu bod wedi dod i arfordir deheuol penrhyn Gŵyr cyn concro Abertawe ei hun. Yn sicr fe aethpwyd ati i sefydlu mân-bentrefi Seisnig ar hyd y fro, a'u hamddiffyn â chestyll. Bwriad cestyll fel Casllwchwr ac Abertawe oedd eu hamddiffyn rhag y Cymry. Mae'r bryniau uchel yn dechrau yn union tu cefn i dref Abertawe, tiroedd llwm a gwlyb, anhyar ac anhydrin, a'r boblogaeth yn brin a gwasgaredig. Gellid cael trefedigaeth o bosib ar y tir isel, ar hyd glannau afon Llwchwr a Lliw, ond ar y cyfan, nid oedd y Normaniaid am ymsefydlu yn nhiroedd y blaenau. Mae'n debyg bod yr hen Gymry eu hunain yn rhannu eu cwmwd yn frodir isel ac yn flaeneudir uchel, ond y Normaniaid a ddyrchafodd hyn yn egwyddor llywodraeth. Rhannwyd Gŵyr yn ddwy ran: *Gower Wallicana* oedd Blaenau

Castell Abertawe o'r Dwyrain. Llin-gerfiad gan Samuel Nathaniel Buck, 1741
(Cafwyd gan Lyfrgell Genedlaethol Cymru)

Gŵyr, y bryniau a Chwm Tawe, i bob pwrpas, a *Gower Anglicana* oedd Abertawe a phenrhyn Gŵyr, yr hyn a elwir yn Gymraeg yn Fro Ŵyr neu Fro Gŵyr. Wedi'r chwyldro diwydiannol y mae tuedd i neilltuo'r gair *Gower* i ddisgrifio'r Fro, y *Gower peninsula* yn Saesneg. Dros gyfnod o ganrif neu ddwy fe drefnwyd gan yr arglwyddi bod y tir isel yn cael ei setlo gan Saeson. 'Roedd ganddynt eu deddfau eu hunain a'u llysoedd barn eu hunain, a 'doedd fawr o gysylltiad rhyngddynt a'r Cymry. Nid oedd y Cymry i fod i drigo yn nhref Abertawe. Gallai'r Cymry fynd ymlaen â'u bywyd traddodiadol bugeiliol i fyny yn y bryniau neu'r cwm, dim ond iddynt dalu gwrogaeth i'r arglwyddi yng nghastell Abertawe. 'Roedd haen o weunydd gwyllt yn rhannu'r Cymry oddi wrth y trefedigaethau Seisnig neu Normanaidd, ac i ryw raddau y mae'r rhain yn bod heddiw fel cyffindir o diroedd comin a rhostiroedd megis Clyne Moor, Fairwood Common, Mynydd Bach y Cocs, Welshmoor ac yn y blaen. Er ein bod wedi sôn uchod fod Gŵyr yn hen uned naturiol, un o'r ffeithiau hanfodol yn ei hanes yw ei bod yn uned wedi ei hollti'n ddwy. Mae'r rhaniad i ryw raddau yn para hyd heddiw. Ar lawer cyfrif, Blaenau Gŵyr, yr ardal Gymraeg, yw'r uned lywodraeth leol a elwir heddiw yn 'Dyffryn Lliw', y fro a wahoddodd yr Eistedfod Genedlaethol yn 1980 i Dre-gŵyr. Y fro sydd yn gwahodd yr Eisteddfod yn 1982 yw dinas Abertawe a Bro Gŵyr.

Datblygodd dwy gymdeithas ar wahân o fewn yr un cwmwd. Ar bentir hir y penrhyn datblygodd cymdeithas o fân-faenorau, pentrefi yn glystyrrau o dai o gwmpas porfa neu *green*, fel pentrefi Lloegr. Esiampl ardderchog yw Reynoldston. 'Roedd cestyll fel cestyll Pen-rhys a Phennardd yn gwarchod y pentrefi, a nifer o fân-borthladdoedd fel Porth Eynon ac Oxwich yn cysylltu'r fro yn feunyddiol â Dyfnaint a Gwlad-yr-Haf. 'Roedd llawer iawn o Gymry wrth gwrs wedi goroesi'r goncwest, yn enwedig ar hyd glannau gogleddol y penrhyn, ac mae digon o enwau lleoedd a hyd yn oed enwau nentydd a chaeau yn Gymraeg mewn plwyf fel Llanrhidian. Fe gredid gynt, yn enwedig gan haneswyr rhamantaidd y ganrif ddiwethaf, mai Fflemingiaid oedd gwladychwyr Bro Gŵyr. Ond nid oes llawer o dystiolaeth dros y gred honno. Mae'n fwy na thebyg mai Saeson o Ddyfnaint a Gwlad-yr-Haf oeddynt, a'r

Castell Pen-Rhys, Tŷ T. M. Talbot, Yswain.
Llin-gerfiad gan Thomas Rothwell, tua 1790
(Cafwyd gan Amgueddfa Genedlaethol Cymru)

dystiolaeth am hynny yw natur Saesneg Bro Gŵyr. Cofnodwyd y dafodiaith Saesneg gyntaf tua 1696 gan Isaac Hamon o Landeilo Ferwallt (*Bishopston*) mewn adroddiad ar y fro i Edward Lhuyd. *Ye Old English* oedd ei air amdani, hynny yw, 'roedd wedi ei siarad yno ers tua 1200. Mae yn y dafodiaith lawer o eiriau tebyg i orllewin Lloegr, fel *drang* am heol, a'r ynganiad *vish, vowl* a *ven* (am *fish, fowl* a *fen*) neu *zoggy* (am *soggy*), ac yn y blaen. Mae ambell air hynafol iawn wedi goroesi fel *nummit* (*noon-meat*) am ginio canol dydd, ac ambell air wedi ei fenthyca o'r Gymraeg fel *tallot* (o *taflod*) a *bubbock* (*bwbach brain*). Mae'n ddigon anodd i rywun o'r tu allan glywed y dafodiaith erbyn heddiw, am fod tuedd i'r siaradwyr lefaru Saesneg safonol de Cymru â'r *furriner* (dyn-dwad), ond os gall dyn

36

Lleiniau tir gerllaw Pentre Rhosili
[Cafwyd gan H. Tempest (Caerdydd) Cyf.]

Siartr Harri III, 1234
(Cafwyd gan Gyngor Dinas Abertawe)

glywed ffermwyr o bentrefi mwyaf pellennig y penrhyn fel Llangynydd a Rhosili yn siarad â'i gilydd, yna fe all dyn glywed yn eglur y tebygrwydd i dafodiaith Dyfnaint.

Ym mhentrefi bychain penrhyn Gŵyr y datblygodd sistem gynnar o faenorau, ac er i ni ddwedyd fod Abertawe yn ddinas lle mae'r gorffennol wedi diflannu, mae'r gwrthwyneb yn wir am y maenorau, lle gall yr ymwelydd gael blas y cynfyd yn rhwydd. Nid nepell o'r ddinas, ar lan y môr mae castell Ystumllwynarth (*Oystermouth*) a godwyd gan arglwyddi Gŵyr yn y drydedd a'r bedwaredd ganrif ar ddeg; yn y coed uwchlaw bae Oxwich mae castell mawr teulu'r Manseliaid, ychydig bach yn ddiweddarach; ar ochr ogleddol y penrhyn rhwng Oldwalls a Cheriton y mae castell Weblai, cartref teulu De la Bere, yn edrych dros y morfeydd tuag at Lanelli; yng nghanol y penrhyn, rhwng Pen-maen a Parkmill a Llethrid y mae fforestydd Parc le Breos, parc hela a wnaed yno gan arglwyddi Gŵyr, teulu De Breos. Yr oedd y Gwilym Brewys, sydd yn chwarae rhan mor rhamantus yn hanes y dywysoges Siwan, yn aelod o'r teulu hwn. Gerllaw pentre Rhosili, y mae lleiniau tir (o'r enw *The Vile*) yn goroesi, lleiniau sydd yn cadw sistem y faenor ganol-oesol o amaethu. Hyd yn gymharol ddiweddar, pan ddaeth polisi i fod o gydio cae wrth gae, 'roedd rhagor o'r lleiniau maenoraidd hyn i'w cael.

Trwy'r canol oesau yr oedd arglwyddiaeth Gŵyr yn werthfawr i'r arglwyddi, gan fod yr amaethu yn dda, a'r porthladdoedd bychain yn ei gwneud hi'n hawdd allforio oddi yno, a chan fod tref Abertawe ei hun wedi datblygu i fod yn ganolfan masnach. Gweithwyr diwyd oedd y trefwyr, er enghraifft yn prynu crwyn anifeiliaid gwyllt o'r coedwigoedd a oedd yn amgylchynu'r dref, ac yn allforio crwyn a lledr. Byddai llongau Abertawe yn mynd mor bell ag Ynys yr Ia, heb sôn am Fryste neu Iwerddon. Am ganrifoedd fe fu hir ymrafael rhwng dau deulu Normanaidd am arglwyddiaeth Gŵyr, sef teulu De Breos a theulu De Beaumont (Ieirll Warwick) a'u hetifeddion. Rhwng y ddau deulu, byddai'n rhaid i'r trefwyr geisio ennill eu hawliau oddi wrth rym gormesol yr arglwyddi, ac yn wir, y mae'r siartrau y bu'n rhaid i'r arglwyddi eu rhoddi i'r trefwyr wedi goroesi; ac er ein bod wedi sôn fod Abertawe yn ddinas ddi-orffennol y mae ganddi gasgliad gwych o siartrau cynnar yn archifau'r dref.

Yn raddol yn ystod y bymthegfed ganrif y mae'r elfen Seisnig a Normanaidd yn mynd yn llai pwysig a'r elfen Gymreig yn dod i'r amlwg. Er gwaethaf rhyfeloedd Glyndŵr a'i ddiflaniad yntau, fe ddaeth rhagor o Gymry (yn answyddogol rywsut) i mewn i'r dref i fyw ac i weithio. Yn 1462 fe ddaeth William Herbert (o Raglan yng Ngwent) i reoli Abertawe, ac fe lwyddodd i ennill yr arglwyddiaeth yn 1468, y Cymro cyntaf i wneud hyn ers 1106. Yn yr un cyfnod fe ddaeth Cymry i'r amlwg fel gweinyddwyr yr arglwyddiaeth, rhai fel Syr Mathau Cradog a gododd blas gogoneddus iddo'i hun yng nghanol y dref — ar safle'r gerddi cyhoeddus o flaen y castell heddiw. Tua diwedd y bymthegfed ganrif fe briododd etifeddes Gŵyr, Elizabeth Herbert, â Charles Somerset, ac felly fe ddaeth y teulu Somerset i fod yn arglwyddi Gŵyr, a hwy sydd yn parhau i ddwyn y teitl o *Seigneur* arglwyddiaeth Gŵyr hyd heddiw. Eu prif deitl ers diwedd yr ail ganrif ar bymtheg yw duciaid Beaufort.

'Roedd dyfodiad y Cymry i safleoedd o ddylanwad yng Ngŵyr ac Abertawe yn ail hanner y bymthegfed ganrif yn rhagflas o'r hyn oedd i ddod yn gyffredin gyda Deddf Uno Cymru a Lloegr, 1536 a 1542. Daeth y Ddeddf Uno â hen annibyniaeth Gŵyr i ben, ac fe gollodd y Somersetiaid eu statws fel arglwyddi'r Mers (*marcher lords*); ystyr y Ddeddf oedd eu bod yn peidio â bod yn fân-frenhinoedd, ac yn lle hynny yn troi yn dir-feddianwyr cyfoethog. Nid oedd ffin mwyach rhwng y Cymry cynhenid yn y blaeneudir a'r Saeson neu'r Normaniaid a'u disgynyddion yn y Fro. Cadwyd llysoedd ar wahân i'r Fro a'r Blaenau, ond nid oedd y rhain mor bwysig â chynt. Yn wir, fe barhawyd i gadw llys ar wahân hyd yn oed i arglwyddiaeth fechan Cil-fai (*Kilvey*), sef y darn tir ar ochr ddwyreiniol afon Tawe rhwng Y Glais a'r môr yn y Wern-Fâr (Morfa'r Crymlyn), arglwyddiaeth a oedd bob amser yn cael ei 'styried yn rhan o Arglwyddiaeth Gŵyr. Newid pwysig arall a ddaeth yn sgîl y Ddeddf Uno oedd cyplysu Gŵyr gydag arglwyddiaeth Morgannwg i greu Sir Forgannwg. 'Roedd Syr Mathau Cradog a oedd wedi bod yn stiward Gŵyr, wedi datblygu ei stadau hefyd ym Morgannwg, polisi a ddilynwyd gan ei ŵyr Syr George Herbert, a oedd hefyd yn stiward hynod o rymus ac wedyn yn siryf ac yn aelod seneddol dros Sir Forgannwg. Ni ddylai'r ffaith fod George Herbert yn Gymro Cymraeg ac yn noddwr i gywyddwyr

Wind Street, Abertawe, tua 1898
(Cafwyd gan Gyngor Dinas Abertawe)

megis Iorwerth Fynglwyd guddio'r gwir ei fod yn gallu bod yr un mor ormesol ag unrhyw arglwydd Normanaidd. Yr oedd Mathau Cradog yn dod o blith mân-bendefigion lleol Gŵyr, ac fe ymbriododd yr Herbertiaid â'r Cymry yn yr ardal. Yn y blaeneudir fe drodd y Cymry a oedd yn ddisgynyddion i hen arglwyddi a thywysogion y Cymry i fod yn uchelwyr ar batrwm y *gentry* Seisnig, er enghraifft disgynyddion Gruffydd Gŵyr a Hywel Melyn, yn ffurfio mân-stadau wrth gydio tiroedd wrth diroedd, ac yn ymbriodi am y tro cyntaf â disgynyddion y Saeson yn y Fro.

Yn hanes rhai o'r bwrdeistrefi canoloesol yng Nghymru, unwaith yr oedd y castell yn edwino, ar ddiwedd yr Oesau Canol, edwino hefyd oedd hanes y fwrdeistref. Ni ddaeth Casllwchwr i fod yn fwrdeistref o unrhyw bwys, a diflannu yn llwyr fu hanes bwrdeistref Cynffig ar draws y bae gerllaw Porth-cawl. Nid felly Abertawe: yn oes y Tuduriaid a'r Stiwartiaid datblygodd i fod yn dref fasnachol ac

41

yn borthladd o bwys. Er nad oedd garsiwn yn y castell, yr oedd yn para yn adeilad o bwys, a rhan ohono wedi ei droi yn garchar. Y ffordd orau i sylweddoli sut le oedd yr hen dref bryd hynny yw dod o gyfeiriad Caerdydd a'r dociau, a gweld sut mae'r hen adeiladau, gan gynnwys y castell, yn rhes ar ben cefnen o dir, a Wind Street, Castle Street a High Street fel yr asgwrn cefn, yn rhedeg o'r De i'r Gogledd, ac islaw mae lôn y Strand, sef yr hen gei i'r llongau. 'Roedd rhyw gymaint o ymledu i'r gorllewin o'r gefnen hon, a'r muriau yn mynd ychydig i'r gorllewin i Eglwys Fair. Cyn y cyfnod diwydiannol, morfa oedd y tu dwyrain i'r afon, a thwyni tywod i'r de-orllewin, meysydd gwyrddlas lle mae Ffordd-y-brenin a Stryd Rhydychen, a bryniau coediog yn y cefndir (cyn i'r coed gael eu difa gan fwg diwydiant), ac yn yr ardaloedd sydd mor boblog heddiw, o orsaf High Street i fyny i Gwm Tawe, nid oedd ond ambell fwthyn neu dyddyn. Digon fel eglureb yw dweud mai enw'r ystad hynafol ar lawr y Cwm lle mae olion hyllaf diwydiant heddiw oedd Y Fforest.

Yn y Fro a'r Blaenau y duedd raddol yn y cyfnod hwn oedd i'r mân-stadau gael eu llyncu gan stadau mwy, ac erbyn y ddeunawfed ganrif yn aml byddai'r stadau mwy yn rhan fach o stadau eang a oedd â'u canolbwyntiau mewn siroedd eraill. Trwy farwolaethau a phriodasau fe aeth llawer o diroedd Cwm Tawe a Llansamlet i feddiant teulu Villiers, Ieirll Jersey. 'Roedd Somersetiaid Rhaglan yn byw am beth amser yn Rhaglan, ac yn Nhrefynwy, ond gan amlaf yn Badminton y byddent yn trigo, a cheisio rheoli eu tiroedd, ac yn wir fwrdeistref Abertawe, o bell trwy stiward. Yr oedd y fwrdeistref ei hun wedi mynd fwyfwy i feddiant grŵp neu glic o deuluoedd pwysig o gyfnod y Tuduriaid ymlaen, masnachwyr a chyfreithwyr, ac ambell dirfeddiannwr o'r ardal. Gan fod Duc Beaufort yn dirfeddiannwr mor bwysig, 'roedd ei stiward ef a'i gyfeillion yn rheoli'r dref mewn ffordd gul ac annemocrataidd. Er enghraifft yn y ddeunawfed ganrif 'roedd Gabriel Powell yr hynaf a'i fab Gabriel Powell ieuanc, ill dau yn stiwardiaid, ac i bob pwrpas yn rheoli Abertawe mor ormesol ag y byddai'r arglwyddi ffiwdal yn yr Oesau Canol. Yr unig stryd yn Abertawe erbyn heddiw sydd yn cadw peth o naws y cyfnod hwn yw Wind Street, lle mae yna grŵp o dai o'r ddeunawfed ganrif wedi goroesi lle mae Salubrious Passage a Green Dragon Lane yn dod i mewn i'r brif heol. Mab i un o fasnachwyr y

Salubrious Passage, Abertawe
(Cafwyd gan Gyngor Dinas Abertawe)

dref oedd Richard Nash, *Beau Nash*, ond nid yn y dref y gwnaeth ei
farc eithr yn Bath fel meistr y seremonïau. Mae hyn yn nodwedd-
iadol o Abertawe yn y cyfnod hwn, tref fach yn troi ei chefn ar
Gymru, ac yn dibynnu am ei safonau ar Fryste a Bath a Badminton.

Erbyn tua 1724 pan ddaeth Daniel Defoe ar ei daith enwog o
gwmpas Prydain, sylwodd fod Abertawe yn borthladd bach diwyd, a
llawer o fynd ar y fasnach lo ar draws y dŵr i Ddyfnaint ac i
Iwerddon. Gallech weld, ebe Defoe, tua chant o longau hwylio ar y
tro yn mynd a dod yn y bae. Nid bod diwydiant yn beth cwbwl
newydd yn Abertawe: 'roedd arglwyddi Gŵyr yn y bedwaredd
ganrif ar ddeg wedi gweithio glo ym mhlwyf Llansamlet, er
enghraifft. Ond nid oedd elfennau diwydiannol yn rheoli'r
gymdeithas. Erbyn 1724 yr oedd mewn gwirionedd nifer o fân-
weithfeydd o gwmpas Abertawe, ac 'roedd poblogaeth Bro Gŵyr
wedi dyrchafu eu llygaid at y mynyddoedd am y tro cyntaf, ac wedi
dechrau symud i mewn i bentrefi newydd yn y bryniau unig. 'Roedd
awdurdodau'r dref fach gul annemocrataidd yn gwybod beth oedd
nerth y diwydiannau newydd hyn, glo a metel ac yn y blaen. Mae'n

Man llwytho glo ar afon Tawe yng Nglan-Dŵr, gyda Gwaith Copr. Dyfrliw
gan J. C. Ibbetson, 1792
(O gasgliad Wernher)

ddiddorol edrych ar bapurau'r stiwardiaid Gabriel Powell (dad a mab) yn y ddeunawfed ganrif, a'u gweld yn archwilio'r tiroedd yn y ffordd fwyaf hynafieithol a ffiwdalaidd posibl, a darllen rhwng y llinellau, megis, eu bod am wneud yn siŵr bod pob ffyrling bosibl yn dod i boced eu meistr o'r mân-ddatblygiadau diwydiannol drwy'r arglwyddiaeth. Credai awdurdodau'r dref y gellid cadw diwydiant draw mewn cornel, a chadw democratiaeth hefyd i ffwrdd, a datblygu Abertawe fel rhyw Sidmouth neu Lyme Regis sidêt a llednais. Dyna oedd bwriad llawer o'r arweinwyr mor ddiweddar ag 1832. Tref fach lan-môr a lle dymunol i fynd ar wyliau neu i ymddeol oedd Abertawe i bobol fel Walter Savage Landor neu Dr Thomas Bowdler (a roes y ferf *bowdlerise* i'r Saesneg) pan ddaethant yno i fyw. Gellir cael argraff go dda o'r tai lle 'roedd y bwrdeisiaid hyn yn byw wrth fynd i lawr i waelod y dref bresennol rhwng Amgueddfa'r Sefydliad Brenhinol a'r Amgueddfa Forwrol yn y dociau, lle mae'r dref yn ddiweddar wedi bod yn glanhau ac adfer terasau gosgeiddig o dai diwedd y ddeunawfed ganrif mewn strydoedd fel Cambrian Place a Gloucester Place. Neu fe ellir gweld *villas* swbwrbaidd o'r un cyfnod wrth fynd allan ar hyd y glannau tuag at y Mwmbwls, er enghraifft Norton House sydd erbyn hyn yn westy moethus.

Sidmouth yng Nghymru, dyna oedd eu bwriad, ond yr oedd y Chwyldro wedi digwydd. Byddai'n sioc i drigolion Abertawe ac i Saeson Bro Gŵyr i weld poblogaeth enfawr yn tyfu yn y blaeneudir, a chyfoeth tu hwnt i'w dychymyg yn dod o'r bryndir moel, yn sioc i weld llu o gapeli a thai-cyrddau anghydffurfiol yn codi a herio awdurdod tŵr Eglwys Fair, sioc i weld amaethwyr a sgweieriaid yn plygu i awdurdod diwydianwyr, sioc i weld democratiaeth yn dinistrio'r hen fwrdeistref a'r etholiadau seneddol pwdr, sioc a siom i weld y llwyni coed yn marw ar y bryniau. Ond dyna a ddigwyddodd.

Datblygiad Cymdeithas Gyfoes Abertawe

J. D. H. Thomas

Bu datblygiadau'r ddau can mlynedd diwethaf yn gyfrifol am weddnewid Abertawe o'r dref a adnabu J. H. Vivian gyntaf i'r Abertawe a ddyrchafwyd yn ddinas yn 1969. Ond gwnaethant fwy na hyn, oherwydd creasant ranbarth a oedd yn uned economaidd a thref Abertawe yn ganolfan iddo. Cynhwysa'r rhanbarth hwn ardal sy'n ymestyn i Aberafan yn y dwyrain, i ffiniau Brycheiniog yn y gogledd ac i enau'r afon Llwchwr yn y gorllewin. Mae'r dre a'r rhanbarth wedi cyfrannu'n helaeth tuag at ddatblygiad y naill a'r llall — creodd diwydiant copr Abertawe, er enghraifft, alw am lo a chalch cymoedd y rhanbarth; bu dociau'r dre'n gyfrwng allforio'u glo caled; bu gan gyfalafwyr Abertawe ran bwysig yn ffyniant diwydiannau'r rhanbarth a dibynnai marchnad a chanolfan siopa'r dre'n drwm ar gwsmeriaeth trigolion pentrefi'r rhanbarth. Mae'r cysylltiadau rhwng tre Abertawe a'r pentrefi wedi cynyddu dros y blynyddoedd ac wedi creu perthynas agos rhyngddynt, ac felly, er mai Abertawe a gaiff ein sylw pennaf rhaid cofio ei hystyried yng nghydestun yr ardal gylchynnol.

Er gwaethaf datblygiadau diwydiannol y ddeunawfed ganrif a dadleuon nifer o gynghorwyr blaenllaw'r dre, 'roedd trigolion Abertawe ar ddechrau'r ganrif ddiwethaf yn bell o fod yn unfryd yn eu damcaniaethau ar ddyfodol eu tref. Gobeithiai nifer sylweddol ohonynt y byddai rhagoriaethau naturiol yr ardal — y bae, a gyffelybwyd i Fae Naples, mynych ffynhonnau'r dre a'u dyfroedd meddyginiaethol ynghyd ag atyniadau penrhyn Gŵyr — yn ddigon i sicrhau ei dyfodol fel cyrchfan ffasiynol a chanolfan gwyliau. Er mwyn cyflawni eu gobeithion darparodd y mwyaf anturus ohonynt faddonau addas a chyflawnder o westai, lletyau, llefydd adloniant a, hyd yn oed lyfrgelloedd yn y dre. Nid ofer hollol bu eu hymdrechion oherwydd ni ddifethodd yr ymrwymiad cynyddol i ddiwydiant atyniadau'r dref yng ngolwg yr ymwelwyr na'i rhan fel mynedfa i ysblander Gŵyr. Eto, diwydiannau'r ardal — copr, glo, dur ac alcam yn arbennig — a'r cynnydd yng ngweithgarwch y dociau a luniodd yr Abertawe yr ydym ni yn ei hadnabod heddiw.

Canlyniad cyntaf yr ymrwymiad cynyddol yma i ddiwydiant a masnach oedd twf syfrdanol yn nifer trigolion y dre a'r gymdogaeth. Dyma wraidd y gweddnewidiad a ddigwyddodd yn y blynyddoedd canlynol. Ar yr un llaw bu rhaid i'r dref ymestyn ei ffiniau i gynnwys rhannau helaeth o'i chymdogaeth ac, ar y llaw arall, bu rhaid i'w thrigolion chwilio am ddelwedd newydd i'w cymdeithas drefol. Bu datrys yr anawsterau a gododd o'r datblygiadau hyn yn un o themâu pwysicaf hanes cymdeithasol Abertawe yn ystod y ddwy ganrif ddiwethaf. Dengys y cyfnewidiadau a ddigwyddodd yn y dre maint a chymhlethdod y dasg a wynebai'r trigolion. Dim ond 6,831 oedd nifer trigolion yr hen fwrdeistref ynghyd ag Abertawe Uchaf ac Isaf yn 1801: 'roedd yn y ddinas 173,415 o drigolion yn 1971. Pan ddiwygiwyd llywodraeth y fwrdeistref yn 1835 ymestynnai ei chyffiniau dros bum mil o erwau: ar ddiwedd y Rhyfel Byd Cyntaf 'roedd hyn wedi tyfu'n 24,241 o erwau. Cyflawnwyd y ffyniant hwn ym mhoblogaeth a thiriogaeth y dre trwy ddatblygu'r gwagleoedd oddi mewn i'r hen ffiniau a thrwy osod ardaloedd cyfagos o dan awdurdod y fwrdeistref. Golygai hyn, ar yr un llaw, ddarparu amodau byw digonol i'r boblogaeth gynyddol ac, ar y llaw arall, sicrhau cydweithrediad cymdeithasau a fu'n mwynhau bodolaeth annibynnol — rhai ohonynt am hir amser.

Os edrychwn yn fwy manwl ar faint y broblem gallwn werthfawrogi pam nad oedd ateb syml iddi. Ychydig cyn pasio'r ddeddf gyntaf i ddiwygio'r Senedd yn 1832 'roedd yn y fwrdeistref 19,672 o drigolion; o fewn deng mlynedd ar hugain 'roedd y rhif hwn wedi mwy na dyblu i 41,606 ac erbyn troad y ganrif 'roedd wedi cyflawni'r un gamp eto a nifer y trigolion wedi cynyddu i 94,000. Arafodd cyflymdra'r tyfiant yn ystod y ganrif bresennol ond cadw i chwyddo a wnaeth y boblogaeth nes cyrraedd 173,415 yn 1971, fel y gwelsom eisoes. 'Roedd cynnydd naturiol yn rhannol gyfrifol am y ffyniant hwn ond mwy pwysig o bell ffordd oedd yr ymfudo trwm i'r dre a'i

Goleudy'r Mwmbwls. Dyfrliw gan John 'Warwick' Smith, 1795
(Cafwyd gan Llyfrgell Genedlaethol Cymru)

chyffiniau a ddigwyddodd yn ystod y cyfnod. Tyrrodd miloedd o bobl o bob cwr a chornel o'r wlad i edrych am fywoliaeth yn niwydiannau'r ardal a masnachau'r dre. Amcangyfrifwyd, er enghraifft, fod deugain a phump y cant o oedolion Abertawe yn 1851 wedi eu geni tu allan i sir Forgannwg — y mwyafrif ohonynt yn frodorion o sir Gaerfyrddin, gorllewin Lloegr, Dyfnaint yn enwedig, ac Iwerddon — ac 'roedd hyn yn wir am ddeg ar hugain y cant o'r 114,663 trigolion mor ddiweddar â 1911. Y canlyniad oedd fod poblogaeth newydd y dre'n cynnwys ymgasgliad o bobl a amrywiai'n fawr o ran eu cefndir cymdeithasol a diwylliannol. Rhaid oedd eu hasio'n uned gymdeithasol os oeddent i ennill hunaniaeth newydd i'r dre.

Ond y broblem a hawliai'r sylw cyntaf oedd sicrhau amodau byw digonol i'r trigolion — a gorchwyl digon cymhleth oedd hwn. Adeiladwyd llawer o dai rhad a bu hyn yn gyfrwng cyfyngu nifer trigolion y mwyafrif o'r tai unigol ond tasg mwy anodd a chostus oedd darparu gwasanaethau iechyd cyhoeddus i drigolion y tai hyn. 'Roedd cyflwr rhai ardaloedd o'r dre yn ddychrynllyd — dim ond gan 470 o dai (allan o 3,369) oedd cyflenwad cyson o ddŵr yn 1845; dŵr amhur yn unig oedd ar gael i lawer o'r trigolion i'w yfed;

annigonol hollol oedd carthffosiaeth y dre — i'r afon Tawe y gwaceid y mwyafrif o'i charthion — ac unwaith bob tri mis y cesglid sbwriel ambell ran o'r dre. Araf iawn oedd ymateb y mwyafrif o'r trigolion a chwynodd y *Cambrian* yn 1835 'they keep the town so dirty . . . and the best of the joke is the residents all cry out loudly about it and say there never was such a dirty place, but yet take no steps to remedy the evil.' Honnai Dr Bird, a fu'n Faer y dre yn 1842, fod llawer o lwybrau'r dre mor fudr ag ardaloedd gwaethaf Llundain. Nid anodd credu, felly, mai dim ond 54 y cant o'r trigolion a oroesai eu pymtheng mlynedd cyntaf ac mai dwy flynedd ar hugain, ar gyfartaledd, oedd disgwyliad bywyd y llafurwyr cyffredin a bod dau allan o bob pump o blant y dosbarth gweithiol yn marw yn eu plentyndod. 'Roedd y pentrefi a ddatblygodd yng nghymoedd y rhanbarth yn sgîl yr ymfudo i'w gweithfeydd glo a haearn yn yr un cyflwr. Rhydd adroddiad y Dr James Rogers ar haint y colera yn Ystalyfera yn 1866 ddarlun brawychus o amodau byw y pentrefwyr cyffredin.

Cyhoeddwyd adroddiadau'r Dr Bird a G. T. Clark ym mhedwar degau'r ganrif yn cynnwys eu sylwadau ar amodau byw gwael y dre. Gwnaethant argraff ddofn ar rai o arweinwyr y dre ac yn ystod ail hanner y ganrif bu ymdrechion dibaid — o dan arweiniad dynion fel W. H. Smith (Waterworks Bill, fel y'i gelwid) a'r Dr Ebenezer Davies, Swyddog Iechyd y dre — i wella ansawdd bywyd y trigolion. Gorchwyl digon anodd oedd hwn ar y gorau ond fe'i cymhlethwyd gan y mynych ymestyn ar ffiniau'r dre i gynnwys ardaloedd lle nad oedd unrhyw adnoddau ar gael i ddatrys canlyniadau anffodus twf diwydiant. Prynodd y dre'r gronfa ddŵr a adeiladwyd ym Mrynmil yn 1837 ac erbyn diwedd y ganrif bu'n gyfrifol am adeiladu eraill yng Nghwmdoncin, Felindre, Blaennant Ddu, Lliw Uchaf a Chrai i sicrhau cyflenwad digonol o ddŵr glân; adeiladwyd carthffosydd i gael gwared ar fudreddi'r dre — erbyn 1875 'roedd 37 o filltiroedd ohonynt wedi eu hadeiladu; palmantwyd a goleuwyd strydoedd y dre; darparwyd parciau a rhodfeydd agored, rhai ohonynt oddi amgylch y cronfeydd dŵr, eraill mewn gwahanol gyrrau o'r dre. Y cam pwysicaf yn hyn o beth, efallai, oedd prynu Stad Singleton am £100,000 yn 1920 — safle'r Genedlaethol am y trydydd tro'r ganrif hon. Cafodd yr ymdrechion hyn lwyddiant sylweddol. Gostyngodd

Tai a godwyd ddiwedd y 19 ganrif, i'r gogledd i Neuadd y Ddinas bresennol
(Cafwyd gan Goleg y Brifysgol, Abertawe)

marwolaethau'r fwrdeistref ar gyfartaledd o 23 y fil o'r boblogaeth i
17.35 y fil yn ystod ail hanner y ganrif ddiwethaf. Ond o ganlyniad i'r
twf parhaol ym mhoblogaeth y dre a'r angen i ail-gartrefu trigolion
yr ardaloedd gwaelaf — Greenhill, Dyfatty a New Orchard Street er
enghraifft — bu rhaid dal ymlaen gyda'r gwaith ymhell i mewn i'r
ganrif bresennol.

Hyd at y Rhyfel Byd Cyntaf ardal o erddi masnachol a chyrchfan
gwibdeithiau Ysgolion Sul y dre oedd Sgeti Green; dim ond lôn
droellog yn arwain i Gwm Clun *(Clyne)* oedd heol Derwen Fawr; tir
ffermio oedd Carn-glas a Thy-coch a'r cyfan y gallasai Townhill
ymffrostio ynddo, ac eithrio'i gardd-ddinas fechan, oedd ambell
ffarm ar ei lechweddau. 'Roedd hyn oll i'w weddnewid yn y cyfnod
rhwng y ddau rhyfel byd. Adeiladodd y Cyngor ystadau o dai er
mwyn ail-gartefu trigolion slymiau gwaetha'r dre — yn ystod y tri
degau dymchwelwyd rhyw 1,245 o dai o ganlyniad i'r penderfyniad i
waredu'r slymiau. Prynwyd Sgeti Green a ffermydd Carn-glas a
Thy-coch gan adeiladwyr preifat a'u gorchuddio ag ystadau o dai
preifat. 'Roedd gwagleoedd y dre'n graddol ddiflannu yn wyneb y

galw am fwy o gartrefi a mwy o gartrefi addas. Dengys ystadegau 1971 yr hyn a gyflawnwyd yn ystod y ganrif bresennol: 'roedd 50,000 o breswylfeydd yn Abertawe yn y flwyddyn honno, 15,000 ohonynt yn perthyn i'r Cyngor a mwy na thri allan o bob pedwar ohonynt ar gyfartaledd yn meddu gwasanaethau cartref modern.

Cawsom gipolwg eisoes ar ymdrechion awdurdodau'r dre i ateb anghenion materol y dylifiad parhaus o bobl ddwad i'r dre a'i chyffiniau. Bu hefyd ehangu ar y dre i gynnwys yr ardaloedd cyfagos. 'Roedd i'r ddau ddatblygiad eu hanawsterau arbennig. O ran y cyntaf, rhaid oedd i'r trigolion, hen a newydd — a hwythau'n deillio o gefndiroedd hollol wahanol — ffurfio cysylltiadau cymdeithasol a chreu cymunedau newydd. Golygai'r ail gymathu'r gwahanol gymdeithasau, llawer ohonynt yn annhebyg i'w gilydd ac yn berchen ar eu hunaniaeth arbennig eu hunain. Yr oedd, er enghraifft, wahaniaeth sylweddol rhwng hen gymdeithas Llangyfelach a chymdeithas ddiweddarach Treforys. Bu pentref Llangyfelach yn ganolfan llywodraeth cantref Llangyfelach am ganrifoedd a hefyd 'roedd yn un o ganolfannau hynafol yr Eglwys Gristnogol yn y wlad ac yn gartref i un o eglwysi cynnar anghydffurfwyr yr ardal. Ar y llaw arall, canlyniad gweledigaeth un dyn oedd Treforys — adiladodd y diwydiannwr John Morris 'dre newydd' i'w weithwyr yn ystod deng mlynedd ola'r ddeunawfed ganrif. O edrych yn nes i'r dre, er mai'r Hafod oedd un o'r ardaloedd cyntaf i'w chymathu â'r dre yr oedd y rhan hon eisoes wedi datgan ei hunaniaeth newydd drwy fabwysiadu'r enw Tre Vivian. Er gwaethaf y rhwystrau a'r anawsterau 'roedd yr uno a'r cymathu hyn mor bwysig â'r tai, y cronfeydd dŵr a'r carthffosydd a adeiladwyd fel sylfeini'r Abertawe newydd 'rydym ni'n ei hadnabod. Barn un ymwelydd â'r cylch yn 1914 oedd bod Abertawe'r pryd hwnnw yn fwy tebyg i bentref nag ydoedd yng nghyfnod Elizabeth I. Mwy cywir, efallai, fyddai dweud mai casgliad o bentrefi wedi'u huno gan brofiadau cyffredin yn ystod y ganrif a hanner ddiwethaf yw Abertawe'r ugeinfed ganrif a diddorol yw sylwi y cyflawnwyd yr uno heb i'r gwahanol rannau orfod aberthu'r cyfan o'u hunaniaeth arbennig eu hunain.

Un elfen holl bwysig yn hanes twf y dref gyfansawdd hon oedd y datblygiadau ym myd llywodraeth leol — yn enwedig y cynnydd yng nghyfrifoldebau'r Cyngor ac yn rhan y trigolion yn etholiadau'r

Cyngor. Yn 1823 'roedd llywodraeth y dre yn nwylo porthfaer, cofiadur, 12 henadur, 2 dwrne, 2 swyddog brysgyll a nifer o fwrdeiswyr. Cymerwyd lle'r Cyngor Cyffredin, a ddiflannodd yn ystod y ddeunawfed ganrif, gan grŵp bychan o'r bwrdeiswyr mwyaf dylanwadol. Prin iawn oedd rhan y mwyafrif mawr o'r trigolion yng ngweithrediadau'r Cyngor — yn 1831, er enghraifft, dim ond 104 o'r 13,256 triglion allai hawlio fod yn fwrdeiswyr. Diddorol sylwi, gyda llaw, nad oedd y cant a phedwar hynny eto'n cynnwys J. H. Vivian a L. W. Dillwyn, dau ŵr a gyfrannodd gymaint i fywyd y dre a'i hardal.

Ond 'roedd y rhod yn graddol droi. Yn 1835 pasiwyd deddf i ddiwygio llywodraeth y bwrdeistrefi. Deddf oedd hon a oedd yn diffinio cyfrifoldebau'r cynghorau trefol ac yn ymestyn yr hawl i ethol aelodau'r cynghorau i'r trethdalwyr a fu'n talu trethi am dair blynedd. Rhaid gofalu, serch hynny, peidio â gorbwysleisio dylanwad uniongyrchol y ddeddf ar Abertawe. Ar yr un llaw, nid ychwanegwyd llawer at gyfrifoldebau Cyngor y dre ac, ar y llaw arall, dim ond tirfeddianwyr sylweddol a fedrai fod yn aelodau o'r Cyngor a dim ond 747 o'r 16,000 o drigolion yn 1839 oedd â'r hawl i ethol y cynghorwyr. Er lleied y datblygiadau cynnar, bu cyfnewidiadau sylweddol yn ystod ail hanner y ganrif. Erbyn 1890 'roedd 16,169 o'r trigolion yn etholwyr ac yr oedd y dre wedi ei dyrchafu'n fwrdeistref sirol. Etifeddodd y Cyngor newydd gyfrifoldebau'r ustusiaid heddwch a'r byrddau a sefydlwyd yn ystod y bedwaredd ganrif ar bymtheg i ddelio â gwahanol broblemau'r cyfnod. Amlhaodd hyn ddyletswyddau'r Cyngor a pharhau i gynyddu a wnaethant yn ystod y ganrif hon nes i'r dre gyrraedd trobwynt arall fel uned llywodraethol ar Ragfyr 15ed 1969 pan ddyrchafwyd hi'n ddinas.

Perthnasol, hefyd, i dwf yr hunaniaeth trefol hwn oedd yr ymgyrch i ennill i'r dre a'r rhanbarth gynrychiolaeth uniongyrchol yn y Senedd. Byddai'r gynrychiolaeth yma'n sicrhau mesur helaeth o gyd-weithio ar ran y trigolion, yn adlewyrchu pwysigrwydd cynyddol y dre a'i hardal ac yn rhoi cyfle iddynt weithredu fel uned ym mywyd y wlad. Cyn 1832, ac eithrio cyfnod byr yn 1658-9, nid oedd gan Abertawe Aelod Seneddol — 'roedd y dre'n un o'r wyth bwrdeistref a gyd-etholai'r aelod dros y dref sirol (h.y. Caerdydd). Newidiodd y drefn yn 1832 pan roddwyd aelod arbennig i Gaerdydd

Neuadd y Dre yn 1859 gyda chofgolofn newydd J. H. Vivian o'i blaen
(Cafwyd gan Amgueddfa Abertawe)

ac unwyd Abertawe â Llwchwr, Castell-nedd, Aberafan a Chynffig i bwrpasau seneddol. Heb un amheuaeth, gan etholwyr Abertawe a'i chymdogaeth oedd y dylanwad mwyaf wrth ethol cynrychiolydd i'r Senedd. Yn wir, rhwng 1832 a 1874 ni fu un cystadleuaeth seneddol yn yr etholaeth ac fe'u cynrychiolwyd yn eu tro gan ddau ddyn â chysylltiadau agos iawn ag Abertawe, J. H. Vivian a L. L. Dillwyn. Parhaodd y partneriaeth gyda'r pedair bwrdeistref arall tan 1918 ond crewyd etholaeth newydd yn 1885, sef Ardal Abertawe, yn cynnwys rhan o'r dre a'i chymdogaeth. O hyn ymlaen, felly, 'roedd gan y dre ddau Aelod Seneddol i bob pwrpas. 'Roedd angen ad-drefniant seneddol arall wedi'r Rhyfel Byd Cyntaf ac yn 1918 daeth y ddwy etholaeth drefol bresennol i fodolaeth, Gorllewin a Dwyrain Abertawe, a rhannwyd gweddill y rhanbarth yn bedair etholaeth — Aberafan, Castell-nedd, Gŵyr a Llanelli.

Yn 1832 dim ond 1307 o etholwyr oedd gan y pum bwrdeistref ond cynyddodd eu nifer yn gyson yn sgîl y deddfau diwygio a thwf y boblogaeth, ac yn enwedig wedi i'r merched ennill y bleidlais. Yn yr etholiad cyntaf ar ôl y Rhyfel Byd Cyntaf 'roedd gan 202,747 yr hawl i bleidleisio yn chwe etholaeth y rhanbarth, erbyn canol y ganrif bresennol 'roedd y nifer wedi codi i 333,288 ac yn etholiad cyffredinol 1979 'roedd y bleidlais gan 365,197 o'r trigolion. Bu Abertawe a'r rhanbarth yn noddfa i'r radicaliaid o'r dechrau. Unwaith yn unig yn ystod y bedwaredd ganrif ar bymtheg y methodd y Rhyddfrydwyr ag ennill y ddwy sedd, a hynny yn etholiad ola'r ganrif. Ni bu'r trigolion yn hir cyn dychwelyd i'w hen deyrngarwch ac yn ystod y ganrif bresennol Rhyddfrydwyr yn gyntaf ac, yn ddiweddarach, aelodau'r Blaid Lafur sydd wedi cynrychioli'r dre a'r rhanbarth yn y Senedd gan mwyaf. Dim ond Gorllewin Abertawe sydd wedi gwyro tuag at y Ceidwadwyr a hynny dim ond unwaith, yn etholiad 1959. Tystia canlyniadau etholiad 1951 maint y gefnogaeth a roddir i'r Blaid Lafur yma. Er i'r wlad yn gyffredinol gefnu ar y blaid yn yr etholiad hwn, enillodd cefnogaeth dros 70 y cant o etholwyr chwe etholaeth y rhanbarth.

Nid datblygiadau ynglŷn â llywodraeth leol a'r byd politicaidd yn unig a fu'n gyfrifol am dwf hunaniaeth newydd y dre — er cymaint eu dylanwad. Bu'r cydweithredu a ddigwyddodd ymhob agwedd o fywyd hefyd yn gyfrwng i uno'r trigolion yn gymdeithas. I lawer ohonynt cyfraniad crefydd oedd bwysicaf yn y cyswllt hwn. Gyda ffyniant y dre a'r rhanbarth adeiladwyd mwy a mwy o eglwysi a chapeli. Codwyd deg addoldy ac ehangwyd eraill gan yr Eglwys Wladol yn y dre yn ystod tri-chwarter cyntaf y bedwaredd ganrif ar bymtheg. Bu teuluoedd cyfoethog y rhanbarth yn gefnogwyr hael i'r Eglwys Wladol — J. H. Vivian yn Abertawe, J. P. Budd yn Ystalyfera, Richard Parsons ym Mhontardawe a Percy Player yng Nghlydach i enwi ond ychydig ohonynt. 'Roedd ffyniant mwy sylweddol eto yn nifer capeli'r enwadau anghydffurfiol. Yn ystod hanner cyntaf y ganrif adeiladwyd tri deg naw ohonynt yn Abertawe a'r cyffiniau agos gan enwadau cryfa'r ardal yn unig a pharhau i gynyddu a wnaethant yn yr ail hanner. I raddau helaeth canlyniad ymdrech ac aberth pobl gyffredin oedd y rhain. Yr Annibynwyr a'r Bedyddwyr oedd y mwyaf niferus o'r enwadau — a digon hawdd deall y rheswm dros hynny. Gallai'r ddau enwad olrhain eu hanes yn yr ardal dros y canrifoedd — yr Annibynwyr i eglwys Tirdwncin,

Mynydd-bach a'r Bedyddwyr i John Miles ac eglwys Ilston. 'Roedd gan y Methodistiaid Calfinaidd a'r Wesleaid gefnogaeth gadarn hefyd a chynrychiolwyd yr enwadau eraill, ond ar raddfa dipyn yn llai. Y mwyaf sylweddol o ran eu nifer o'r eglwysi eraill oedd dwy eglwys y Catholigion a adeiladwyd i gyfarfod ag anghenion y Gwyddelod a ymsefydlodd yn y dre — yn ardal Greenhill yn arbennig.

O ran thema'r bennod hon y ffaith fwyaf perthnasol efallai yw mai nid canolfannau bywyd crefyddol eu hardaloedd yn unig oedd yr eglwysi a'r capeli. Nid oes yr un amheuaeth nad oedd eu dylanwad ar fywyd crefyddol y trigolion yn gryf iawn. Ni allasai fod fel arall pan wasanaethwyd capeli'r anghydffurfwyr, er enghraifft, gan rai o bregethwyr enwoca'r cyfnod — Joseph Harris (Gomer) yr Heol Gefn, 'Thomos Glandŵr' Siloh Newydd, Dr Thomas Rees Ebeneser, David Saunders Trinity a J. J. Williams Tabernacl, Treforys, i enwi ond ychydig ohonynt. Ond pwysig iawn, hefyd, oedd cyfraniad y capeli i ddatblygiad cymdeithasau'r ardal. 'Roedd adeiladu'r cysegr-leoedd wedi gadael dyledion trymion i'w clirio ac er mwyn codi'r arian i wneuthur hyn ac i gwrdd â threuliau eu capeli aeth yr aelodau ati i gynnal gwahanol weithgareddau — yn gyngherddau, eisteddfodau a pherfformiadau cysegredig. Yn eu tro ac o ganlyniad i'r gweithgareddau hyn datblygodd corau, bandiau pres, cerddorfeydd a chymdeithasau diwylliadol yn y gwahnaol gapeli. Mewn rhai ardaloedd aeth y trigolion gam ymhellach drwy sefydlu cymdeithasau yn cynnwys aelodau o wahanol enwadau crefyddol — fel Brawdoliaeth yr Hafod sydd wedi cyfoethogi bywyd cymdeithasol yr ardal a'r dre er 1910. Bu'r cydweithio a'r cydfwynhau hwn yn gyfrwng uno'r trigolion yn gymdeithas a rhoddodd i'r capeli y cyfle i ddylanwadu'n drwm ar ddefodau'r cymdeithasau.

Bu datblygiad addysg eto'n gyfrwng i ddod â phlant yr ardaloedd at ei gilydd. 'Roedd ysgol ramadeg wedi ei sefydlu yn y dre er 1682 ond prin iawn oedd cyfleusterau addysg i'r mwyafrif mawr o'r plant hyd at y bedwaredd ganrif ar bymtheg. Erbyn canol y ganrif honno dechreuwyd nifer sylweddol o ysgolion yn darparu addysg gynradd i blant y gymdogaeth. Y mwyaf ohonynt o ran nifer eu disgyblion oedd ysgolion rhai o'r gweithfeydd copr, alcam a glo, ysgolion a sefydlwyd gan y cyflogwyr ac a gynhaliwyd gan yr arian a gasglwyd oddi wrth eu gweithwyr. Y nesaf atynt oedd ysgolion y Cymdeithasau Prydeinig a Chenedlaethol a'r ysgolion hynny a honnai gysylltiad un ai â'r Eglwys Wladol neu ag un o'r enwadau anghydffurfiol. Ar wahân i'r rhai hyn 'roedd yr ysgolion preifat — llu ohonynt a sefydlwyd gan mwyaf yn y pedwardegau ac yn cynnig rhyw fath o addysg i'w disgyblion. 'Roedd yr ysgolion hyn yn amrywio'n fawr o ran maint a safon yr addysg a gynigid ynddynt. Digon gwael oedd safonau llawer ohonynt os gallwn gredu sylwadau'r archwiliwr yn Adroddiad 1847 — 'roedd llawer o'u hathrawon yn hollol anaddas o ran gallu a phrofiad, 'roedd eu hadnoddau dysgu yn annigonol a'u hadeiladau'n anghymwys ac, yn fynych, yn aflêr.

1870 efallai yw'r dyddiad allweddol yn hanes datblygiad addysg yn yr ardal fel yng ngweddill y wlad, ond diddorol yw sylwi ar ffyniant yr ysgolion preifat a sefydlwyd yn y dre yn ystod ail hanner y ganrif i gynnig addysg a hyfforddiant i blant hŷn. 'Roedd rhai ohonynt yn 'sefydliadau i foneddigesau ieuainc' yn anelu at ferched y dosbarth canol ond eraill yn fwy uchelgeisiol, yn paratoi eu disgyblion ar gyfer arholiadau a roddai fynediad i'r prifysgolion ac i swyddi proffesiynol. Prin bod eisiau crybwyll y ffaith mai yn y rhannau hynny o'r dref lle trigai'r teuluoedd cefnog ac nid ym mhentrefi'r rhanbarth y sefydlwyd y mwyafrif mawr o'r ysgolion hyn. Wedi deddf 1870 datblygodd addysg gynradd ym mhob rhan o'r dre a'r gymdogaeth. Y cam nesaf oedd darparu addysg uwchradd i blant yr ardal. Dechreuodd Ysgol Uwchradd Dinefwr fel Ysgol Elfennol Uwch yn 1882 ac yn 1895 sefydlwyd ysgol uwchradd i ferched yn y dre. Tu allan i'r dre agorwyd ysgolion sirol yng Nghastell-nedd, Port Talbot, Tre-gŵyr ac Ystalyfera cyn diwedd y ganrif. Ychwanegwyd at nifer yr ysgolion hyn gan ysgolion uwchradd ym Mhontardawe a Phort Talbot ac Ysgol Ganol arbrofol a agorwyd yn 1922 yn hen wersyll y fyddin Americanaidd yn y dre — hon yw'r ysgol a adnabyddir er 1941 fel Ysgol Uwchradd Glanmôr. Erbyn dechrau'r Ail Ryfel Byd 'roedd addysg uwchradd dechnegol ar gael hefyd mewn gwahanol ganolfannau yn y rhanbarth. Mae'r cyfnod er 1945 wedi gweld ad-drefniant chwyldroadol ym mhob cwr o'n hysgolion. Erbyn heddiw mae addysg uwchradd yng ngofal ysgolion cyfun y rhanbarth ac yn eu plith mae ysgol ddwyieithog Ystalyfera.

Dros y blynyddoedd sefydlwyd un canolfan ar ôl y llall i ddarparu addysg bellach i ieuenctid y dre a'r gymdogaeth. Dechreuodd Coleg Celf y dre ei hanes fel adran o Ysgolion Gwyddoniaeth a Chelf yn 1853; gwelodd 1872 sefydlu Coleg Hyfforddi athrawesau yn Nelson Terrace ac yna ei drosglwyddo i Townhill yn 1913; datblygodd y Coleg Technegol yn 1897 allan o Labordy Abertawe ac Ysgol Cemeg De Cymru; ac, yn ben ar y cyfan, sefydlwyd Coleg y Brifysgol yma yn 1920. Mae'r sefydliadau hyn wedi cyfrannu'n helaeth i fywyd yr ardal dros y blynyddoedd ac wedi darparu cyfleusterau i ieuenctid y dre a'r gymdogaeth i ddatblygu eu talentau i bob cyfeiriad. O'n safbwynt ni'n bennaf, efallai, maent yn adlewyrchu parodrwydd y gymdeithas, a hithau'n gweithredu fel uned, i fuddsoddi yn ei dyfodol. Ag eithrio Coleg y Brifysgol, bu ad-drefnu trwyadl ar golegau'r dre yn ystod y saithdegau ac erbyn heddiw maent wedi eu cyfuno'n Goleg Addysg Uwch Gorllewin Morgannwg.

Yr Abaty, Parc Singleton, lle cychwynnwyd Coleg y Brifysgol

Rhai o'r adeiladau diweddar
(Cafwyd gan Goleg y Brifysgol, Abertawe)

Yn ogystal â'r sefydliadau swyddogol hyn, gwnaeth y cymdeithasau gwirfoddol o bob math a ddaeth i fodolaeth yma eu cyfraniad arbennig i'r datblygiadau cymdeithasol. Yn 1835 sefydlwyd y Gymdeithas Athronyddol a Llenyddol gan nifer o wŷr blaenllaw'r dre a hwy a fu'n gyfrifol am gychwyn Sefydliad Brenhinol De Cymru yn 1838. Anodd byddai gorliwio dylanwad y sefydliad hwn ar fywyd diwylliannol de Cymru, neu orbwysleisio pwysigrwydd ei gasgliad o hynafiaethau, llyfrau a chofnodion o bob math. Llai uchelgeisiol ond yn ehangach eu hapêl oedd y cymdeithasau a ffurfiwyd yn y dre a'r ardal i alluogi'r trigolion i ymuno â'u cymdogion mewn gwahanol weithgareddau. Brithwyd yr ardal â chorau, bandiau pres, cymdeithasau drama ac opera a thîmau chwaraeon. Rhoes y rhain gyfle i'r trigolion i gymdeithasu a chyd-weithio ac i ffufrio cysylltiadau cymdeithasol. Mwy na hyn, buont yn hynod o lwyddiannus. Mae corau'r ardal wedi ennill canmoliaeth dros Gymru gyfan — côr mawr Ifander Griffiths, côr Ystalyfera a'r

58

Cylch, corau cymysg a meibion Treforys, 'côr mawr' a chôr meibion Pontarddulais — ac y mae'r un peth yn wir am y bandiau pres a'r cymdeithasau eraill. Bu'r llwyddiant yma'n gyfrwng i ennyn balchder yn eu cymdeithasau ar ran trigolion yr ardal ac, er i'r cymdeithasau gystadlu yn erbyn ei gilydd, ni rwystrwyd eu haelodau rhag ymuno a chyfrannu i weithgareddau arbennig fel gŵyl flynyddol Abertawe.

Ar raddfa llai diwylliannol, mae'r chwaraeon poblogaidd wedi llanw rhan hanfodol ym mywyd y bobl. Cynhelir chwaraeon o bob math yn y dre a'r ardal ac y mae nifer o aelodau'r gwahanol glybiau wedi dod yn fyd-enwog. Yn ddiamau y ddwy gem bêl droed sy'n cael y parch mwyaf — mae gan bob rhan o'r dre a phob pentre yn y rhanbarth eu tîmau a'u minteioedd o gefnogwyr. Adlewyrchir balchder y trigolion tuag at eu cymdeithasau yn y diddordeb a ddangosant yng nghampau'r tîmau. Mae hyn i'w weld hefyd ar raddfa ehangach yn y gefnogaeth gadarn a roddir i'r Crysau Gwynion ac i'r Elyrch. Nid oes eisiau atgofio'r rhai hynaf yn ein plith am y gorfoledd trwy gydol y rhanbarth a ganlynodd y fuddugoliaeth fawr dros Seland Newydd yn 1935, a phwy ohonom a fethodd ag ymfalchïo yng ngorchestion yr Elyrch yn ystod y blynyddoedd diweddar hyn.

Serch hyn oll, er agosed y cysylltiadau rhwng y dre a gweddill y rhanbarth, ac er tebyced y datblygiadau a ddigwyddodd ynddynt, mae'n bwysig sylwi na suddwyd hunaniaeth pentrefi'r rhanbarth yng nghymuned y dre. O ganlyniad, mae nifer o wahaniaethau i'w gweled rhwng y pentrefi a'r dre a'r pentrefi a'i gilydd — rhai ohonynt yn deillio o'r ffaith syml fod Abertawe'n dre ac mai pentrefi oedd cymdeithasau'r rhanbarth. I raddau helaeth, dibynnai'r pentrefi hyn hyd yn ddiweddar ar ddau ddiwydiant, glo ac alcam, ac i'r dosbarth gweithiol y perthynai'r mwyafrif mawr o'r trigolion. Hawdd deall agosrwydd cymdeithasau'r pentrefi o gofio fod eu bywyd beunyddiol ynghlwm wrth y diwydiannau hyn a hawliau cymaint oddi ar eu haelodau. 'Roedd bywyd economaidd a chymdeithasol y dre'n llawer mwy cymhleth. Daeth llawer o ddiwydiannau bychain a thyfodd amrywiaeth o wasanaethau masnachol yn y dre yn sgîl y datblygiadau gwreiddiol. Sefydlwyd gweithdai mewn gwahanol rannau o'r dre, lluosogodd y

Marchnad Abertawe, 1906
(Cafwyd gan Gyngor Dinas Abertawe)

masnachwyr llongau yn ardal y dociau, symudwyd yr hen farchnad i safle newydd yn Stryd Rydychen, ffynnodd canolfan siopa'r dre a llwyddo i ddenu trigolion y cymoedd ar eu prynhawnau Sadwrn ac ymddangosodd gwŷr proffesiynol — yn feddygon, cyfreithwyr a chyfrifwyr — i gyfarfod ag anghenion y diwydianwyr, y masnachwyr a'r cyfalafwyr. Y canlyniad oedd tyfiant ym maintioli'r dosbarth canol a lanwai'r bwlch rhwng y cyflogwyr mawr a'u gweithwyr, rhwng cyfoethogion a thlodion y dre. Adeiladodd aelodau'r dosbarth hwn eu tai ar Walter Road, yn yr Uplands a'r Sgeti a chyrrau gorllewinol y dre, mor bell i ffwrdd ag y gellid oddi wrth y bryntni diwydiannol. Daethant yn elfen bwysig yng nghymdeithas y dre a bu llawer ohonynt yn flaenllaw yn ei bywyd swyddogol a chymdeithasol.

'Roedd cymdeithasau'r pentrefi diwydiannol yn llawer mwy Cymraeg na chymdeithas y dre oherwydd fod cyfartaledd y Cymry o'r de-orllewin a ymsefydlodd yn y pentrefi yn ystod y bedwaredd ganrif ar bymtheg lawer yn uwch nag yn y dre. Deillio o gefndir cymdeithasol a diwylliannol Cymraeg a wnaeth y mwyafrif ohonynt. Yr iaith Gymraeg oedd eu cyfrwng naturiol wrth gyfathrebu ac ymddygiadau Cymreig â benderfynnodd ddefodau'r cymdeithasau a sefydlasant. Mae'r gwahaniaethau hyn wedi dylanwadu ar barhad yr iaith mewn gwahanol rannau o'r rhanbarth. Tua hanner trigolion tre Abertawe a fedrai'r Gymraeg yng nghanol y ganrif ddiwethaf ac y mae'n debyg i'r iaith wrthsefyll llif ymsefydlwyr newydd ail hanner y ganrif yn weddol lwyddiannus oherwydd medrai 46.2 y cant o'r trigolion y Gymraeg yn 1891. 'Roedd sefyllfa'r iaith yng Ngŵyr lawer yn waeth — dim ond y bedwaredd ran o'r boblogaeth a fedrai ei siarad ar ddiwedd y bedwaredd ganrif ar bymtheg. Gwell o lawer oedd y sefyllfa yn y cymoedd diwydiannol — medrai 92.1 y cant o drigolion Dosbarth Gwledig Pontardawe, er enghraifft, y Gymraeg. Yn anffodus mae'r ganrif hon wedi gweld gostyngiad cyffredinol yn nifer y siaradwyr Cymraeg drwy'r holl ranbarth. Erbyn canol y ganrif un o bob pump o drigolion Abertawe a fedrai siarad Cymraeg ac yn 1971 'roedd y gyfartaledd wedi disgyn i 12.9 y cant. Colli tir a fu hanes yr iaith yng ngweddill y rhanbarth — ag eithrio Dosbarth Pontardawe gyda'i 65.75 y cant o siaradwyr Cymraeg, nid yw rhif y Cymry Cymraeg gymaint â hanner rhif trigolion y gwahanol ardaloedd. Rhaid dymuno pob llwyddiant i'r ymdrechion presennol i atal y trai ac i adennill y tir a gollwyd. Er mai trist yw hanes yr iaith, gallwn ddwyn rhywfaint o gysur o'r ffaith fod y gwreiddiau Cymreig wedi sicrhau mai naws Gymreig yw un o nodweddion amlycaf y mwyafrif o bentrefi'r rhanbarth.

Un thema'n arbennig sydd wedi cael sylw yn y bennod hon — hanes datblygiad cymdeithas a hunaniaeth newydd Abertawe a'i rhanbarth. Fel y gwelsom, datblygiad hollol naturiol oedd y cyfuniad rhyngddynt — roeddent yn deillio o'r un gwreiddiau diwydiannol, yn cyflenwi ei gilydd ac yn dal cysylltiadau agos â'i gilydd. Ond cyfuniad oedd a ymgyfoethogodd drwy ganiatáu i'r gwahanol rannau gadw eu nodweddion arbennig eu hunain.

Er bod rhan helaeth o'r datblygiad hwn wedi ei gyflawni erbyn blynyddoedd cynnar y ganrif bresennol, mae profiadau'n canrif ni — yn arbennig tri ohonynt — wedi dylanwadu'n drwm arno. Gadawodd y Rhyfel Byd Cyntaf ei ôl yn ddwfn ar y rhanbarth, fel ar

Y Farchnad wedi'r bomio, 1941
(Cafwyd gan Gyngor Dinas Abertawe)

rannau eraill o'r wlad. Nid oes rhaid atgoffa neb am y miloedd o wŷr ieuainc na ddychwelasant o'r rhyfel neu a glwyfwyd yn ddychrynllyd yn yr ymladd. Mewn ychydig flynyddoedd wedi i'r rhyfel orffen dioddefodd y dre a'r rhanbarth ganlyniadau difrifol dirwasgiad y dauddegau a'r tridegau. Er cymaint y galar a'r dioddefaint a ddeilliodd o'r ddau brofiad hyn, bu ymateb y trigolion tuag at anffawd eu cymdogion a'u parodrwydd i roi help llaw i'r anghenus yn eu plith yn gyfrwng i gryfhau'r agosrwydd rhyngddynt a thynnu'r awenau cymdeithasol yn fwy tyn.

Mae'n debyg mai'r trydydd profiad — galanastra'r 19-21 o Chwefror 1941 a adawodd y graith fwyaf amlwg. Dinistriwyd calon ardal fasnachol y dre gan y *blitz*. Mae'n wir i rannau eraill o'r dre ddioddef canlyniadau ymgyrchoedd awyrennau'r Almaen yn 1943, ond *blitz* 1941 a greodd y argraff ddyfnaf. Difethwyd 857 o adeiladau a niweidiwyd 11,000 adeilad arall; diflannodd rhai o olygfeydd mwyaf adnabyddus a chysegr-leoedd mwyaf sanctaidd y dre. Bu adwaith trigolion y rhanbarth i'r dinistr a'r dioddefaint yn dyst nid yn unig o'u cydymdeimlad ond hefyd o'r agosrwydd rhyngddynt hwy a threfwyr Abertawe. Rhaid oedd ymgymryd â'r dasg o ail-adeiladu canol y dre ac i'r diben hwn prynodd y Cyngor 26 erw o dir yn yr ardal a ddinistriwyd am filiwn a hanner o bunnoedd. Dros y blynyddoedd mae canolfan newydd wedi ymddangos o ludw'r hen — un y gall trigolion y dre a'r rhanbarth ymffrostio ynddo.

Dyma ni, felly, wedi cyrraedd ail hanner yr ugeinfed ganrif. Cipolwg digon bras ac arwynebol ar ddatblygiad cymdeithas y dre a'i rhanbarth a geir yn y tudalennau uchod. Mae'r hanes cyflawn yn gymhleth ac amrywiol — yn cynnwys elfennau arwrol a thrychinebus, yn frith gan oruchafiaethau a siomedigaethau. Ond, yn fwy na dim, hanes pobl gyffredin ydyw wrth iddynt ddysgu cydfyw â'i gilydd ac, wrth wneud hynny, yn creu cymdeithas sy'n berchen ar ei hunaniaeth arbennig ei hun. Nid oes diwedd i'r hanes, oherwydd parhau i ddatblygu a wna cymdeithas fyw.

Iaith Cwm Tawe

Neil Collins

Pwrpas y llith hwn yw amlinellu natur ieithyddol cylch Abertawe a lle tafodiaith Gymraeg yr ardal yn y parhawd ieithyddol Cymraeg. Nis bwriadwyd yn ddisgrifiad diffiniol o nodweddion arbennig y dafodiaith gan na chredaf y byddai disgrifiad o'r math yn gweddu i gyfrol fel hon nac i'r gofod a ganiateir. Yr wyf wedi ymfodloni felly ar wneud sylwadau ar natur cyffredinol y dafodiaith a'i datblygiad hyd heddiw ac yn y dyfodol.

Y brif ffactor ddylanwadol ar iaith unrhyw ardal yw'r rhwydweithiau cyfathrachu a geir ynddi. Y mae iaith yn tueddu i fod yn fwy unffurf lle bo cyfathrach yn hawdd ac yn llai unffurf lle bo cyfathrach yn anos. Dangosir dro ar ôl tro mewn astudiaethau tafodieithol traddodiadol bod rhwystrau daearyddol megis mynyddoedd ac afonydd yn cael cryn effaith ar natur iaith yr ardaloedd a rennir ganddynt. Y mae'r rhain, wrth gwrs, yn rhwystrau amlwg i gyfathrach. Fodd bynnag, ceir rhaniadau cyfathrachol llawn mor rymus ar lefelau cymdeithasol ac un o ddatblygiadau pwysig tafodieitheg yn ddiweddar yw gwneud mwy o ymchwil i'r cyfeiriad hwn.

Prif nodwedd ddylanwadol Cwm Tawe a'r cymoedd cyfagos, wrth gwrs, yw presenoldeb dinas Abertawe ei hunan sydd yn ganolfan bwysig i ardal eang iawn ar gyfer siopa, masnach a theithio. Y mae'n annhebyg i Abertawe fod yn dref Gymraeg iawn ar unrhyw adeg ac y mae bellach yn ffactor Seisnigeiddio ddiamheuol yn y cylch. Hi yw canolfan cyfathrach yr ardal ac y mae'r cydbwysedd rhwng y ddwy iaith felly yn ffurfio rhan bwysig o gymeriad ieithyddol y cyffiniau.

Ffactor bwysig arall yw lleoliad tafodieithoedd Cymraeg yr ardal ym mharhawd tafodieithol De Cymru. Tybir yn gyffredinol mai un o dafodieithoedd Morgannwg yw tafodiaith Cwm Tawe ac y mae'n wir bod nifer helaeth o nodweddion ieithyddol yn ei chysylltu â thafodieithodd eraill y sir. Y mae'n wir i ddweud hefyd, fodd bynnag, fod digon o ffactorau eraill sydd yn gwahanu tafodiaith Cwm Tawe oddi wrth y tafodieithoedd i'r dwyrain ac yn ei chydio gyda thafodieithoedd y gorllewin.

Cyn mynd ymlaen i adlewyrchu rhai o'r nodweddion pwysig hyn, yr wyf am sôn yn fyr am rai o'r cynseiliau damcaniaethol newydd sydd wedi gweddnewid tafodieitheg fodern.

Yn draddodiadol, y mae ieithyddion yn ystyried bod iaith yn sistem unffurf, homogenaidd o reolau diffiniol sydd yn pennu ffurf geiriau, eu lleoliad yn y frawddeg a'u perthynas â'r geiriau eraill yn y frawddeg. Y mae'r ieithydd Chomsky yn dweud ymhellach:

> 'Linguistic theory is concerned primarily with an ideal speaker-listener, in a completely homogeneous speech community, who knows its language perfectly . . .'[1]

Sylfaen y dafodieitheg newydd yw pwyslais ar amrywioldeb iaith nid yn unig o fewn y dafodiaith neu'r iaith unigol ond hefyd o fewn yr unigolyn yntau. Gellid tybio bod tafodieitheg draddodiadol hithau yn ymwneud ag amrywioldeb ieithyddol ond y duedd oedd trin tafodieithoedd fel sistemau unffurf ar wahân. Tueddid i gredu yn y gorffennol fod rhyw ganran o siaradwyr yn defnyddio un eitem ieithyddol arbennig a'r gweddill yn defnyddio eitem neu eitemau eraill. Tybir bellach fod iaith y siaradwr unigol yn amrywio, fod ganddo fwy nag un ffurf ar eitem arbennig. Yn ôl y ddamcaniaeth hon, y mae defnydd siaradwr o bob eitem ieithyddol yn newid yn raddol ar nifer helaeth o lefelau — daearyddol, cymdeithasol, hanesyddol, emosiynol ac yn y blaen.

Y mae ymchwil ddiweddar, felly, yn bwrw amheuon ar y cysyniad o ffiniau tafodieithol. Credir yn gyffredinol bellach nad oes ffiniau pendant yn gwahanu tafodieithoedd ond bod newid ieithyddol ar lefel ddaearyddol yn un graddol. O'r safbwynt hwn y mae newid tafodieithol yn gynnyrch nifer o newidiadau unigol graddol.

Gynt, gwelid iaith fel rhwydwaith o sistemau tafodieithoedd annibynnol gydag ardaloedd 'trawsnewid' yn eu cysylltu lle'r oeddynt yn gorgyffwrdd. Yn y ffurf fwyaf diweddar ar dafodieitheg, fe welir iaith bellach yn frodwaith ac yn batrwm sydd yn newid yn raddol ac yn barhaol ar lefel yr unigolyn i ddechrau ac o hynny ar lefel y gymuned. Mewn geiriau eraill, iaith cymuned yw swm ffurfiau ieithyddol amrywiol y gymuned honno.

Yn unol â'r hyn a ddywedir uchod am amhendantrwydd ffiniau tafodieithol, nid oes llawer o eitemau ieithyddol a gyfyngir i ardal Morgannwg yn unig. Fodd bynnag, y mae nifer o nodweddion ieithyddol a gysylltir â'r sir er y gall eu hamrediad fod ychydig yn fwy eang na hyn. Ymhlith y rhain y mae'r nodweddion canlynol:

1. Absenoldeb 'h'

Y mae diffyg 'h' yn nodwedd amlwg o dafodiaith Gymraeg Morgannwg a hefyd tafodiaith Saesneg y cylch. Nid yngenir 'h' gan amlaf gan siaradwr cyffredin y tafodieithoedd er ei bod hi'n wir mai arwydd cryf ydyw o ffurfioldeb sefyllfa. Hynny yw, tuedda'r siaradwr i ddefnyddio canran uwch o'r sain pan fo'n siarad mewn sefyllfaoedd ffurfiol. Fodd bynnag, nid oes tuedd i siaradwyr y Gymraeg gamddefnyddio'r sain fel y gwna siaradwyr Saesneg y sir trwy ei defnyddio mewn sefyllfaoedd lle nad oes ei heisiau.

Tuedda'r sain ymddangos hefyd lle bo angen i'r siaradwr roi pwyslais arbennig ar air sydd yn dechrau â'r sain yn gyffredinol.

Cysylltir diffyg 'h' yn nhafodiaith Gymraeg y sir â nifer o gyfnewidiadau seinegol eraill. Cynrychiolir sain 'rh' yr iaith safonol gan 'r', e.e. 'rhai' = 'rai', 'rhoi' = 'roi', 'rhaw = 'raw'. Hefyd, ceir 'w' yn lle 'chw', e.e. 'chwaer' = 'wâr', 'chwech' = 'wech', 'chwerw' = 'werw'. Nodwedd arall a gysylltir â diffyg 'h' yw absenoldeb y seiniau trwynol dilais fel treiglad trwynol ar y seiniau 'p', 't', ac 'c'. Ceir y ffurfiau trwynol lleisiol yn eu lle, e.e. 'fy mhen' = ''y men', 'fy nhad' = ''yn nad', 'fy ngar' = ''yng ngar i'.

2. Calediad

Gwyddys yn dda am y nodwedd adnabyddus a phwysig hon sydd yn ymestyn hefyd i ddwyrain Sir Gaerfyrddin ac i Sir Frycheiniog tua'r gogledd. Natur seinegol y nodwedd hon ydyw newid 'b', 'd' ac 'g' yr iaith safonol i 'p', 't' ac 'c' pan fônt yn dod ar ddiwedd sillaf obennol acennog rhwng dwy lafariad neu rwng llafariad a'r cytseiniaid 'r', 'l' ac 'n'.[2]

Er bod caledu yn nodwedd sy'n perthyn i'r sir i gyd, nid ydyw ei ddosbarthiad na'i natur yn gyson o ardal i ardal. Er enghraifft, nid ydyw'r un set o eitemau geiriol yn dangos calediad ym mhob rhan o'r sir.[3] Darganfuwyd dros saith cant o eiriau gwahanol sydd â chalediad ynddynt ond nid oes un ardal lle y ceir pob un o'r geiriau hyn.

3. -oi

Un enghraifft arall o nodwedd a gysylltir â Morgannwg yw cyfnewid 'oi' ag 'au"r iaith safonol mewn rhai geiriau unsill, er enghraifft ''oil' (haul), 'oir' (aur), 'doi' (dau).

Unwaith eto y mae digwyddiad ac amlder y nodwedd yn amrywio dros y sir. Nodir pedwar ar hugain o eitemau gwahanol trwy Sir Forgannwg (chwech a deugain o eitemau a geir pan gynhwysir yr eitemau ychwanegol a ddarganfyddir yn Sir Frycheiniog a Sir Gaerfyrddin). Ni cheir yr un ardal â set gyflawn o'r eitemau hyn ac yn wir y mae'r nodwedd yn gwanychu wrth fynd tua'r gorllewin. Ni nodais ond pedwar eitem yng Nghwm Tawe sef 'doi', 'oir', 'oil', a 'cloi'. Hyd yn oed yma, ni cheir ond 'doi' yn gyson gyda phob siaradwr.

Y mae'r nodweddion hyn a rhai eraill yn cysylltu Cwm Tawe â gweddill Morgannwg. Fel y dywedir uchod, fodd bynnag, y mae nifer o eitemau eraill sydd yn gwahanu Cwm Tawe ym Morgannwg neu'n hytrach sydd yn gwahanu dwyrain Morgannwg oddi wrth gweddill de Cymru.

Un enghraifft adnabyddus yw ansawdd y llafariad hir acennog a geir mewn geiriau fel 'tân', 'tad' ac yn y ffurfiau deheuol o eiriau megis 'llaeth', 'Cymraeg' ac yn y blaen. Fel y gwyddys, fe geir yn nwyrain Morgannwg lafariad sydd yn ddigon tebyg i'r un a geir ymhellach i'r gogledd yn Sir Drefaldwyn, sef llafariad flaen, hir sydd yn fwy agored na'r un a geir mewn geiriau fel 'chwech', 'lle', 'te' ac ati. Mewn geiriau eraill, y mae blaen y tafod ychydig yn is wrth ynganu'r llafariad hon nag wrth ynganu llafariad 'chwech'. Y mae union ansawdd y llafariad yn amrywio rhywfaint o ardal i ardal. Y mae'n bur mewn rhai ardaloedd ac yn ddeuseiniol mewn ardaloedd eraill ond beth bynnag ei hansawdd y mae'r llafariad hon yn nodwedd ddigamsyniol o dafodiaith dwyrain Morgannwg.

Nodwedd ddiamheuol arall o dafodiaith dwyrain Morgannwg ydyw'r presenoldeb mewn rhai sillafau terfynol o'r llafariad 'a' yn lle'r 'e' a geir yn nhafodieithoedd y De. Ymhlith y sillafau hyn yw'r terfyniad lluosog -(i)au a'r terfyniad enwol -(i)aeth. Ceir er enghraifft y ffurfiau amrywiol canlynol:

-(i)au
tade   tada
mame   mama
dryse   drysa
llyfre llyfra

-(i)aeth
gwanieth   gwaniath
amrywieth   amrywiath
altreth   altrath

Effeithir ar nifer o sillafau terfynol eraill hefyd wrth gwrs megis mewn geiriau fel 'stafall', 'coedan', bach(g)an' ac yn y blaen. Y mae eithafion tiriogaeth y ddwy nodwedd hyn yn ymestyn i Gwm Afan a gwaelod Cwm Nedd er bod y nodwedd yn wan iawn erbyn hynny, wrth gwrs. Yn wir, fe ddywedodd un hen ŵr yng Nghwm Tawe bod y ffurfiau gydag '-a' yn y sillaf olaf yn dechrau rhwng Llansamlet a Sgiwen!

Beth bynnag am hynny nid oes amheuaeth fod gwahaniaethau dirfawr rhwng tafodieithoedd Cwm Tawe a Chwm Nedd ar un llaw a thafodieithoedd eraill Sir Forgannwg. Heblaw'r ddwy nodwedd hyn, y mae un arall y dylid sôn amdani. Ceir olion prin ond diamheuol o bresenoldeb llafariad ganol sydd yn debyg i hon a geir yn y gogledd. Er enghraifft tueddir i gael parau o ffurfiau amrywiol, un gogleddol ac un deheuol, ar eiriau megis 'du', 'byd' a 'dyn'. Statws ffiniol sydd i'r nodwedd hon erbyn hyn wrth gwrs ond gellid tybio bod ei phwysigrwydd yn fwy ar un adeg.

Gwelir gyda'r nodwedd hon y stad eithafol ar y datblygiad sydd wedi cymryd lle yn y ddwy nodwedd arall. Y mae'r tair nodwedd yn dangos effaith dylanwad y nodweddion cyfatebol hynny a arferir gan y dafodiaith sydd tua'r gorllewin sef tafodiaith Cwm Tawe.

Unwaith eto, newid graddol ydyw ond, yn yr achosion hyn, un

sydd wedi cerdded yn bell. Ceir newid yma nid yn unig ar lefel ddaearyddol ond hefyd yn y gymuned unigol lle y'i datgelir ar sail oedran y siaradwyr. Dangosodd y sosioieithydd William Labov y gall dosbarthiad o nodweddion ar sail oedran fel hyn fod yn llun o ddatblygiadau hanesyddol yr iaith yn y gymuned.[4]

Craidd ei ddamcaniaeth yw'r syniad fod iaith yr unigolyn yn aros yn weddol ddigyfnewid trwy ei oes ar ôl ymsefydlu. Mewn geiriau syml, y mae iaith pobl sydd yn ugain oed heddiw yn adlewyrchu i raddau helaeth iawn iaith pobl a fydd yn drigain oed mewn deugain mlynedd.

Felly, o ganfod dosbarthiad nodweddion mewn grwpiau o siaradwyr o oedrannau gwahanol, gellir cael rhyw fath o gipolwg ar y datblygiadau hanesyddol sydd ar droed yn y gymuned. Gyda'r hen y mae'r nodweddion a drafodir uchod gryfaf fel y Gymraeg hithau ac y mae dosbarthiad y nodweddion yn awgrymu bod tafodiaith Cwm Tawe yn dal yn ddylanwad cryf ac y bydd y ffurfiau gorllewinol yn dal i ledu tua'r dwyrain tra phery'r iaith.

Gwneid rhywfaint o waith yn ddiweddar yng Nghymru ar berthnasedd hen ffiniau gweinyddol i ffiniau tafodieithol presennol. Gwnaethpwyd y gwaith arloesol yn y maes hwn gan Dr D. A. Thorne o Goleg Dewi Sant, Llanbedr Pont Steffan.[5] Awgrymir y gall ardaloedd gweinyddol mor fychan â'r maenor a'r cwmwd fod yn arwyddocaol i dafodieitheg.

Ni ellir bod yn hollol sicr am berthnasedd y ddamcaniaeth i ddosbarthiad ffurfiau tafodieithol. Y mae'n siŵr, fodd bynnag na ddylai ymchwilwyr rhagdybio dosbarthiad arbennig i nodweddion ar sail ffiniau fel hyn trwy lunio'u hastudiaethau o'u cwmpas.[6]

Cynsail y ddamcaniaeth yw'r un a drafodir uchod ac sydd mor bwysig i dafodieitheg yn gyffredinol, sef rhwyddineb cyfathrach. Mewn geiriau eraill, credir bod iaith dwy gymuned yn tueddu i fod yn fwy tebyg lle bo'r gyfathrach rhyngddynt yn hawdd ac yn llai tebyg lle bo'r gyfathrach yn anos. Nodwyd uchod y gall ffactorau daearyddol naturiol megis afonydd a mynyddoedd effeithio ar rwyddineb cyfathrach. Ond gall ffiniau gwleidyddol a gweinyddol fod yn llawn mor effeithlon wrth rwystro cyfathrach rhwng cymunedau a'i gilydd. Y mae trigolion cymuned yn fwy tueddol o edrych at a chyfathrachu â chanolfan eu hardal weinyddol eu hunain a chymunedau eraill ynddi nag ydynt o gyfathrachu â chymunedau o ardaloedd gweinyddol eraill.

O ran y rhaniad y buom yn ei drafod uchod rhwng Cwm Tawe a gweddill Morgannwg, y mae'n dra diddorol sylwi bod hen ffin wleidyddol bwysig rhwng yr ardaloedd hyn. Dyma'r hen ffin rhwng gwlad Morgannwg a gwlad Gŵyr. Torrir ar y patrwm hwn gan ymlediad tafodiaith y gorllewin yn raddol tua'r dwyrain.

Fel y dywedwyd gynt, y mae cydblethiad y Gymraeg a'r Saesneg yn rhan annatod o'r sefyllfa ieithyddol yn y Cwm. Fel y disgwylid, y mae ffigurau diweddaraf y cyfrifiad yn dangos gostyngiad arall yn nifer y bobl hynny sydd yn siarad Cymraeg yno. Yn ddiau, bu dirywiad cyson yng nghanran siaradwyr yr iaith dros hanner can mlynedd, nid yn unig yng Nghwm Tawe ond hefyd dros Gymru gyfan. Heblaw dylanwad Seisnigeiddio tref Abertawe y soniwyd amdano eisoes, bu dylanwad cynyddol a pheryglus o gyfeiriad y cyfryngau torfol. Yn wir, ni ellir gorbwysleisio dylanwad y cyfryngau ar ddirywiad yr iaith hyd yma a'i bwysigrwydd o ran datblygiad yr iaith yn y dyfodol.

Adlewyrchir y dirywiad yng nghylch Cwm Tawe yn ei ddosbarthiad trwy'r oedrannau yn yr un ffordd ag a welir gyda'r nodweddion hynny megis '-a' yn y sillaf olaf a'r 'e' hir mewn geiriau fel 'tad' a oedd yn cynrychioli dwyrain Morgannwg. Hynny yw, y mae'r iaith ar ei chryfaf yn y cylch ymhlith yr hen, ac y mae'n gwanhau'n raddol ymhlith y siaradwyr mwy ifanc. Fel yn achos ffurfiau tafodieithol dwyrain Morgannwg, y mae'r patrwm hwn yn ein harwain i gredu bod dyfodol yr iaith yng Nghwm Tawe yn ymddangos yn dywyll. Erys digon o siaradwyr ifainc fodd bynnag i sicrhau y bydd rhwyfaint o Gymraeg yn cael ei siarad yn y cylch am yr hanner can mlynedd nesaf.

Un nodwedd sydd yn achosi mwy o bryder na nifer y siaradwyr yw'r ffaith bod y defnydd a wneir o'r iaith bob dydd yn lleihau. Yng Nghwm Tawe, fel yn y cymoedd yn gyffredinol, tueddir i gyfyngu'r Gymraeg yn fwyfwy i nifer gymharol fechan o gylchoedd cyfathrach. Ymhlith y rhain yw'r cartref, y capel a rhai rhwyd-weithiau o gyfeillion. Y mae hyn yn golygu bod y bobl hynny sydd

70

yn siarad y Gymraeg yn tueddu i gyfyngu eu defnydd o'r iaith i rai cylchoedd arbennig ac i ddefnyddio'r Saesneg ar achosion eraill ac mewn cylchoedd eraill. Y mae'r math hwn o ymddygiad yn nodweddiadol o sefyllfa ddwyieithog lle bo un iaith ar drai. Yn yr achosion hyn, yr iaith sydd â llai o fri yw'r un sy'n tueddu i dreio, trwy golli siaradwyr ar un llaw a thrwy golli cylchoedd cyfathrach ar y llaw arall. Y mae'r ddwy nodwedd hyn yn cael effaith andwyol cynyddol ar fri'r iaith sydd ar drai, gan ychwanegu at y nifer o siaradwyr ac o gylchoedd cyfathrach a gollir. Y mae hyn yn ei dro, wrth gwrs, yn arwain at golli mwy o fri eto. Nodwedd arall sydd yn achosi pryder yw effaith Saesneg ar natur y Gymraeg yn y cylch. Dyma broblem yng Nghymru'n gyffredinol tra bo dylanwad y cyfryngau torfol mor gryf a darpariaeth ar gyfer addysg trwy gyfrwng y Gymraeg mor annigonol. Ceir dylanwadau trymion ymhlith yr ifainc yn arbennig ond y mae'r broblem yn treiddio bellach ymhlith yr hen hefyd.

Natur sylfaenol y broblem arbennig hon yw'r ffaith bod elfennau Saesneg o bob math yn treiddio i iaith lafar y cylch, yn enwedig i iaith y siaradwyr hynny na chawsant addysg ffurfiol yn y Gymraeg. Y mae pawb yn gyfarwydd, wrth gwrs, â'r ffordd bod mwy a mwy o eiriau Saesneg yn cael eu harfer bellach yn iaith bob dydd y siaradwr cyffredin. Y mae'r rhain yn cynnwys nid yn unig yr haid o dermau technegol am offer y byd modern sydd yn rhan mor hanfodol o'n bywyd beunyddiol bellach, ond hefyd eiriau bach cyffredin y mae cytrasau digonol ar gael yn y Gymraeg ar eu cyfer eisoes. Y mae enghreifftiau hefyd o ddefnyddio ymadroddion cyfain a chyfieithiadau o gystrawennau Saesneg. Ceir enghreifftiau o frawddegau megis 'Ble mae'n dod o?' ar sail patrwm y frawddeg Saesneg gyfatebol 'where does he come from?' Y mae'r math hwn o frawddeg ac yn fwy arbennig y brawddegau hynny lle y ceir ymadroddion cyfain yn Saesneg yn ddatblygiad bygythiol iawn i'r iaith yn yr ardal hon. Cesglais nifer fawr o'r math olaf hwn o frawddeg yn y cylch. Fel arfer, fe ymddengys y defnyddir y rhan fwyaf o'r ymadroddion hyn i ddwyn pwyslais arbennig. Gweler, er enghraifft, y brawddegau canlynol:

'I geso'i *rousing reception*'
'Ma' fe'n gwitho mewn *big engineering firm*'
'Geso'i *very unromantic proposal*'

Os yw hyn yn wir, y mae'n awgrymu bod y Gymraeg yn colli tir nid yn unig mewn rhai cylchoedd cyfathrach ond hefyd mewn rhai dyfeisiadau rhethregol.

Y mae'r gobaith am ateb i'r broblem hon o gymysgu ieithoedd ac yn wir i broblem yr iaith ei hun yn gorwedd gyda phlant a phobl ifainc yr ardal a'r gefnogaeth a gânt o gyfeiriad y cyfryngau torfol a'r byd addysg. A barnu oddi wrth y gwaith a wneuthum yn y cylch, mae lle i gredu bod y bobl ifainc hyn yn ymwybodol iawn o dafodiaith eu hardal. Y mae tuedd ddiamheuol iddynt ddefnyddio rhai o nodweddion y dafodiaith yn fwy cyson na'i rhieni a gellir tybio eu bod yn gwneud hyn er mwyn uniaethu â'r cylch ac â'r iaith.

NODIADAU

1. N. Chomsky, *Aspects of the theory of Syntax* (Cambridge, Mass., 1965) t.3.
2. Dylid gwahaniaethu wrth gwrs, rhwng y calediad hwn a'r calediad a geir yn rheolaidd yn yr iaith safonol o flaen terfyniad y ffurf eithaf -af, ee 'tecaf' a'r terfyniad berfol -(h)au, ee 'caniatáu'.
3. Gwnaethpwyd gwaith ar nifer o ardaloedd ym Morgannwg yn Uned Ymchwil Ieithyddol Gymraeg, Coleg y Brifysgol, Caerdydd. Crynhowyd rhai o gasgliadau'r astudiaethau hyn ac ambell astudiaeth arall ar nodweddion ieithyddol y sir mewn erthygl bwysig gan Dr Ceinwen H. Thomas, 'Some Phonological Features of Dialects in South-East Wales', *Studia Celtica*, Cyfrol X-XI (1975-1976), tt. 345-366.
4. Gweler, er enghraifft, ei erthygl holl bwysig 'The study of language in its social context', yn J. A. Fishman (gol.), *Advances in the Sociology of Language* (The Hague, 1971).
5. Gweler, er enghraifft, draethawd ymchwil Dr Thorne 'Astudiaethau Cymharol o Ffonoleg a Gramadeg iaith lafar y maenorau oddi mewn i gwmwd Carnwyllion yn Sir Gaerfyrddin'; a'i erthygl 'Arwyddocâd y Rhagenwau Personol Ail Berson Unigol ym Maenor Berwig, Cwmwd Carnwyllion', yn *Studia Celtica*, Cyf. X-XI (1975-76), tt. 383-387.
6. Tynnwyd sylw at y broblem hon mewn erthygl ddiweddar gan Mrs Beth Thomas, 'Linguistic and non-linguistic boundaries in Clwyd', yn *Papurau Gwaith Ieithyddol Cymraeg* (Caerdydd 1981), Rhif I, tt. 60-71.

Mynegbyst i'r Gorffennol

Gwynedd Pierce

Cystal cyfaddef ar unwaith nad oes llawer o wreiddioldeb yn y pennawd uchod, ag eithrio ei fod yn y Gymraeg, gan mai cyfieithiad ydyw o deitl llyfr a gyhoeddwyd ar enwau-lleoedd yn Lloegr rai blynyddoedd yn ôl gan ysgolhaig o Saesnes. Nid llai oherwydd hynny y gwirionedd a fynegir ynddo, canys pur anodd fyddai dyfeisio ei well ar gyfer gwlad fel Cymru lle y mae yn fwy anodd beunydd darganfod i ba le yr ydym yn myned a'r lle y daethom ohono gan mor drwchus yr haenau o baent gwyrdd, gan mwyaf, sydd yn gorchuddio'r arwyddion ar ein ffyrdd. Nid af i geisio cloriannu priodoldeb neu amrhiodoldeb y gweithgarwch hwnnw (pa rinwedd, tybed, sydd i baent *gwyrdd*?) ond fe hoffwn bwysleisio fod i *bob* ffurf ar enw lle, boed dderbyniol neu fel arall yn ôl ein gwahanol safbwyntiau presennol, ei werth hanesyddol. Beth yw arwyddocâd y ffaith fod i gynifer o enwau-lleoedd yng Nghymru fwy nag un ffurf, fel y Wyddgrug a *Mold*, y Bont-faen a *Cowbridge*, neu Abertawe a *Swansea*? Gellir gorchuddio *Mold* ar fynegbyst â thunnelli o baent os mynnir, a gellir penderfynu ar lwyfan ac ar glawr na ddylid arddel y ffurf honno o hyn ymlaen, ond ni lwydda hynny i orchuddio'r ffaith hanesyddol mai enw'r Eingl-Norman ar y lle, neu ffurf ddiweddarach ar yr enw hwnnw, oedd *Mold*, a bod hynny'n dystiolaeth ychwanegol i hynt hanes y dref yn yr Oesau Canol.

Nid annhebyg mewn egwyddor, os yw'r amgylchiadau'n wahanol, yw hanes Abertawe a *Swansea*. Nid oes dim cysylltiad ffurf nac iaith nac ystyr rhwng y ddau enw, ac nid yw eu hystyron ychwaith yn peri rhyw lawer o anhawster i neb oddieithr rhai manylion ynglŷn ag ail elfen y naill fel y llall. Yn y ffurf Gymraeg, y mae'r cyfuniad *aber* ac enw'r afon, *Tawe*, i ddynodi'r man lle'r arllwys yr afon i'r môr yn

73

wybyddus i bawb. Yr hyn sy'n ddadleuol yw ystyr enw'r afon. Yn sicr, *Tawy* oedd yr hen ffurf, *Taui, Tauui c.* 1150, *Tawuy c.* 1200, *Tawy* 1203, 1336 etc., ond fel y dangosodd yr athrawon T. J. Morgan ac Ellis Evans y mae cryn anghytundeb ynghylch ffurfiant ac ystyr yr enw. Gall fod yn ffurf ar *Tafwy*, a chanddo gysylltiad â'r enw afon sy'n digwydd fwy nag unwaith yng Nghymru, sef *Taf*, ac a gysylltwyd yn ei dro â gwreiddyn Celtaidd (neu gyn-Geltaidd) *tamo-* yr honnir ei fod hefyd yn rhan o enwau nifer o afonydd yn Lloegr megis *Tame, Thame, Thames, Team, Tamar, Tavy, Teme* etc. Ond nid oes cytundeb ar ei ystyr. Gwêl rhai yn *tamo-* wreiddyn arall, *ta-* 'toddi, llifo' a welir yn y gair Cymraeg *toddi*, y Saesneg *thaw* a'r Lladin *tabes*. Cynnig eraill gysylltiad â gwreiddyn *tem-* a all fod yn sail y Gymraeg *tywyll*, Hen Wyddeleg *temel*, Lladin *tenebrae* 'tywyllwch', ac un arall gyfuniad o elfennau a all fod yn gysylltiedig â'r Gymraeg *taw* 'distaw(rwydd)' a *gwy* 'gwyro, troelli'. Y mae enwau afonydd gyda'r hynaf yn yr iaith a'r gorchwyl o esbonio eu hystyron yr anhawsaf o holl broblemau'r sawl sydd a'i fryd ar hynny. Amlwg ydyw nad eithriad yw *Tawe*.

Ar y llaw arall y mae'n bur sicr mai'r Eingl-Normaniaid oedd y cyntaf i godi castell a thref garsiwn neu fwrdeistref ar y safle hon, ond nid *Abertawe* oedd yr enw a ddewiswyd ganddynt hwy fel enw arni. Sefydlwyd y dref fel canlyniad i feddiannu'r ardal amgylchynol sy'n cynnwys penrhyn Gŵyr a'r gweddill o'r cwmwd a estynnai hyd Gasllwchwr ac i'r gogledd i gyrion pellaf yr hyn a ddaeth yn blwyfi Llandeilo Tal-y-bont, Llangyfelach a Llan-giwg yn ddiweddarach, ac erbyn y cyfnod medifal diweddar, plwyf y Betws, Rhydaman. Cwmwd ydoedd a ffurfiai ran o hen frenhiniaeth Gymreig Deheubarth, neu'r rhan honno ohoni a elwid yn Ystrad Tywi y dywedir wrthym ym *Mhedeir Ceinc y Mabinogi* fod iddi dri chantref, y Cantref Mawr, y Cantref Bychan a thrydydd cantref nad oes sicrwydd ynglŷn â'i enw, er bod yr enw Cantref Eginog i'w gael mewn rhai testunau. Rhan o'r trydydd cantref hwn oedd Gŵyr, a phurion peth yw sylwi mai tiriogaeth gwbl Gymreig ydoedd, a'i chysylltiadau yn fwyaf arbennig â Deheubarth i'r gorllewin, nid â Morgannwg, ag eithrio un cyfnod cymharol fyr. Ffurfiai hefyd, maes o law, ac o safbwynt trefniant eglwysig, ran o esgobaeth Tyddewi ac nid Llandaf. Er hynny, cyn dyfod y Normaniaid tua dechrau'r ddeuddegfed ganrif yr oedd arfordir Cymru o'r de i'r gogledd dan fygythiad cyrchoedd o gyfeiriad y môr, a phrin y cafwyd ymosodwyr llymach a mwy didostur na'r 'cenhedloedd duon', y Sgandinafiaid, o'u sefydliadau yn Iwerddon gan mwyaf, o tua'r nawfed ganrif ymlaen, ond yn arbennig tua ail hanner y ddegfed ganrif, fel y cofnodir yn y Brutiau: cyrchoedd ar Dyddewi a Dyfed, Llangynydd ym mhegwn eithaf Gŵyr, Llanilltud Fawr a Llancarfan ym Mro Morgannwg, ymhlith lleoedd eraill. Fe ddichon i lymder yr ymosodiadau leihau rhyw gymaint erbyn yr unfed ganrif ar ddeg er y ceir sôn am rai cyrchoedd yn hanner cyntaf y ganrif honno. Prin yw'r hanes amdanynt ar glawr, ond erys y ffaith ddiymwad bod nifer o lecynnau, o ynysoedd a phenrhynau a'u tebyg o geg afon Rhymni i'r dwyrain o Gaerdydd hyd Ynys Môn yn dwyn enwau Sgandinafaidd eu tras (Môn ei hun, wrth gwrs, yr *Qngulsey* a ddaeth yn *Anglesey* mewn amser) er bod i lawer o'r lleoedd hynny, fel y disgwylid, enwau Cymraeg yn ogystal. Tuedd llawer o'r ysgolheigion cynharach a ganfu'r gwirionedd hwn yn y lle cyntaf oedd gor-bwysleisio ansawdd y gyfathrach, a nifer yr enwau Sgandinafaidd o ran hynny. Aethant yn llai dan archwiliad manwl gwŷr fel Dr B. G. Charles, ond erys nifer digon sylweddol i brofi dilysrwydd y gyfathrach er bod rhofiau'r archaeolegwyr yn dal i fod yn foddion i hau hadau amheuaeth ynglŷn ag un neu ddau, a bydd gennyf innau air i'w ddweud am un arall ymhen y rhawg. Y cwestiwn mawr a erys i'w ddatrys, a thasg anodd fydd honno yn rhinwedd prinder cofnodion, yw natur ac ansawdd y sefydliadau a ddynodir gan enwau Sgandinafaidd. A oeddent, yng ngwir ystyr y gair, yn *sefydliadau* a barhaodd am beth amser, fel canolfannau masnach bychain dyweder, neu ffermydd o ryw fath, ynteu a oeddent fawr mwy nag enwau a roddwyd i ddynodi mannau ar yr arfordir na fu i'r Sgandinafiaid, morwyr o fri, ond braidd gyffwrdd â hwynt fel pe na baent yn llawer amgenach na nodau tir? Prin iawn, onid cwbl absennol, yw'r dystiolaeth ddogfennol dros yr ystyriaeth gyntaf, ond fe ddichon bod parhad rhai o'r enwau fel y cyfryw yn ddigon i ni beidio â llyncu'r ail heb feddwl ddwywaith am y posibiliadau. Gellid trafod nifer o enghreifftiau tra diddorol, ond yng nghyd-destun y sylwadau hyn fe wna ffurf anghymreig enw tref Abertawe yn burion.

Y mae *Swansea* yn un o'r enghreifftiau mwyaf amlwg sydd

gennym o'r enwau Sgandinafaidd hyn, a'r ffaith drawiadol yw mai hon yw'r ffurf a fabwysiadwyd gan y Normaniaid fel enw ar y dref a'r castell a godwyd ganddynt wrth geg afon Tawe (cofnodir bodolaeth y castell yn 1116). Yn yr holl ddogfennau a feddwn sy'n deillio o'u dwylo hwy hon yw'r ffurf a ddefnyddir, gan ddechrau gyda'r freinlen gyntaf a dadogodd freintiau ar fwrdeiswyr cynnar y dref o law William de Beaumont, Iarll Warwig, ŵyr arglwydd Normanaidd cyntaf Gŵyr, rhywle rhwng y blynyddoedd 1153 a 1184, sef *Sweynesse*, yna digwydd fel *Sueinesia* 1187, *Suineshæ*, *Sueinesea* 1190, *Sweinesel* 1208, *Sweineshea* 1210, *Swenese* 1235, *Swenishie*, *Swenisheie* 1236, *Swyneseye* 1310, 1352, nes ceir ffurfiau diwedd-arach fel *Swanzey*, *Swansey* a *Swansea*, gyda'r olaf, bellach, yn cael ei defnyddio fel ffurf safonol. Cytunir mai hen enw personol Sgandinafaidd, *Sveinn* yw'r elfen gyntaf, ond nid oes sicrwydd pendant ynglŷn â'r ail elfen oddigerth ei bod yn un o ddau bosibil-rwydd, sef *sær* 'môr, cefnfor' neu *ey* 'ynys'; fe ymddengys, yn ôl yr arbenigwyr, bod lle i gymysgu yn yr iaith honno rhwng y ddau air mewn cyfuniad elfennau o'r fath. O'r ddau, tueddir i ffafrio *ey* 'ynys' fel ail elfen yr enw, a hynny am reswm tra diddorol nad yw yn hawdd ei amgyffred o edrych ar y sefyllfa heddiw. Y mae dociau presennol Abertawe wedi newid holl agwedd ceg yr afon o'i chymharu â'r hyn ydoedd mor ddiweddar â dechrau'r ganrif ddiwethaf. Gynt, yr oedd ynys o ryw fath wrth geg yr afon, a'r afon yn fforchio o'i hamgylch, ac fe gyfeirir at yr ynys mewn rhai dogfennau fel *Ilond* 1400, *Iselond* 1432, *le Islond* 1449, *The Island* 1641, lle'r oedd porfa i'r bwrdeiswyr. Yn wir, yr oedd llawer mwy o dro yn yr afon tua'i haber nag sydd heddiw gan mai cwrs newydd sydd iddi yno yn awr, a dorrwyd ac a gwblhawyd erbyn 1848, a'i adnabod fel y *New Cut*. Gellir cael rhyw syniad am hen gwrs yr afon o sylwi ar un o strydoedd Abertawe heddiw, a'i henw, sef y *Strand*. Y mae yn dilyn yn fras linell glan orllewinol yr afon fel yr oedd, oherwydd, fel y *Strand* yn Llundain, ystyr y gair yw 'tir ar hyd ymyl dŵr, glan, traeth'. Ar y tro hwn yn yr afon yr oedd cei'r dref gynt, ac yn ymyl y fan lle y dechreuwyd torri'r *New Cut* safai'r hen waith crochennau enwog, y *Cambrian Pottery* lle y gwnaed cymaint o'r gwaith porslen hyfryd sy'n werth miloedd o bunnau ar y farchnad erbyn hyn. Am beth amser wedi cwblhau'r *New Cut* defnyddiwyd hen wely'r afon i lunio *Float*, fel y gelwid ef, a agorwyd yn 1852, sef doc cyntaf Abertawe a adwaenid yn fuan, i'w wahaniaethu oddi wrth y dociau eraill a'i dilynnodd, fel y Doc Gogleddol (*North Dock*). Bellach, y mae wedi darfod amdano ac yn dir sych, y rhan fwyaf ohono yn faes parcio eang i foduron. Ar rai o fapiau'r porthladd yn y ganrif ddiwethaf gelwir y rhan honno o'r rhimyn tir rhwng y *New Cut* a'r hen ddoc, tua'r man lle saif pen gorllewinol y bont sy'n cludo trafnidiaeth o'r dwyrain dros yr afon, yn *The Island*, ond nid y tir hwnnw oedd yr ynys wreiddiol y cyfeiria'r ffurfiau cynharach a nodwyd uchod ati, na'r *ey* Sgandinafaidd sydd, yn ôl pob tebyg, yn ffurfio ail elfen yr enw *Swansea*. Aeth yr ynys wreiddiol ar ddifancoll ers cenedlaethau.

Yn rhinwedd y ffaith bod y ddwy ffurf ar enw'r lle i'w cael yn lled gynnar, teg yw gofyn pa un yw'r hynaf? Y mae hwn yn un o'r cwestiynau hynny sy'n haws eu gofyn na'u hateb, ac yn wir, yng ngoleuni'r wybodaeth sydd gennym ar hyn o bryd, prin fod ateb pendant yn bosibl. Pwysleisiwyd eisoes mai cwmwd cwbl Gymreig oedd Gŵyr cyn dyfod y Normaniaid, ac felly'r oedd yng nghyfnod cyrchoedd y Sgandinafiaid. Pwrpas y cwestiwn mewn gwirionedd yw ceisio darganfod beth oedd enw cyntaf y *dref* ac nid o angenrheidrwydd ei sefyllfa. Y mae rheswm yn dweud ei bod yn gwbl bosibl y cyfeirid at geg yr afon gan y Cymry fel *Abertawe* neu *Abertawy*. Pan ddaeth y Sgandinafiaid, cwbwl briodol fyddai rhesymu fod cysylltiad un ohonynt o'r enw *Sveinn* (nad awn ar ei ôl yma) yn arbennig â'r ynys a oedd yn yr aber wedi esgor ar yr enw a ddaeth yn *Swansea* erbyn hyn. Yr hyn na wyddom, fodd bynnag, yw a oedd unrhyw sefydliad yn y fan a'r lle a âi dan y naill enw neu'r llall cyn dyfod y Normaniaid yno. Ni wyddom, yn wir, pa bryd yn union y rhoddwyd yr enw *Swansea* ar yr ynys. Gallai fod wedi ei henwi felly ar unrhyw adeg rhwng y nawfed a'r unfed ganrif ar ddeg. Mae'r un peth yn wir am *Abertawe* o ran hynny. Fe welir, felly, bod yr anhawster yn codi o'r ffaith nad oes gennym gofnod na dogfen bendant sy'n dyddio yn union o'r pryd y rhoddwyd yr enwau hyn i'r safle yn y lle cyntaf. Yr unig ffaith benodol y gellir bod yn hyderus ynglŷn â hi yw mai'r ffurf Sgandinafaidd a fabwysiadwyd gan y Normaniaid fel enw'r dref a sefydlwyd ganddynt hwy; y mae hynny ynddo'i hun yn brawf bod yr enw eisoes mewn bod, ond mwy na hynny ni wyddom ddim. Y mae'n wir fod rhai haneswyr yn ymresymu a damcaniaethu bod hynny'n rhagdybio bodolaeth rhyw sefydliad, ond fe wnaed hynny hefyd yn achos Caerdydd ar sail enw'r stryd *Womanby Street* sydd erbyn hyn yn weddillion yr hen enw Sgandinafaidd *Hundemanby* (*c.* 1280), ond hyd yma nid yw'r archaeolegwyr wedi llwyddo i ddarganfod rhithyn o dystiolaeth i gadarnhau hynny. Y mae yr ystyriaeth hon yn dangos yn glir un o broblemau dwysaf yr ymchwiliwr i ystyron ac arwyddocâd enwau-lleoedd, sef y ffaith mai cymharol ddiweddar, yn amlach na pheidio, o'i gymharu â chyfnod tebygol yr enwi am y tro cyntaf, yw ffynonellau dogfennol yr ymchiliwr, ac y mae yn rhaid iddo geisio pontio'r gagendor trwy resymoli. Fe nodwyd uchod mai mewn breinlen a roddwyd i drigolion y dref rywbryd rhwng 1153 a 1184 y ceir y ffurf *Sweynesse* gyntaf, ond yr oedd y Normaniaid yno bron hanner canrif cyn hynny, ac ymhellach, nid yw'r freinlen wreiddiol ar gael, dim ond fersiwn ohoni sy'n dyddio o tua'r flwyddyn 1300, bron ganrif a hanner yn ddiweddarach. Pwy a ŵyr pa gam-gymeriadau a wnaed gan y copïwr yn y cyfamser? A hyn oll yn ymwneud ag enw a *allai* fod mor hen â diwedd y nawfed neu ddechrau'r ddegfed ganrif yn ei hanfod. Dyna graidd y broblem yn yr achos hwn. Yn sicr, nid yw yr hyn a ddywed Gerallt Gymro yn ei ddisgrifiad o'i daith trwy Gymru yn 1188, na'i lith enwog arall sy'n ddisgrifiad o Gymru, yn rhyw lawer o help, canys cyfeiria yn y naill at gastell *Sweineshe* neu *Sweinesie* a elwir yn Gymraeg *Abertawe* (*Abertau* mewn un fersiwn) sef, meddai, *casus Tawe fluvii* '(man) disgyniad afon Tawe (i'r môr)', ac yn y llall dywed yr un peth o chwith, fel pe tae, sef cyfeirio at gastell Abertawe a elwir yn Saesneg (meddai ef) *Sweynesia*, ond hyn, wrth gwrs, ymhell ar ôl sefydlu'r dref, ac er mwyn egluro i genhedlaeth ddiweddarach mai'r un lle yw'r ddau. Yna, yn yr hen gronicl a adwaenir fel yr *Annales Cambriae*, a'r rhan honno na all fod wedi ei hysgrifennu cyn diwedd y drydedd ganrif ar ddeg, cofnodir cyrch Rhys ap Gruffydd ar *Abertawi* (y dref) yn 1192, a'r ffaith ddarfod i Lywelyn ap Gruffudd gymryd castell *Abertaui* yn 1216. Yn ddiweddarach yn y cronicl, fodd bynnag, dan y flwyddyn 1287, yr hyn a gofnodir yw fod Rhys ap Maredudd wedi llosgi tref Abertawe, ond y tro hwn yn y geiriau *combussit villam de Sweynese*. Ac yn olaf, ceir cyfeiriadau yn y gwahanol fersiynau o *Frut y Tywysogion*, sef y cronicl Cymraeg o hanes cynnar Cymru, nad yw'r hynaf ohonynt yn ddim cynharach na'r bedwaredd ganrif ar ddeg er eu bod yn cynrychioli cyfieithiadau Cymraeg o gronicl Lladin gwreiddiol a luniwyd, yn ôl pob tebyg, tua diwedd y ganrif gynt. Yn y fersiynau Cymraeg hyn, fel y gellid disgwyl, nid ymddengys bod unrhyw gyfeiriad at y ffurf *Swansea*. Cyfeirir at *y kastell a oed . . . yn abertawy, kastell abertawy, castell a oed ossodedic yn ymyl Abertawy*. Pa fodd bynnag am hynny, yr hyn sy'n peri dyryswch yw ymddangosiad trydydd enw yn y ffynonellau hyn, oherwydd ag eithrio yr enghreifftiau a ddyfynnwyd, ym mhob cyfeiriad arall at y lle a geir yn y Brut yr enw a roir i'r castell yw *castell Seinhenyd*, neu *castell Sain Henydd*, ac mewn un man *castell Abertawy a Sainhenydd*. Hefyd, mewn man arall cyfeirir at gastell Ystumllwynarth, sef *Oystermouth* ar yr arfordir i'r gorllewin, ac fe sonnir am hwnnw fel *Ystum Llwyniarth yn Sein Henyd* fel pe bai *Sein Henyd* yn enw ar yr ardal y saif y castell hwnnw ynddo. Dengys hyn gryn dipyn o ddyryswch ac ansicrwydd, ond yn sicr, ag eithrio'r cyfeiriad olaf, lle cyfeirir at gastell *Seinhenyd* nid oes fawr o amheuaeth mai at Abertawe y cyfeirir, ac nad oes i'r ffurf unrhyw gysylltiad ag enw cantref Senghennydd i'r gogledd o Gaerdydd fel y ceisiodd un hanesydd ddangos, er, i fod yn deg, bod mewn un fersiwn o'r Brut gyfeiriad at hwnnw fel *Seinhenyd*. Y mae hon yn broblem sydd yn rhaid ei gadael yma, ond tueddaf i dderbyn un awgrym a wnaed mai gwall copïo yn rhywle ar ran nifer o ysgrifwyr sydd wedi arwain i gamgymeriad wrth greu'r ffurf *Seinhenyd(d)* yn y cyswllt hwn. Eithaf posibl, i'm tyb i, mai'r cam cyntaf tuag at ddatrys y broblem fyddai darllen *u* am *n* yn yr ail sillaf, sef *Seinheuyd* (yr *u* yn sefyll am sain *v* neu *f*), a phwy a ŵyr nad oes rhyw gysylltiad anuniongyrchol a throellog, efallai ar gam, rhwng y sillaf gyntaf a'r hen gyfaill *Sveinn* wedi'r cwbl?

Cyn gadael yr enwau Sgandinafaidd eithaf priodol nodi bod rhai enwau eraill yng ngyffiniau Abertawe, Gŵyr yn arbennig, y credwyd eu bod o'r dras honno. Yn bersonol, ni allaf dderbyn ond un ohonynt gydag unrhyw fesur o sicrwydd am ei fod yn cynnwys gair Sgandinafaidd digamsyniol. Hwn yw *Burry Holmes* ym mhlwyf Llangynydd yn y pegwn gorllewinol eithaf. Nid yw *Burry* yn ymddangos yn y ffurfiau cynharaf y gellir dod o hyd iddynt ac y mae

Castell Ystumllwynarth, Bro Gŵyr, o'r Gogledd-orllewin. Llin-gerfiad gan
Samuel a Nathaniel Buck, 1741
(Cafwyd gan Wasanaeth Archifau Morgannwg)

ei bresenoldeb yn yr enw braidd yn chwithig gan fod afon neu bil *Burry* beth pellter i ffwrdd, ac felly nifer o enwau cysylltiedig fel *Burry Head, Burryalley* a *Burry Green*. Ond y mae'n wir bod yr enwau hynny hefyd ym mhlwyf Llangynydd, ac yr oedd ar yr ynys gynt gell a sefydlwyd cyn y cyfnod Normanaidd, ac a oedd yn gysylltiedig ag eglwys y sant Cenydd tua'r man lle saif eglwys y plwyf ar hyn o bryd. Yn 1398 a 1429 cyfeirir at *St Kenyth atte Holmes*, ond yn fwy arferol yr hyn a geir yw ffurfiau fel *Insula le Holmys* 15 ganrif, *Holmes in Gowerland* 1439, *Holmes en Gower* 1442, *the Holmes* 1538-1650, *The Holme* 1578, 1610, yr olaf yn debycach o fod yn gywirach na'r gweddill gan mai diystyr yw ffurf luosog yn diweddu ag *-(e)s* i gyfeirio at un ynys, oni bai fod yn yr *-s* honno gysylltiad gwreiddiol â'r cyflwr genidol. Ond y mae *holm* yn bur bendant fel sail y cwbl, ac yn wreiddiol y gair Sgandinafaidd *holmr* 'ynys' ydyw, fel mewn enwau ynysoedd eraill ger yr arfordir, *Flatholm* (Ynys Echni) a *Steepholm* ym Môr Hafren y tu allan i Gaerdydd, neu *Skokholm* a *Gateholm* ym Mhenfro.

Penrhyn Gŵyr. Sur-gerfiad 'Aquatint' gan William Daniell, 1814
(Cafwyd gan Lyfrgell Genedlaethol Cymru)

Y mae tuedd mewn rhai i weld dylanwad Sgandinafaidd yn enw'r penrhyn hir sy'n ymestyn allan ar ochr ddeheuol Bae Rhosili yng Ngŵyr, sef *Wormshead*. Cysylltiad o greigiau sydd yno, mewn gwirionedd, yn fath o res, gyda thair ohonynt yn codi'n lled uchel nes edrych ar y gorwel fel gwrymiau neu gefnau yn codi o'r dŵr. Cyffredin iawn ar yr arfordir, eto o'r de i'r gogledd, oedd enwi nodau tir amlwg a chreigiau, ac yn y blaen, yn ôl eu ffurf, ac ar enwau anifeiliaid yr oeddynt yn ymdebygu iddynt. Nid annisgwyl, felly, gweled y gair Saesneg *worm*, Hen Saesneg *wyrm*, yn cael ei ddefnyddio'n ddisgrifiadol yn y cyswllt hwn, gan mai ystyr gynharach *worm* oedd rhywbeth fel 'neidr, sarff', hynny yw, fod y penrhyn yn debyg i wrymiau cefn anifail o'r fath hyd y 'pen'. Hefyd gan fod y llanw ar ei uchaf yn torri'r cysylltiad rhwng y penrhyn a'r tir, cyfeirir ato fel ynys er yn gynnar, fel y gwna un ysgrifennwr Lladin yn y bymthegfed ganrif, a'i alw yn *Insula Wormyshede*. Yna, mewn feriswn Lladin eto o hanes y sant Cenydd, gelwir ef yn *Henisweryn*. Y mae hyn yn awgrymiadol, oherwydd yn ein horgraff ni heddiw cyfetyb *Henisweryn* i *Ynysweryn*, gyda'r ail elfen yn ffurf dreigledig yr hen air *gweryn* a allai olygu rhywbeth tebyg i'r Hen Saesneg *wyrm* (a dichon fod cysylltiad ffurf hefyd), ond a allai yntau yn gynharach gael ei ddefnyddio am sarff neu ryw anghenfil cyffelyb. Y mae felly yn ymddangos y gall *Wormshead* ac *Ynysweryn* fod yn gyfaddasiad y naill o'r llall, ond pa un yw'r cynharaf sydd gwestiwn gan nad oes ffurfiau cynharach ar gael. Fe ddylai hynny ynddo'i hun fod yn foddion i'n gochel rhag rhuthro i'r casgliad mai nid y Saesneg *worm* sydd yma ond y ffurf Sgandinafaidd cytras *Qrmr* o'r un ystyr. Tebycach o lawer yw fod y ffurf honno i'w gweled yn y ffurf *orme* sy'n ymddangos yn enw'r penrhyn *Great Orme* ger Llandudno yn y gogledd, sef *Cynghreawdr Fynydd* hanes Gruffudd ap Cynan (onid yw, fel y mae hefyd yn bosibl yno, yn enw personol). Wrth gwrs, y mae tystiolaeth y gelwid y *Wormshead* yng Ngŵyr yn *Pen-y-pyrod* mewn cyfnod diweddarach, a hyd yn oed yn *Pen-y-prys*, er ei bod yn anodd gweld y rheswm am hwnnw heddiw os mai *prys* (*prysg*) 'llwyn, coed' yw'r ail elfen. A bod yn fanwl, y *Wormshead* yw penrhyn mwyaf gorllewinol Gŵyr; y mae ynddo'i hun yn hawlio'r enw *Penrhyn Gŵyr*, ac y mae peth arfer o'i blaid.

Amheus wyf hefyd ynglŷn ag enw arall yng ngyffiniau Rhosili sydd wedi ei gysylltu â'r Sgandinafiaid, sef yr enw a roir ar y map, ac a ddefnyddir mewn mannau eraill, ar ddau glwstwr o feini ac olion ar fynydd Rhosili (*Rhosilly Down*). Yr enw yw *Sweyn's Houses* neu *Swein's Houses* er bod Comisiwn yr Henebau a rhai o'r mapiau yn arddel yr amrywiad *Sweyne's Howes*, gyda *howes* un ai yn ffurf ar yr Hen Saesneg *hōh*, a all olygu 'llethr ar gefnen o dir' neu, yn debycach, er mwyn cael cysylltiad â'r enw personol Sgandinafaidd *Sweyn* neu *Swein* (adlais o'r brawd *Sveinn* yn *Swansea* eto) y gair Sgandinafaidd *haugr* 'carnedd, tomen, beddrod', gan mai gweddillion hen feddrodau o Oes y Cerrig, yn ôl pob tebyg, yw'r olion sy'n dwyn yr enw. Yn wahanol i'r olion, fodd bynnag, nid oes dim i brofi hynafiaeth sicr yr enw, hyd y gwn. Gwelais ddefnyddio'r ffurf *Swine House(s)* yn ogystal, a llawer gwell gen i yw hwnnw.

Y mae'n bur wybyddus y rhoid enwau o bob math ar safleoedd hen greiriau ac adfeilion ar hyd a lled y wlad gan genedlaethau diweddarach na wyddent ddim am wir arwyddocâd na natur y creiriau hynny. Hyn sy'n esbonio llawer o'n *caerau* nad ydynt ac na fuont erioed yn gaerau yng ngwir ystyr y gair. Defnyddir *twlch* a *tylchau* weithiau am lecynnau cyffelyb, a *dinas*, ymhlith geiriau eraill. Yn aml iawn cysylltir meini ag enwau hen wroniaid y dyddiau gynt fel yn *Coeten Arthur* mewn mwy nag un lle yng Ngwynedd am y maen mawr, y gromlech, a geir yn gorwedd ar ddau neu dri o rai eraill nad ydynt, fel y gwyddom yn awr, namyn fframwaith neu ran o feddrodau cynnar. *Arthur's Stone* yw'r ffurf Saesneg sy'n cyfateb mewn rhai mannau, ac fe'i ceir am feddrod sydd ar frig llethr gogleddol y tir uchaf yng Ngŵyr, Cefn Bryn, ond yr enw Cymraeg ar hwnnw, wrth gwrs, yw *Maen Ceti* a all fod yn enw a luniwyd i'w gysylltu â'r enw personol sydd i'w ganfod yn *Ynys Ceti* (*Enesketti* 1319) a ddaeth yn *Sgeti* (*Sketty*) ar ochr orllewinol dinas bresennol Abertawe. Ffordd arall o roi enwau ar y fath leoedd oedd eu cysylltu ag anifeiliaid gwyllt a dof. Un pur gyffredin yw *Llech y Filiast* neu *Gwâl y Filiast* (*gast* milgi) fel cromlech enwog Maes-y-felin ym mhlwyf Llwyneliddon ym Mro Morgannwg, yn Llanilltud Faerdref ym Meisgyn, a ger Sgiwen i'r gogledd o Abertawe. Heb fod nepell o safle'r *Sweyn's Houses*, rhyw dair milltir gan mwyaf fel y rhed y frân, ym mhlwyf *Cheriton*, yr oedd lle neu dir (dwy fferm yn ddiweddarach) wrth odre'r tir cymharol uchel a elwir *Ryer's Down*

Maen Ceti, Cefn Bryn, Bro Gŵyr. Llin-gerfiad gan S. Lacey ar ôl H.
Gastineau, 1830
(Cafwyd gan Amgueddfa Genedlaethol Cymru)

(sef cyfuniad o'r enw personol Cymraeg *Rhirid* a'r Saesneg *down*,
Ryrydysdon 1327). Enw'r safle honno oedd *Rhiw'r Hwch* (*Reuroch*
1282, 1314, *Rewrowgh* 1315, *Rewroch* 1323, *Rewrozth* 1516,
Rywrhwgh 1516, 1588, *Rhyer hwch, Rhyier-hwch moor* 1598-1602).
Tir garw ac agored oedd hwn, onid yn dir comin, a gellir
damcaniaethu yn lled ffyddiog ei fod yn dir y troid moch i bori arno,
neu'n wir mewn cyfnod cynnar ei fod yn dir lle byddai'r baedd gwyllt
yn crwydro (gellir cymharu'r enw *Boarspitt* 1650, ym mhlwyf Ystum-
llwynarth *(Oystermouth)*). Dichon ddarfod i *Riw'r Hwch* gael yr
enw oherwydd rhyw gysylltiad felly, ac onid eithaf posibl fyddai i
hen feini gyda charreg drostynt mewn plwyf cyfagos, a edrychai fel
cwt mochyn i'r cyffredin, dderbyn enw ffansïol o'r math yr ydym yn
ei ystyried? Y mae *Twlc-yr-hwch* i'w gael yng Nghymru fel enw
cyffelyb. Byddai *Swine's House* fel ffurf Saesneg lafar leol (ac yn
absenoldeb llethol cofnodion ysgrifenedig o'r enw, rhaid mai enw
felly ydoedd) yn gweddu i'r dim, 'trigfan, neu dwlc y moch', a

hwnnw yn ei dro, oherwydd y chwilen Sgandinafaidd a oedd ym mhennau rhai, yn cael ei lurgunio yn *Sweyn's House(s)* neu *Sweyn's Howes.*

Ond gadewch i ni symud yn ôl, am foment, i dref Abertawe. Wedi iddi gael ei sefydlu gan yr Eingl-Normaniaid canolfan anghymreig a di-Gymraeg oedd hi fel yr helyw mawr o'r bwrdeistrefi a sefydlwyd yng Nghymru yn y cyfnod hwnnw. Saesneg oedd enwau ei bwrdeisiaid, felly hefyd ei strydoedd — *Fisher Street, Saint Mary's Street, West Street* a *Goat Street* oedd y rhai cynharaf y gwyddom amdanynt — ond erbyn diwedd yr Oesau Canol y mae arwyddion fod y Cymry yn cael mwy o ran ym mywyd y dref nes cynhyrchu cymysgedd o enwau yn y ddwy iaith. O'r tu allan i diriogaeth y dref ei hunan, i'r gogledd yn arbennig, mewn ardal bur fryniog a phantiog ei hansawdd a oedd hefyd yn dir garw a choediog, yn cynnwys gweundir a chorsydd, yr oedd bro ehangach ei chylch wedi ei neilltuo ar gyfer y bwrdeisiaid. Yno, parhaodd rhai enwau Cymraeg hyd heddiw, yn ôl pob golwg. Rhoddwyd enwau Saesneg ar rai o'r lleoedd hynny yn ogystal, mae'n wir, ond y mae enghreifftiau o'r naill a'r llall wedi goroesi, llawer ohonynt bellach yn enwau ar faestrefi neu rannau o ddinas Abertawe fel y mae yn awr. Efallai bod gwedd Seisnig ar rai o'r rheiny yn eu tro erbyn hyn, ond dylanwad Seisnigo yn yr oes ddiweddar yw hynny yn amlach na pheidio. Ar yr un pryd y mae'n arwyddocáol fod y Gymraeg hithau wedi cael dylanwad ar rai o'r enwau a oedd yn Saesneg yn wreiddiol. Yn yr ardal allanol hon, er enghraifft, gelwid gweundir a neilltuwyd ar gyfer arglwydd Abertawe a thir Gŵyr yn *the Lord's meade* (Hen Saesneg *mǣd* sydd yn ffurfio rhan gyntaf y Saesneg Diweddar *meadow*). Erbyn 1585 cofnodir *Gweine Arlloid . . . the Lorde's Meade,* ac yn 1588 *Weine Arlloid alias Lordes Meade,* ac wrth gwrs *Gwaun yr Arglwydd* a oroesodd fel *Waunarlwydd* heddiw. Eto, prin fod enw sy'n amlycach nag enw'r rhan honno o Abertawe a elwir *Cwm Bwrla* fel enghraifft deg o roi gwedd Gymraeg ar enw cwbl Saesneg. Un arwydd o hynny, wrth reswm, yw'r defnydd o'r elfen *cwm* nad yw yn rhan o'r enw gwreiddiol, ond y mae ymddangosiad hwnnw yn rhagdybio enw afon neu nant fel ail elfen ac y mae hynny'n wir yn yr achos hwn (er y gellir cael ansoddair gyda *cwm* hefyd fel yn *Cwm-du* sydd yn ymyl, a *Chwm-llwyd* sydd heb fod ymhell, neu enw personol). Enw nant, felly, a gynrychiolir gan yr ail elfen *Bwrla*. Yn wir, o wybod hynny bu cyfnod pan adwaenid y nant wrth yr enw *Bwrlais* (yr oedd ar y ffordd i hynny yn 1655 pan gofnodir ei henw fel *Burloes*) ond y mae'n weddol amlwg mai ffurf yw honno a luniwyd i gael ystyr a'i chydio wrth y gair *glais* 'nant, afonig, ffrwd' sydd i'w gael yn gyffredin yn y De ar ei ben ei hun, fel yn enw pentref presennol y *Glais* (*Aber Gleys* yn 1203, *Glaisse* 1650) lle rhed nant sy'n dwyn yr enw i Dawe, neu mewn cyfuniadau fel *Morlais, Gwenlais, Gwynlais, Marlais, Dowlais, Dulais,* ac yn y blaen.

Rhed y nant *Bwrla* trwy *Gwm Bwrla* gan droi i lawr yn raddol i gyfeiriad afon Tawe a llifo iddi mewn man a oedd yn lled agos i'r *Cambrian Pottery* ger pen gogleddol y *New Cut* a nodwyd yn gynharach. Yn ôl y freinlen gyntaf a roddwyd i fwrdeisiaid y dref nodir ffiniau ardal fewnol y dref, y fwrdeistref ei hun, fel pe tae, a'r enw a nodir fel y ffin ogleddol yw *Burlakesbrok*, hynny yn 1153-84, ac mewn siartr ddiweddarach, yn 1306, y ffurf yw *Burlakysbrok*. Y mae elfen olaf yr enw hwn, *brok*, yn ffurf Saesneg Canol ar yr Hen Saesneg *brōc*, sef *brook* heddiw. Dyma'r nant *Bwrla*. Yn y ffurf *Burlakesbrok* y mae *brok* mewn gwirionedd yn ddianghenraid ac yn awgrymu mai enw Saesneg y nant oedd *Burlake* (a dichon mai felly yr oedd yng nghopi gwreiddiol y freinlen) gan mai ystyr *lake* hefyd mewn Saesneg Canol (Hen Saesneg *lacu*) oedd 'nant, ffrwd', fel mewn cymaint o enwau-lleoedd yn Lloegr, gan gynnwys *Mortlake* yn Llundain, ac nid 'llyn' fel mewn Saesneg Diweddar. Gwelodd copïwr y freinlen *Burlak(e)*, y mae'n debyg, ac ychwanegu *brok* fel elfen 'esboniadol'. Ond beth am yr elfen gyntaf? Wedi'r cwbl ffin y *dref* oedd hon, nant a oedd yn diffinio estyniad gogleddol y dref fel y cyfryw, a'r tebyg yw mai ffurf ar y gair Hen Saesneg *burh* a welir yma, gair a olygai'n wreiddiol 'amddiffynfa' ond (fel *dinas* yn Gymraeg, a *tref* mewn ystyr wahanol) a ehangodd ei ystyr mewn amser i olygu 'tref amddiffynedig' ac yna 'tref, bwrdeistref' yn symlach. Gellir cymharu'r enw ag enwau yn Lloegr fel *Burgate, Burford, Burwell* a *Burghill*. Parhaodd y ffurf Saesneg hyd yr ail ganrif ar bymtheg o leiaf, *Purlocke brooke* 1584, *Burlax Broke* 1685, a cheir cyfeiriad at *Burlakesland* hefyd yn yr unfed ganrif ar bymtheg, ond fe ddaeth llacio amlwg ar ynganu'r sain *k* ar y diwedd nes ei cholli, a cheir cofnodi *Cwm Bwrla* erbyn 1641 a 1650, *Cum Bwrla* 1711, *Cumburle* 1715 etc.

Enw arall a ddigwydd ym mreinlen 1153-84 yw *Hackedeweye*, yn 1306 *Hakkydeweye*, enw ffordd, fel y dengys yr ail elfen *weye*, sef *way* mewn Saesneg Diweddar, a oedd yn rhan o ffin ogleddol tir allanol y bwrdeisiaid. Bu peth pendronni ynghylch ei lleoliad ac ystyr elfen gyntaf yr enw nes i awgrym y credaf y gellir ei dderbyn yn weddol ddibetrus gael ei wneud parthed yr ystyr. Dichon bod mwy i'w ddweud am y lleoliad. Cynigiwyd mai ansoddair yw'r elfen gyntaf sy'n gysylltiedig â'r Hen Saesneg *hæc(c)*, sef *hatch* mewn Saesneg Diweddar, yn yr ystyr o 'glwyd, llidiart', ac y mae i'w gweld yn weddol gyson mewn mân enwau ac enwau-caeau Saesneg lled gynnar ym Morgannwg; fe'i defnyddid hefyd am gored mewn afon i ddal pysgod, lle y mae'r syniad o 'glwyd' eto yn amlwg. 'Ffordd, neu heol glwydiog (neu, y clwydi)', felly, fyddai rhydd-gyfieithiad o'r enw gan fod arlliw o'r lluosog ar y ffurf *hacked-*, *hakkyd-*, ond y mae hefyd yn bosibl y gall fod yn gysylltiedig â'r Hen Saesneg *hæcce*, sef 'ffens, sietin' a roddai'r ystyr o 'ffordd a ffens o boptu iddi', efallai, neu rywbeth cyffelyb. Ynglŷn â'i lleoliad, yr hyn a awgrymwyd yw y gall fod yn rhan o'r hen ffordd o Abertawe i Gasllwchwr (yr A4070) rhwng Cwm Bwrla ag Afon Llan a groesir gan y ffordd dros bont a elwir yn *Llewitha Bridge* ar y map, ychydig i'r gogledd o Fynydd-bach-y-glo, canys fel y caf sôn yn y man y mae Afon Llan hithau yn rhan o'r ffin ogleddol honno. Dichon fod peth gwirionedd yn hyn, ond fe hoffwn alw sylw at un ffaith, sef bod yna ffordd lai sy'n arwain o'r ffordd hon yn ymyl ystad ddiwydiannol Fforest-fach i ymuno â'r ffordd o Abertawe i Benlle'rgaer (yr A483) ger Cadle, a'r enw arni yw *Ffordd Cynore* ar un map, neu fel y gwelais mewn man arall *Heol Cynnore*, ond ni welais ffurfiau cynnar ar yr enw, sy'n amlwg yn enw Cymraeg. Oherwydd y mae'n ddiddorol sylwi y gall mai'r gair *cynhorau* a gynrychiolir gan *cynnore*, sef ffurf luosog y gair *cynnor*, ac un ystyr hwnnw yw 'post ffrâm drws, ystlysbost drws'. Tybed a oes yma gysylltiad â'r *hatch* Saesneg, y ffens o bostau ar y ffordd, ac mai rhan o'r *Hackedweye* oedd hon neu, yn wir, mai hi oedd yr *Hackedweye*? Ynteu a oes yma gyfeiriad at *glwyd* neu *glwydi*, gan mai lled gyffredin yw'r gair *llidiart*, er enghraifft, mewn enwau ar hyd a lled y wlad fel *Llidiart y Fagwyr* ger Pontardawe, ac a aeth yn *Litchard* dan ddylanwad y Saesneg ger Pen-y-bont ar Ogwr.

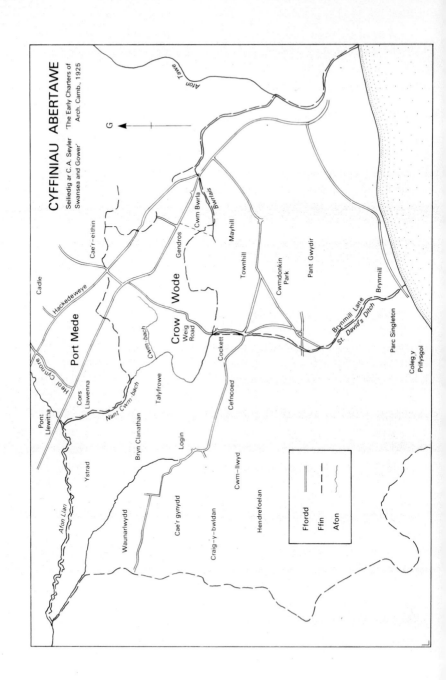

CYFFINIAU ABERTAWE

Seiliedig ar C. A. Seyler
'Swansea and Gower'

'The Early Charters of
Arch. Camb., 1925'

G

Afon Tawe

Cadle

Port Mede

Caē'r-eithin

Hackedeweye

Heol Cynnor

Pont Llewitha

Afon Llan

Ystrad

Cors Llawenna

Nant Cwm bach

Cwm bach

Bryn Clanathan

Talyfrowe

Login

Waunarlwydd

Cae'r gynydd

Craig-y-bwldan

Cwm-llwyd

Hendrefoelan

Crow Wode

Weig Road

Gendros

Cwm Bwria

Bwrlais

Mayhill

Townhill

Cwmdonkin Park

Pant Gwydir

Cockett

Cefncoed

Brynmill Lane

St. David's Ditch

Brynmill

Parc Singleton

Coleg y Prifysgol

Ffordd

Ffin

Afon

Rhan arall o ffin tiriogaeth allanol y dref, fel y nodais, yw'r afon a enwir yn awr yn afon *Llan*. Os dilynnir ei chwrs o'r gogledd-ddwyrain i'r de-orllewin fe welir ei bod yn ymuno ag afon Lliw y tu isaf i Gorseinon. Ymddengys bron fel cangen o afon Lliw, ac yn ei chwrs heibio i Gadle a than Bont Llewitha ffurfiai ffin ogleddol naturiol i diroedd allanol tref Abertawe yn yr Oesau Canol. Y mae afon Lliw ei hunan, wrth gwrs, yn rhedeg i lawr trwy Bont-lliw a Gorseinon, ac mewn dogfen a ddyddir 1306 cyfeirir ati fel y *Northyr Lyu* 'y Lliw ogleddol', ac y mae hyn yn awgrymu'n gryf bod yna afon Lliw arall, yr un ddeheuol efallai, neu isaf. Cadarnheir hynny yn nodiadau Edward Lhuyd, 1695-1709, lle nodir *Llugh ye greater* a *Llugh ye lesser*, a'r hyn y mae cymhariaeth o'r dogfennau a'r arolygon sydd ar gael yn ei brofi yn ddiamheuol yw mai'r afon *Llan* bresennol yw'r Lliw arall honno. Ym mreinlen 1153-84 cyfeirir ati fel *Lyu*. Rhaid, felly, bod ei henw wedi ei newid yn *Llan* ar un adeg, ond hyd yma ni welais enghraifft gynharach o'r enw *Llan* arni na honno sydd ar fap a wnaed yn 1799. Paham y newidiwyd yr enw sydd beth arall, ond fe fyddwn yn eithaf bodlon i gytuno â'r awgrym mai adffurfiad sydd yma i gysylltu'r enw ag enw'r plwyf y rhed trwyddo, plwyf Llangyfelach, ar lun a delw enwau eraill yn y gymdogaeth fel *Melin-llan*, *Pont-llan* a *Gors-llan*, gan fod yr afon am ran o'i chwrs yn troi o'r gogledd a ffurfio math o hanner cylch o amgylch pentref Llangyfelach ei hun. Fodd bynnag, fe ymddengys bod un enw a grybwyllwyd eisoes hefyd yn profi mai *Lliw* oedd enw'r afon yn gynharach, sef *Llewitha* ym *Mhont Llewitha* a ysgrifennir fel *lliwytha* 1600, a gelwir y bont yn *Pont llew* ar fap sy'n dyddio o 1697 ac yn llwgr fel *Pont llewydde* ar hen fap yr Ordnans. Ai am ffurf fel *Lliweithaf* y mae'r *Llewitha* presennol yn sefyll, hynny yw, y *Lliw* 'bellaf' neu 'isaf'? Fe ddywedir yn rhywle mai hyn oedd esboniad yr Athro Ernest Hughes, athro hanes cyntaf coleg Abertawe, ac y mae yn eithaf derbyniol i'm tyb i.

Yr unig enw arall a gofnodir ym mreinlen gyntaf y bwrdeisiaid oedd enw ffin orllewinol y dref, yn y Lladin gwreiddiol *fossam sancti David* 'ffos, neu glawdd y sant, Dewi' (ac fe gofir fod cysylltiad rhwng Llangyfelach a'r Clas, *Clase* yn awr, a Dewi). Fe'i gelwir yn *Saint Davide's Diche* yn 1590 ac yn ddiweddarach yn yr un ddogfen ceir esboniad sy'n lleoli'r ffos yn dra phendant, *the river or water course called Bryn-mill water or David's ditch.* Hon yw'r nant a redai i lawr o gyfeiriad Cocket i'r môr rhywle tua gwaelod y ffordd gul bresennol a elwir yn *Brynmill Lane*, lle daw i mewn i Heol y Mwmbwls, gyda Pharc Singleton ar yr ochr orllewinol a'r ardal a adnabyddir o hyd fel *Brynmill* ar yr ochr ddwyreiniol. Tua'r fan hon yr oedd o leiaf ddwy felin (tair yn 1650, *the Brynn mills*) ar lannau'r nant. Digon yw hynny i esbonio'r Saesneg *mill(s)* yn yr enw, ac er nad wyf yn gwbl sicr pa *fryn* yn hollol a olygir yma nid anodd cyfrif am bresenoldeb yr elfen mewn cysylltiad ag enw nant sy'n llifo i lawr o'r tir uchel sydd mor nodweddiadol o'r ardal. Enw cyfansawdd o elfennau Cymraeg a Saesneg yw hwn, felly, ac yn ei ffordd y mae yn adlewyrchiad o'r gymdeithas gymysg a fu'n trigo yn yr ardal. Ni wn pa mor hen ydyw ond fe â yn ôl i ddechrau'r bymthegfed ganrif hyd sicrwydd, *Brynmell* 1400, *Brynmyll* 1432, *Brynmylles* 1449, *Brynne Mill* 1583, ac un ffaith arall y gellir ei nodi am y lleoliad yw ei bod yn debyg fod yno fath o lanfa, yn aber y nant efallai, yn yr ail ganrif ar bymtheg, o'r lle yr hwyliai badau neu longau ar draws Môr Hafren, yn ôl pob tebyg, gan y cofnodir fod hawl gan denant y melinau i *the benefitt of the Passage Boat there.* A chan i mi nodi Parc Singleton, lle saif Coleg Abertawe, priodol fyddai nodi fod ffermdy, *Singletons* 1650, yn y cyffiniau ychydig pellach i'r gorllewin ger man a enwir yn *Brynnemiskil* yn 1319 (y mae ystyr yr ail elfen yn yr enw hwn yn dywyll) pryd y cofnodir fod Robert *de Sengeltone* yn dal tir, a hefyd Thomas *Sengleton* yn 1383.

Yn nhiriogaeth ardal allanol y fwrdeistref a ffinir yn fras yn y gogledd gan Afon Llan, arhosodd yr enwau Cymraeg yn bur niferus hyd heddiw ond fod y mannau y cyfeirir atynt gan yr enwau wedi newid cryn dipyn o ran eu hansawdd. Fel y sylwyd eisoes, yr oedd yn ardal goediog a bryniog, ac y mae llawer o'r enwau yn adlewyrchiad teg o hyn. Cynhwysai'r ardal hefyd y tir uchel sydd mor amlwg uwchben y dref ac a elwir yn awr wrth yr enwau *Townhill* a *Mayhill*, ond y mae'r rhan fwyaf o hwnnw bellach wedi ei orchuddio ag adeiladau a thai nes diflannu pob arlliw, bron iawn, o'r nodweddion a roes fodolaeth i lawer o'r enwau yn y gymdogaeth, ag eithrio'r rhai sy'n cyfeirio'n uniongyrchol at arwynebedd y tir, efallai. Y nodwedd a ffurfiai ffin ddeheuol yr ardal hon oedd *Pant-y-gwydir* wrth droed y *Townhill*, sef *Pantguydir* 1650, *Pantgwyder* 1651, *Pant Gwider*

1736, lle y mae *gwydir*, fel ei debyg enwocach a oedd yn enw cartref y Wyniaid yn Nyffryn Conwy, yn ffurf ar *gwedir* o *gwo-*, *gwa-* a *tir* 'tir isel, pant', fel bod *pant* fel elfen yn yr enw yn ddianghenraid braidd. Daeth yn enw ar ffermdy a safai tua chornel Victoria Street a Glanmor Road yn awr yn hytrach na'r stryd sy'n dal i gadw'r enw'n fyw yn is i lawr. Ceir *Gwydir Crescent* hefyd, y rhain yn nes at safle tŷ mawr a godwyd yno, *Pant-y-gwydir House*, a rhes o dai yn ymyl Maes-yr-haf, *Pant-y-gwydir Gardens*. Dichon fod tir fferm Pant-y-gwydir hefyd yn cynnwys y *Cwmdonkin Park* presennol. Digwydd *Cwmdonkin* mewn enwau nifer o strydoedd yn y cyffiniau, gan gynnwys *Cwmdonkin Drive* lle'r oedd cartref Dylan Thomas. Go brin mai enw nant yw *Donkin*, a chymharol ddiweddar yw'r enw pa un bynnag, ond dichon ei fod yn enw personol neu gyfenw a oedd yn adnabyddus yn yr ardal am beth amser gan fod ffermdy o'r enw *Tir-dwncyn* yn ymyl Llangyfelach, ac y mae *Dunkin* i'w gael fel cyfenw harbwr-feistr Abertawe, a'i fab a oedd yn glerc y gweithfeydd yno, yn 1823.

Yna o gefnen uchel y *Townhill* a'r *Mayhill* presennol i'r gogledd hyd Afon Llan yr oedd yr ardal allanol yn gymhlethdod o weundir a chomin, neu o leiaf y mae'n ymddangos yn gymhlethdod i ni heddiw wrth edrych yn ôl dros ganrifoedd o ddatblygu'r ardal o'i chychwyn fel porfa agored, oherwydd y duedd yn y cyfamser i unigolion hawlio darn o dir yma a phrynu darn arall draw a'u cau i'w pwrpas eu hunain, un ai fel ffermydd neu, yn ddiweddarach, i gloddio a sefydlu amryfal weithfeydd ac yn wir, mewn cyfnod diweddarach fyth, i adeiladu ar y tir fel yr estynnai'r dref ei ffiniau allan i'r cyfeiriad hwnnw. Fel canlyniad, cadwyd enwau darnau helaeth o dir fel enw fferm unigol yn aml, ac yn y cyfnod diweddarach pan ddiflannodd rhai o'r ffermydd hwythau dan faestrefi'r ddinas fodern cedwir yr enwau fel enwau'r maestrefi hynny. Gwyddom, er hynny, fod yr ardal er 1306 wedi ei rhannu'n fras yn ddwy garfan, a'r enwau a roddwyd i'r rheiny oedd *Crowe-wode* a *Portmede*. Yr oedd yr olaf, sy'n ymddangos fel *Portmanmede* 1400, *Portman mede* 1432, *Portmainmedewe* 1449, *Portmen medos* 1548 a *Port Meade* 1589, yn dir a orweddai i'r gogledd o Fforest-fach, ac y mae'r enw *Port-mead* yn dal i gael ei ddefnyddio fel enw ar yr ardal sydd bellach a chryn ddatblygu wedi bod arni. *Portmead Place* yw enw un o'r strydoedd yno. Dengys yr enw y cysylltiad â'r hen fwrdeistref oherwydd ystyr *port* mewn Saesneg Canol yw 'tref, bwrdeistref' yn hytrach na 'phorthladd' fel y cyfryw. Dyna ystyr *port* yn *Newport*, Casnewydd, yng Ngwent. Er datblygu o'r dref honno yn borthladd, *Novus Burgus* (y *dref* newydd) oedd hi yn y ddeuddegfed ganrif, a *Nova Villa* 1290, *Neuborh* 1291 (sy'n ein hatgoffa o *Niwbwrch* ym Môn). Y mae'r un peth yn wir am *Newport*, Trefdraeth, ym Mhenfro. *Portman* oedd 'bwrdais', un o drigolion breintiedig y dref. Yng Nghaerdydd ceir yr enw *Portmanmoor* sy'n dal i fyw. Dyma sail yr enw tra chyffredin *Portway* hefyd, sef ffordd fawr sy'n cysylltu trefi a'i gilydd, neu'n arwain i dref.

Ar gyrion pellaf y *Portmead*, yn uwch i fyny na Phont Llewitha ar Afon Llan y mae pentref bychan *Cadle*, ?*le Cadill* 1449, *Cadley* 1552, lle mae pont arall dros yr afon, ond nid yw hwn ond un o'r mannau sy'n dwyn yr enw. I'r dwyrain y mae *Comin Mynydd Cadle*, a rhwng y comin a'r pentref yr oedd o leiaf dair o ffermydd yn dwyn yr enw, *Cefn Cadle* (sydd yno o hyd), *Cadle Fawr* a *Chadle Fach*. Beth bynnag yw ystyr *Cadle*, ac nid oes brawf pendant ei fod yn golygu yr hyn yr ymddengys ei fod, sef *cad-le* 'lle y bu brwydr, maes brwydr', y mae'r ffaith fod yr enw yn gysylltiedig â chymaint o leoedd dros ardal wasgarog yn awgrymu fod a wnelo ag ardal bur eang ar gyrion dwyreiniol y *Portmead* gan fod dogfen ar gael yn 1548 yn cofnodi gwrthwynebiad gwŷr Cadle i hawl bwrdeisiaid Abertawe ar saith acer o dir yn y Cadle yr oeddent hwy yn haeru ei fod yn rhan o'r *Portmead*. Tir eang ei ffiniau oedd Cadle yn wreiddiol, felly, yn ôl pob golwg, a dichon fod peth gwirionedd yn yr awgrym nad oes raid i ni gymryd ystyr *cad* yma yn llythrennol fel 'brwydr', dim mwy felly nag y dylem ei esbonio yn yr un modd mewn enw fel *Y Gadlys* yn Aberdâr a Llangynwyd. Dichon iddo fod yn lle i ymarfer gan filwyr, neu le i fwstro flynyddoedd maith yn ôl.

Yn is i'r gorllewin o Bont Llewitha y mae nant fechan yn rhedeg i Afon Llan o gyfeiriad *Cwm-bach* (enw ffermdy yn awr ger y ffordd i Waunarlwydd) ac fe adwaenid y nant fel *Nant Cwm-bach* am beth amser, ond gynt yr oedd enw arall arni, sef *Llawennant*, ac fe roes hithau ei henw i nifer o nodweddion cyfagos nas arferir bellach er bod olion un ohonynt yn aros. Yr oedd y tamaid pigfain o dir a ffurfid rhwng Llawennant ar y naill law a'r ffordd i Gasllwchwr ar y llall yn gors leidiog. Ei henw ar hen fap yr Ordnans chwe-modfedd oedd *Cors Lewenau*, sef *Cors-Llawennant* a gollodd y cytseiniaid ar ddiwedd yr enw gan roi *Cors Llawenna* a *Llewenna* ar lafar, *Gorse Llawenna* 1650, a hwnnw yn ei dro yn cael ei 'adfer' gan rhyw ŵr gwybodus i'r hyn y tybiodd oedd y ffurf 'gywir' mewn -*au*, am fod yr -*au* mewn geiriau lluosog ar lafar yn cael ei symleiddio'n -*a*, ond heb wybod ohono beth fuasai'r ffurf wreiddiol. Yna, i'r gorllewin eto o nant *Llawennant*, gydag Afon Llan yn dal i fod yn ffin ogleddol iddo, yr oedd tamaid pur sylweddol o dir yn ymestyn hyd y nant a ffurfiai ffin tir yr arglwydd yn Waunarlwydd. Un enw a roddwyd i'r tir hwnnw oedd *Ystrad Llawennant*, sef *Ystrad Llawenant* 1600, *Ystrad llewnant* 1616, *Ystrad lawenna* 1650, *Ystrade lawena* 1699, *Ystrad Llewennant* 1704, *Ystrad Llawennant* 1764, a chodwyd dwy fferm arno yn dwyn yr enwau *Ystrad-uchaf* ac *Ystrad-isaf* mewn cyfnod diweddarach pan ddechreuwyd cau rhannau o'r tir i ffurfio daliadau llai, yr olaf bron wrth lan Afon Llan a'r gyntaf yn fwy i'r de ger Felin-fach lle mae *Ystrad Road* ac *Ystrad Corporation Road* yn cadw'r enw heddiw, er bod y fferm ei hun wedi diflannu. Y mae *Ystrad-isaf* yno o hyd er ei bod yn dwyn yr enw *Ystrad*, yn syml, erbyn hyn.

Am yr enw *Llawennant* ceir mwy nag un ddamcaniaeth. Cydiai'r diweddar R. J. Thomas yr enw wrth yr ansoddair cyffredin *llawen* sy'n digwydd fel elfen mewn enwau-lleoedd, nentydd, ac un enw sant yn *Llanllawen* ger Aberdaron yn Llŷn, yn ogystal â ffurfiau cysylltiol fel *Llaweni, Llyweni* a *Llyn Llywenan* etc. Ond un awgrym arall hynod dderbyniol a phosibl yn y cyswllt hwn yw hwnnw sy'n seiliedig ar y ffaith fod *Llawennant*, yn ôl pob tebyg, yn ffin rhwng y *Portmead* a'r rhan arall o dir allanol tref Abertawe, *Crow-wood*, y caf sôn amdano yn y man. Y gair cyffredin mewn Saesneg Canol am ffin yw *meare, mere*. Hen Saesneg *(ge)mǣre*, a chan fod nentydd yn aml yn ffurfio ffiniau naturiol rhwng daliadau a thiroedd, cyffredin yw'r defnydd yn Saesneg, neu mewn Hen Saesneg, o *(ge)mǣrē* a *brōc* fel cyfuniad yn golygu 'nant y ffin' ac a allasai roi ffurf fel *mere-brok* mewn Saesneg Canol. Ceir rhai ffurfiau diweddar ar enwau-lleoedd yn Lloegr fel *Meersbrook* a *Mere Brook* (yr olaf yn Wiltshire), ac fe ddywedir bod enghraifft i'w chael o ffurf fel *mere-brook* yn cael ei chamddeall fel *merry-brook*. Os digwyddodd rhywbeth tebyg yma, fe fyddai *Llawennant* yn gyfieithiad llythrennol eithaf teg i'r Gymraeg. Yr hyn a roddai derfyn ar y ddadl, wrth gwrs, yw mwy o wybodaeth am hynafiaeth *Llawennant* fel enw, ond hyd yma nid oes ffurfiau cynharach na'r rhai a ddyfynwyd uchod wedi eu darganfod. Os gwir yr esboniad hwn, ar y llaw arall, dyma brawf eto o gyfnod o Gymreigio ar enwau Saesneg cynharach yn yr ardal.

Bid a fo am hynny, y mae'n ymddangos fod ardal y *Crow-wood* gynt yn llawer ehangach na'r *Portmead* ac yn ymestyn, fel y nodwyd eisoes, o Ystrad Llawennant i lawr i Cocket a Phant-y-gwydir, ac ar draws cefnau'r *Townhill* a *Mayhill* i Gwm Bwrla a chainc ogleddol y nant, Bwrla, a âi dan yr enw Cymraeg *Nant-y-ffin* ar un adeg. Yma eto yr oedd lliaws o enwau ar y bryniau a'r cefnau, y cymoedd bychain a'r coedydd, rhai yn gynharach na'r lleill. Amlwg, er enghraifft, yw mai'r enw ar ran ddeheuol Ystrad Llawennant ar un adeg oedd *Bryn Canathan* neu *Brynne Clanathan* yn 1538, 1650, *Brinkanathan* 1585, a chredir mai'r ffurf *Clanathan* sy'n rhoi'r awgrym gorau o wir ystyr yr elfen gyntaf yn yr enw gan fod cyfeiriad yn 1746 at le o'r enw *Penllynayddan*, sef ffurf ar *Penllwynaeddan*. Nid anodd i'r neb a glywodd Sais yn ceisio ynganu'r *ll* Gymraeg gan gynhyrchu rhywbeth fel *cl-* (*clan* am *llan*, dyweder) fyddai sylweddoli fod ffurf ar ddogfen a gynhyrchwyd gan ysgrifwr o Sais, fel *Clanathan*, yn llygriad eithaf posibl ar *Llwynaeddan* yn enwedig o wybod fod yr enw hwnnw mewn bod. *Llwyn* gyda'r enw personol *Aeddan* yw hwn yn ôl pob tebyg. Sylwer hefyd fel y caledir yr *-dd-* yn *-th-*, neu ei chynrychioli gan *th* o leiaf. Nid anodd derbyn ychwaith fod enw gwreiddiol fel *Bryn-llwynaeddan* wedi datblygu yn *pen-llwynaeddan* mewn amser, gan nad oes fawr o wahaniaeth rhwng *bryn* a *pen* mewn cysylltiad fel hyn. Erbyn y ddeunawfed ganrif digwyddodd peth arall i'r enw, fe newidiodd ei ffurf gan roi *Pen-llwyn-eithin* (*Penllwyneithan* 1844, sy'n dangos cam hanner y ffordd i'r ffurf mewn *-eithin*) a dangosir adeiladau a enwir *Pen-llwyn-eithin-fach* ar ochr ogleddol Mynydd-bach-y-glo ar fap *c.* 1836 lle mae nifer o ffatrioedd yn awr, eto fel rhan o ystad ddiwydiannol Fforest-fach. Yn 1746 cofnodir *Penllynayddan vawr* yn ogystal, ac yr oedd hwnnw mewn bod yn 1852, o leiaf, fel *Penllwyneidd(i)an*. Gall fod tir *Llwyn-eithin*, neu'r *Llwyn-aeddan* gwreiddiol, yn ymestyn i'r dwyrain ar draws godreon y *Portmead* gan fod yr enw *Cae'r-eithin* i'w gael heddiw yn y parthau hynny a all fod yn cynnwys olion yr hen enw, er ei bod yn gwbl bosibl mai enw-cae cyffredin oedd hwnnw, wrth reswm.

Canlyniad graddol cau'r tir agored oedd cynhyrchu unedau llai, ffermydd bychain, fel y gwelsom, ac y mae nifer o'r ffermdai yn dal i sefyll yn hen ardal y *Crow-wood*, rhai ohonynt, y mae lle i gredu, yn hŷn na'r ffurfiau cynharaf ar eu henwau a welwyd hyd yma. Dyma rai ohonynt. Ger Waunarlwydd, ac ychydig i'r de, y mae *Caergynydd-fach, Kergenith* 1538, *Krygynydd* 1613, *Creeg-genith* 1698, *Crygg-Enyth* 1701, *Cyrgenith* 1724, a adferir i'w briod ffurf fel *Cae'r Cynydd* erbyn 1884, gyda *cynydd* 'heliwr, ceidwad cŵn hela' yn ail elfen yr enw. Yn ymyl hefyd y mae *Tal-y-frawe, Talyfrowe* 1764, *Tal-y-brawe c.* 1836, lle mae'r ail elfen yn dywyll. *Craig-y-bwldan*, gyda'r ail elfen eto yn anodd i'w hesbonio, onid yw'n enw personol, *Graygboulden* 1538, ond *Alkt Boulden* a geir yn 1585 (y Sais eto'n methu gyda'r *ll*), *Alt Buldan* 1590, *Alt Bulden* 1594, gydag *allt* 'llechwedd coediog' yn y De fel elfen gyntaf. *Login*, na welais ffurfiau cynharach arno hyd yma ond a nodir gan R. J. Thomas fel ffurf ar *Logyn*, sef *Halogyn* yn wreiddiol, ffurf fachigol ar yr ansoddair *halog* 'budr, lleidiog' sy'n digwydd mewn pedair sir arall yn y De, heblaw'r enghraifft hon, fel enw nant, ac y mae'r *Login* sydd dan sylw ar lan nant fechan. *Lledglawdd* heddiw, *Llettclawdd* 1852, ond *Llethrglawdd* yn 1764, ac yn gynharach na hynny *Llechglawdd* 1652, sef clawdd wedi ei adeiladu â meini, y mae'n debyg, yn hytrach na ffos. *Cwm-llwyd*, sef *Cwm lloyd* 1650, *Cwmllwyd* 1844, 1852, sy'n bur amlwg ei ystyr. Yna i'r gorllewin o *Cocket*, y ffermydd a adwaenir heddiw fel *West Cefncoed, East Cefncoed* a *Cefncoed Bach* sy'n dod â ni at ystyriaeth arall a gaiff fod yn olaf yn y llith hwn. Ond cyn hynny, cystal nodi *Cocket*, sef *le Cocket* 1583, *the Cockett* 1650, a all gyfiawnhau cyfeirio ato fel *Y Cocket*. Y mae gwedd anghyfiaith ar yr enw, ac y mae yn bur anodd ac ansicr canys fe ddichon ei fod yn Gymraeg wedi'r cwbl, ac y mae enw tebyg mewn gwedd lawer Cymreiciach i'w gael ym mhlwyf Pentyrch, *Y Gocyd*, sydd yn amlwg yn fenywaidd ei genedl. Defnyddir *Cocket* yn Abertawe fel enw ardal i'r gogledd o Sgeti yn awr, ond safai ffermdy Cocket ar ochr ddwyreiniol y ffordd bresennol drwy'r pentref ac ar dir uchel sy'n estyniad, mewn gwirionedd, o'r *Townhill* ar y naill law a'r gefnen y mae'r ffermdai sydd a'u henwau'n dwyn yr elfen *Cefncoed* yn sefyll arni ar y llall. Disgyn y ffordd tua'r de i lawr rhiw pur serth. Os yw'r enw *Cocket*, felly, i'w gysylltu â bryndir lled uchel, ac os mai enw Saesneg ydyw yn wreiddiol, dichon fod iddo gysylltiad â'r gair cyffredin Saesneg *cock*, Hen Saesneg *cocc* 'bryn, twmpath', mewn geiriau cyfansawdd fel *haycock* etc. Y mae enghreifftiau o'r elfen hon i'w cael mewn enwau Saesneg ym Mro Morgannwg, ac yn yr ystyr o 'fryncyn, carnedd'. Y mae'n debyg fod ffurf fachigol gyda'r ôl-ddodiad *-et* yn bosibl. Gellir meddwl am bosibiliadau eraill, ond nid awn ar eu hôl hwy yma.

I ddod yn ôl at *Cefncoed*. Y mae'n amlwg oddi wrth y dogfennau ei fod yn enw a ddefnyddir ymhlith eraill erbyn diwedd yr unfed ganrif ar bymtheg i nodi'n fras ffiniau'r garfan honno o ardal allanol tref Abertawe y gwelsom ei galw yn 1306 yn *Crow-wode*. Un ran a oedd yn dal i fod yn dir agored yn 1650 oedd *a certain peice of ground lyeing open and not inclosed called Craig lwyd, Keven coyd or Crowswood* a estynnai hyd *the Weeg* i'r gogledd a *Cockett* i'r gorllewin. Gwelir anhawster lleoli rhai o'r rhain ar unwaith. Y mae'r ffermdai sy'n dwyn yr enw *Cefn-coed* heddiw ymhellach i'r gorllewin hyd yn oed na *Cocket*, ac yn sicr nid yw'n ymddangos y gellir cysoni'r gosodiad *Keven coyd or Crowswood* fel y saif gan fod y man sydd yn debyg o fod yn gysylltiedig â'r ffurf *Crowswood* (sydd bellach wedi diflannu yn y ffurf honno) fel y ceisir dangos yn y man, yn ddigon pell oddi wrth *Gefn-coed*. Y mae'n rhaid sylwi ar dystiolaeth arolygon a dogfennau diweddarach i ddarganfod y gwir. Fel y sylwyd eisoes, estyniad o'r tir uchel a adwaenir fel y *Townhill* heddiw yw'r *Cefn-coed* presennol, ond y mae tystiolaeth o 1650 ymlaen fod yr enw *Cefn-coed* yn cael ei ddefnyddio mewn ystyr ehangach am lechweddau gogleddol y rhan fwyaf o'r *Townhill* a *Mayhill* hyd Gwm Bwrla, bron iawn, ac fe'i cofnodir yn yr ystyr honno mor gynnar â 1580 fel *Keven Koyd*. Ymddengys mai glos, fel petae, ar *coed* yn *Keven coyd* yw *Crowswood* yn y dyfyniad a nodwyd uchod o arolwg 1650 gan fod ardal *Crowe-wode* 1306 hithau yn cynnwys llechweddau gogleddol y *Townhill* a *Mayhill* ac yn ymestyn i'r gogledd o'r gefnen sylweddol honno. Yr awgrym yw nad yw'n debyg fod yr enw *Crow-wood* yn gwbl wybyddus yn 1650. Y cyfeiriad diweddaraf a welais i at yr enw hwnnw yw *Crow Woode or*

Crowe Meade mewn dogfen yn 1590-96. Yn wir, tebycach yw mai ar enw arall yr adwaenid yr ardal yn 1650, sef *the Weeg*, ffurf ar y Gymraeg, *y wig*, sy'n digwydd eto yn 1762 ac a oedd bellach yn arferedig. Cedwir yr enw o hyd yn enw dwy stryd a sillefir fel *Weig Road* a *Weig Gardens* yn ardal y Gendros. Yr oedd ffermydd i'w cael yn yr ardal hefyd, sydd wedi diflannu bellach, ond a oedd yn dwyn yr enw *Wig*, sef *Gwig* c. 1836, *Weig* 1844, neu *(y) Wig-fawr* yn ymyl y *Weig Gardens* presennol, *(y) Wig-fach*, *Wigbach* c. 1836, ychydig i'r gogledd o Cocket, a'r *Wig-uchaf*, *Weig-Ucha* 1844, 1852, yng nghyffiniau Manselton. Ymddengys mai'r enw Cymraeg ar *Townhill* oedd *Craig Lwyd*. Ynglŷn â'r *Gendros*, gan i mi nodi'r enw, ffurf ydyw ar y Gymraeg *cefn-rhos*. Y mae tuedd i golli *-f-* yn *cefn* dan yr acen ar lafar mewn rhai enwau o'i gyfuno ag elfen arall, fel yn *Cefn-coed*, Caerdydd, a aeth yn *Cen-coed* cyn datblygu'r ffurf *Cyncoed*, er, y mae'n ymddangos, na ddigwyddodd hyn gyda *Cefn-coed*, Abertawe. Ond fe ddigwyddodd yn achos *Cefn-rhos*, gan y gellir tybio ddarfod i'r enw ddatblygu yn *Cen-rhos*, *Genrhos* 1844, ac yna yn *Cen-ros*, *Genrose* 1735, *Genros farm* 1844, lle mae'r ffurf dreigledig yn awgrymu i'r enw gael ei drin fel enw benywaidd ar ôl y fannod, *Y Genros*. Yna, fel y digwyddodd mewn enwau fel *Penrhyn* = Pendryn, Henri = Hendri ar lafar, tyfodd *-d-* yn y cyfuniad *-nr-* i roi *(Y) Gendros*, *Gendros farm* 1852.

A ddiflannodd yr hen *Crow-wode* yn llwyr tybed? Do yn y ffurf honno, naddo yn yr ystyr fod un enw a geir heddiw yn cadw'r hen gysylltiad. Erbyn 1650 cofnodir yr enw Cymraeg *Tyle'r brayn*, sef *Tyle'r Brain*, ond eisoes fe geid *Pentylarbraene* 1611, ac yna *Pentilarbrain* 18 ganr., *Pentylaur Brain* 1720, ac y mae'n amlwg mai datblygiad o'r ffurf hon oedd y ffurf ddiweddarach *Penlle'rbrain* 1830. (Gyda llaw, ni welwyd hyd yma ffurfiau cyffelyb o'r enwau *Penlle'rgaer* a *Penlle'rcastell* ym mhlwyf Llangyfelach i brofi'n derfynol mai felly y datblygodd yr enwau hynny yn ogystal). Yma ceir *brain* gyda *tyle*, gair pur gyffredin yn y De wrth gwrs am 'fryncyn, codiad tir, llechwedd', *tyla*, *tila* ar lafar, ac a all fod yn gysylltiedig â'r Wyddeleg *tulach*, o gyffelyb ystyr. Yn y cyfnod diweddar cafwyd rhydd-gyfieithiad o'r enw hwn yn ôl i'r Saesneg, sef *Raven's Hill*, *Raven-hill* 1844, 1852, a hon yw'r ffurf a geir heddiw fel enw ar fryncyn pur amlwg ger y Gendros a Fforest-fach.

Ceir *Ravenhill House* am y tŷ, ffermdy gynt, a *Ravenhill Park* am y tir oddiamgylch, ac yn ymyl coffeir y *brain* mewn enwau dwy stryd, *Rhodfa'r Brain* a *Ffordd y Brain*. Wrth gwrs, cysylltiad ag elfen gyntaf yr hen *Crow-wood* a geir yn y ffurf Gymraeg a ddaeth yn *Penlle'rbrain*, ond nid â'r ail, lle ceir *tyle* am *wood*. Yn ffodus, fodd bynnag, y mae tystiolaeth fod ffurf amrywiol yn y Gymraeg yn bod yn y ddeunawfed ganrif a dechrau'r ganrif ddilynol, sef *Penllwynbrain, Penllwyn Braen* 1760, 1838, 1854. Y mae *llwynbrain* yn nes at *Crow-wood*, ac nid yw'n gwbl sicr ai yr un lle yn union oedd *Penllwynbrain* a *Pentyle'rbrain*, ond y mae'n ymddangos yn weddol sicr fod y ddau yn cynnal y cysylltiad â *Crow-wood* yn y pen draw.

Cyffwrdd yn unig â maes eang a wneir yn y sylwadau hyn, rhyw 'daro cis', ys dywedid. Ni fwriadwyd bod yn holl-gynhwysfawr gan y byddai angen gofod helaeth i ddelio â'r holl enwau a geir yng nghyffiniau agos Abertawe yn unig, heb sôn am Gwm Tawe, hen arglwyddiaeth Cil-fai ar ochr ddwyreiniol yr afon, a'r gweddill o wlad Gŵyr fel y cyfryw. Y gwir yw na ddaeth yr amser eto pan y bydd yn bosibl ymdrîn ag enwau yr ardaloedd hyn â chymaint o hyder ag y gallem ddymuno amdano gan nad yw'r gwaith o gasglu'r hen ffurfiau wedi ei gwblhau'n foddhaol, ond y mae'r gwaith hwnnw yn myned rhagddo. Fy mhwrpas oedd ceisio cyfleu rhyw syniad o werth astudio'r enwau o safbwynt hanesyddol. Mynegbyst i'r gorffennol ydynt yn wir. Yn ffigurol, olion traed y ddynoliaeth a drigodd yn y parthau hyn dros y canrifoedd, ond olion y tâl i'r sawl sy'n troedio'r ddaear honno yn y dyddiau hyn eu gwylio'n ofalus rhag syrthio ohonom i amryfusedd wrth geisio gwell dealltwriaeth o'r gorffennol hwnnw, fel y dylem.

Eglwys a Chapel yn Abertawe a'r Fro cyn y Cyfnod Diwydiannol

Prys Morgan

Nid i esgobaeth Llandaf, fel gweddill yr hen sir Forgannwg, y mae Abertawe a'r fro yn perthyn ond i esgobaeth Abertawe ac Aberhonddu, ac yn Aberhonddu y mae'r eglwys gadeiriol. Wedi'r Datgysylltiad yn 1920 fe welwyd fod esgobaeth Tyddewi yn rhy eang, ac fe drowyd caenen fwyaf dwyreiniol yr esgobaeth yn esgobaeth newydd yn 1923. Mae'n ymestyn o eithafion penrhyn Gŵyr dros y Bannau ac i ffiniau Sir Henffordd. Cyn hynny yr oedd Gŵyr yn enw ar ddeoniaeth yn esgobaeth Tyddewi, ac yn cyfateb mwy neu lai i etholaeth seneddol Gŵyr, ac yn wir i hen arglwyddiaeth y Normaniaid ac i gwmwd yr hen dywysogion o Gymry. Yn y cyfnod cynnar 'doedd yr esgobaethau ddim yn diriogaethol, ac nid oedd fawr o sefydlogrwydd ffiniau i na byd na betws. 'Roedd tuedd i Gŵyr fynd a dod, ambell dro o dan ddylanwad Morgannwg, dro arall dan awdurdod Deheubarth. Yn yr unfed ganrif ar ddeg daeth Gŵyr o dan awdurdod tywysogion Morgannwg ac esgobion Llandaf, ond cyn hynny ac wedi hynny bu yn rhan o Ddeheubarth ac o esgobaeth Tyddewi.

Yr oedd Gŵyr yn agored i ddylanwadau cynnar yr hyn a alwn ni heddiw yn Eglwys Geltaidd. Hyd heddiw, seintiau Celtaidd yw nawddseintiau llawer iawn o hen eglwysi Gŵyr. Yn wir, hyd yn oed yn yr ardaloedd mwyaf seisnigedig ym Mro Gŵyr fe fyddid yn dathlu gwyliau'r nawddseintiau hyn hyd yn oed ar ddiwedd y ganrif ddiwethaf, a'r gair Cymraeg *mapsaint* ganddynt am y dathlu. Dyna i chi Ddewi Sant yn cael ei goffáu yn Llangyfelach a Llanddewi, Teilo yn Llandeilo Tal-y-bont a Llandeilo Ferwallt (Bishopston), ac Illtud yn Llanilltud Ferwallt (Ilston) ac yn Oxwich, ac enwi ychydig yn unig. Enw'r plwyf sy o gwmpas Treforys yw'r Clas (*Clase* yn

Saesneg), parsel o hen blwyf Llangyfelach. Mae hyn yn dwyn ar gof bod Llangyfelach yn *glas* neu fynachlog Geltaidd. 'Does dim sicrwydd beth oedd y gyfundrefn blwyfol yn y cyfnod cynnar, ond mae'n ddigon posib bod y plwyfi sydd gennym heddiw yn bodoli y pryd hwnnw. 'Roedd Llangyfelach yn blwyf enfawr am mai tir mynyddig tenau iawn ei boblogaeth oedd; ond plwyf bychan iawn yw Llandeilo Ferwallt ym Mro Gŵyr, ac mae ei ffiniau wedi eu disgrifio yn hynod fanwl, mewn Cymraeg cynnar, mewn siartr yn *Llyfr Llandaf*, sydd yn honni bod un o frenhinoedd cynnar Morgannwg wedi cyflwyno'r plwyf i Sant Teilo a'i olynwyr. Mae'r ffiniau yn cyfateb yn hynod fanwl i ffiniau'r plwyf heddiw.

Fe goncrwyd Gŵyr gan y Normaniaid ar ddechrau'r ddeuddegfed ganrif, a chan fod yr Eglwys yn gorfod delio gydag arglwyddi Normanaidd yng Ngŵyr a thywysogion Cymreig yn Neheubarth, 'roedd cryn anhrefn. Yn wir byddai awdurdodau'r Eglwys yn achwyn nad oedd dim diben derbyn tiroedd yn rhodd gan arglwyddi Gŵyr, gan fod y Cymry yn ymosod arnynt a'u hanrheithio bob tro y byddai un o'r arglwyddi farw. Am amser hir wedi'r goncwest bu esgobion Llandaf a Thyddewi yn dadlau eu hawliau dros gwmwd Gŵyr, nes blino'r Pabau yn Rhufain â'u dadlau a'u ffraeo. Trwy ymyrraeth y Pab fe setlwyd o'r diwedd bod Gŵyr yn mynd yn rhan o Dyddewi, ar amod bod Llandaf yn cael un plwyf yn eiddo personol i'r esgob, a hwnnw oedd Llandeilo Ferwallt — dyna pam y dechreuwyd ei alw yn Bishopston. 'Roedd gan esgob Tyddewi ei faenorau ei hun yng Ngŵyr, y Clas ger Llangyfelach, a Llanddewi yn y Fro. Daeth Gŵyr i fod yn ddeoniaeth o dan archddiacon Caerfyrddin. Esgeuluswyd yr hen sistem Geltaidd o *glas*, a throi Llangyfelach i fod yn eglwys blwyf gyffredin, er ei bod yn gyrchfan pererinion. Fe fu'r Eglwys Gatholig yn ystyried canoneiddio un o'r meudwyaid o Gymry'r fro; hwnnw oedd Caradog a oedd â'i gell yn Llangynydd (Llangennith). Ymadawodd Caradog cyn dyfodiad y Normaniaid a marw yn Sir Benfro yn 1124. 'Roedd y meudwy a'i gell yn perthyn i hen draddodiad Celtaidd. Ond yn awr fe roes Iarll Warwick, Henry de Beaumont, gell Llangynydd i fynachlog yn Normandi, St Taurin yn Evreux. Ym meddiant Evreux y bu Llangynydd nes i Goron Lloegr wladoli holl eiddo priordai estronol yn y bymthegfed ganrif a rhoi Llangynydd i sefydlu Coleg yr Holl

Eneidiau yn Rhydychen. Rhoes y concwerwyr newydd dalpau o diroedd Gŵyr i eglwysi ac i urddau; er enghraifft fe roddwyd plwyf Llanrhidian i Urdd Sant Ioan.

'Roedd y concwerwyr hefyd yn adeiladwyr eglwysi yn Lloegr ac yng Nghymru, ac mae rhai o dyrrau caerog twredog nifer o eglwysi Gŵyr yn mynd yn ôl i'r cyfnod yn agos i'r Goncwest Normanaidd. Ambell dro fe fyddai'r concwerwyr yn rhoi nawddseintiau newydd i'r eglwysi. Nid Cymry mae'n amlwg a gododd eglwys plwyf Reynoldston. Sant Siôr yw'r nawddsant, ac ni allai dim byd fod yn llai Cymreig ei naws na'r eglwys a'r pentref yn edrych i mewn ar *green* cymesur, ac yn troi cefn ar wylltineb mynyddig Cefn Bryn. Mae'n beth braidd yn rhyfedd nad oedd arglwyddi Gŵyr wedi noddi mynachlog fawr bwysicach na Llangynydd. Mewn gwirionedd mynachlogydd Margam a Nedd, ychydig y tu allan i ffiniau'r arglwyddiaeth, oedd y ddwy bwysicaf o bell ffordd, a chan Fynachlog Nedd 'roedd tiroedd lawer ym Mro Gŵyr megis Cwrt y Carnau ger Casllwchwr a Paviland ger Porth Eynon — y faenor lle mae ogof enwog Paviland yn y clogwyni uwchlaw'r môr.

Yn y dref ei hun, tref a sefydlwyd i raddau helaeth gan y concwerwyr, fe godwyd dwy eglwys, Eglwys Fair, ac Eglwys Ioan ar gyrrau gogleddol y dref. Nid oes fawr o'r Eglwys Fair wreiddiol ar ôl, gan ei bod wedi ei llosgi i'r llawr yn y *Blitz*. Newidiwyd enw Eglwys Ioan i Sant Matthew, pan ddaeth hi i fod yn eglwys Gymraeg y dref. Adeilad cymharol fodern sydd iddi hi, heb fod ymhell o orsaf High Street. Ond y mae un adeilad eglwysig o'r Oesau Canol wedi goroesi yn Abertawe a hwnnw yw Ysbyty Dewi Sant a sefydlwyd yn 1332. Dadwaddolwyd y lle yn 1550 a'i droi yn y pen-draw yn dŷ tafarn, y Cross-Keys, a saif ar gornel Heol Fair. Un o'r esgobion gorau yn yr oesau canol yn Nhyddewi oedd Henry Gower a oedd yn dod mae'n debyg o ardal Abertawe. Adeiladwr enwog oedd Gower, ac y mae'n arbennig o enwog am ei addurniadau i balasau Tyddewi a Lanffai, yn enwedig am yr arcadau prydferth o gwmpas y bondo. Fe geir yr un math o arcadau cerrig o gwmpas to castell Abertawe, ac ar sail hyn y mae rhai wedi credu mai ei gastell ef ydoedd, ond y mae'n fwy tebygol mai defnyddio adeiladwyr a chrefftwyr Henry Gower a wnaed yn Abertawe gan yr arglwyddi Normanaidd.

Daeth trefn eglwysig yr oesau canol i ben yn amser Harri VIII, ac

Eglwys Fair, Abertawe, fel yr oedd tua 1880
(Cafwyd gan Amgueddfa Abertawe)

nid oes llawer o arwydd o wrthwynebiad yn Abertawe, er bod un offeiriad yng Ngŵyr wedi siarad yn fach am y brenin. Bu farw yn 1536 cyn iddo gael ei gosbi. Mwy arwyddocaol yw ewyllys William Jefferey o Abertawe yn 1503, tua chenhedlaeth cyn y Diwygiad Protestannaidd, yn gadael llyfrau i'r plwyf er mwyn i'r plwyfolion gael eu darllen, tri llyfr yn Saesneg ac un yn Lladin. Awdur un o'r llyfrau oedd yr Eidalwr Boccaccio. Mae'n arwyddocaol am ei fod yn dystiolaeth bod yna leygwyr deallus yn Abertawe, y math o bobol ar draws Ewrop a oedd yn hyrwyddo'r symudiadau graddol at ddiwygiadau crefyddol. Aeth llawer iawn o gyfoeth yr Eglwys i ddwylo'r Goron ac i ddwylo lleygwyr, dynion fel Rhys Mansel a George Herbert, ac felly'n gymorth mawr i greu dosbarth newydd o uchelwyr. Effaith arall y Diwygiad oedd cael gwasanaethau yn Gymraeg a Saesneg; yn Saesneg gan amlaf yn y dref ac ym Mro Gŵyr, ac yn Gymraeg yn y blaeneudir. Yng nghofnodion wardeiniaid eglwys Abertawe gellir gweld eu bod yn prynu llyfrau Cymraeg a Saesneg i'r plwyfolion, ac yn eu rhwymo a'u hailrwymo. Yn 1589 fe brynwyd copi o Feibl yr Esgob Morgan flwyddyn ar ôl ei gyhoeddi. Ychydig cyn hyn yn 1580 mae ewyllys Dafydd Hopcyn, a oedd yn dirfeddiannwr yn Abertawe a Chastell-nedd (ac yn ddisgynnydd i'r enwog Hopcyn ap Thomas o Ynysforgan, gŵr, efallai, a oedd yn berchennog ar Lyfr Coch Hergest) yn sôn am adael arian i waddoli pregethu yn *our mother tongue* (y Gymraeg, mae'n fwy na thebyg) yn Llangyfelach a mannau eraill. Digon Seisnigaidd wrth gwrs oedd y dref ei hun, ond 'roedd llawer o Gymry wedi dod i mewn wedi'r Ddeddf Uno 1536. Un o'r wardeiniaid eglwys mwyaf difyr a diddorol ei gyfrifon yw Richard Sadler, masnachwr yn mynd â glo o Abertawe i La Rochelle a dod â halen yn ôl. Pan fydd Sadler ei hun yn torri ei enw 'Retherch' neu 'Rytherch Sadler' ydyw, ac felly y mae'n bosibl bod realiti bywyd tref Abertawe gryn dipyn yn fwy Cymreigaidd na'r ymddangosiad Seisnigaidd ar yr wyneb.

Tafarn Cross-Keys (Ysbyty Dewi Sant) tua 1870
(Cafwyd gan Amgueddfa Abertawe)

103

Mae ambell arwydd o Biwritaniaeth gynnar yn nhref Abertawe; 'roedd tuedd ymhlith y trefwyr i roddi enwau bedydd o'r Hen Destament ar eu plant, a'r trefwyr yn barod i anfon peth cymorth i ddinas Genefa yn 1604 yn ei rhyfel yn erbyn y Pabyddion, ond 'does dim byd cyn ail chwarter yr ail ganrif ar bymtheg i ragfynegi y byddai Abertawe yn dod yn brif ganolfan yng Nghymru i'r ymneilltuwyr cynnar.

Yn 1636, tua chwe blynedd cyn i'r Rhyfel Cartref dorri allan, 'roedd Esgob Tyddewi yn achwyn ar Biwritaniaeth ficer Pen-maen, Bro Gŵyr, brodor o Langyfelach o'r enw Marmaduke Matthews. Mae'n debyg bod yna nifer a'r un tueddiadau ganddynt yn yr ardal. Un arall ychydig yn ddiweddarach a oedd yn tueddu at Biwritaniaeth oedd Ambrose Mostyn (un o Fostyniaid Sir y Fflint) a oedd yn ficer pentref cyfagos Pennardd. 'Roedd arglwyddi Gŵyr, teulu Somerset o Gastell Rhaglan yng Ngwent, yn Babyddion selog ac yn brif gefnogwyr y brenin Siarl I. Ai casineb at arglwyddi Gŵyr, tybed, a oedd yn gwneud i nifer o'r mân-fonheddwyr o gwmpas Abertawe droi at Biwritaniaeth? Wedi i'r Senedd fod yn fuddugol yn y Rhyfel Cartref, meddiannwyd tiroedd y Somersetiaid gan y Senedd a rhoddwyd Gŵyr i Oliver Cromwell. Prif gynorthwyydd Cromwell yn y Deheudir oedd y Cyrnol Philip Jones, brodor o Langyfelach, ac y mae'n fwy na thebyg mai dylanwad Philip Jones a wnaeth Abertawe yn ganolfan pwysig i Biwritaniaeth yn ystod y Weriniaeth. 'Roedd Bro Gŵyr mae'n rhaid cofio yn agored iawn i ddylanwadau o Loegr, ac o Fryste yn arbennig. O gwmpas Philip Jones yr oedd sgweieriaid eraill dylanwadol fel Bussy Mansel (tir-feddiannwr hynod bwysig yng Nghwm Tawe a Blaenau Gŵyr) a Rowland Dawkins, sgweier Cil-frwch (Kilvrough) plas ar ffiniau plwyfi Pennardd a Llanilltud (Ilston). Dynion fel hyn oedd yn gweinyddu Deddf lledaenu'r Efengyl yng Nghymru (1650), ac fe daflwyd nifer fawr o glerigwyr brenhingar allan o gwmpas Abertawe, dynion megis Hugh Gore, person Oxwich, a aeth i gadw ysgol breifat yn dawel yn Abertawe. Dan y Weriniaeth daeth Abertawe yn gadarnle i'r Piwritaniaid; yma y daeth John ap John y Crynwr yn 1655, ac yma yr agorodd William Bevan dŷ-cwrdd i'r Crynwyr. O gyffiniau Henffordd y daeth John Miles i bentref Parkmill ym mhlwyf Llanilltud (Ilston) ac yn 1649 fe sefydlwyd

Eglwys gan y Bedyddwyr, a hon, fe ystyrir, yw eglwys gyntaf y Bedyddwyr o fewn tiroedd Cymru. Defnyddiodd y gynulleidfa fach adfeilion hen gapel canoloesol, ac fe welir yr adfeilion heddiw y tu cefn i'r Gower Inn ym mhentref prydferth Parkmill.

Fe ddaeth Adferiad y Brenin yn 1660, a chydag ef fe adferwyd yr hen drefn eglwysig fel yr oedd cyn 1642. Llwyddodd Philip Jones a Bussy Mansel ac eraill i gadw o leiaf rai o'u tiroedd trwy gydymffurfio mewn pryd. Fe gollodd nifer o'r pregethwyr Piwritanaidd eu swyddi, dynion fel Daniel Higgs a Marmaduke Matthews. Eithriad ymhlith y gwŷr-mawr oedd Rowland Dawkins o Gil-frwch a arhosodd yn driw i ymneilltuaeth ar hyd ei oes. Daeth nifer o'r hen glerigwyr yn ôl i'w swyddi, neu i swyddi pwysicach — aeth Hugh Gore allan i Iwerddon yn esgob. Daeth yn ôl i Abertawe i ymddeol ac yn 1682 gadawodd waddol o arian i sefydlu ysgol ramadeg yn y dref — dyma Ysgol yr Esgob Gore. Mae'n fwy na thebyg bod mwyafrif y boblogaeth yn falch i weld yr hen drefn yn dod yn ôl yn 1660, heb fod yn flin i weld bod cymaint o Biwritaniaid yn cael eu troi allan yn 1662. Eto, y mae'n amlwg bod cryn dipyn o ddylanwad blynyddoedd y Weriniaeth wedi aros — fe garcharwyd nifer fawr o bobol o ardal Abertawe a Llangyfelach rhwng 1662 a 1668 am wrthod cydymffurfio â'r drefn eglwysig Anglicanaidd adferedig. Cafodd nifer o Biwritaniaid selog loches yn y dref, a'r enwocaf ohonynt oedd Stephen Hughes o Feidrim. Mae'n amlwg iddo gael cryn groeso yn Abertawe, a'r awgrym yw ei fod yn llwyddo i bregethu dan nodded y sgweieriaid mwyaf sobr a bucheddol. 'Roedd yn enwog am hybu mudiadau addysgol fel y *Welsh Trust* ac am gyhoeddi swmp o lyfrau crefyddol yn Gymraeg. Er i Hughes gael ei esgymuno gan archddiacon Caerfyrddin yn 1667, diolchodd Hughes ymhen tipyn i William Thomas, Esgob Tyddewi o 1678 i 1688 am ei gymorth yn y fenter o gyhoeddi llyfrau crefyddol. O 1662 ymlaen fe basiwyd nifer o ddeddfau seneddol ffyrnig yn erbyn ymneilltuwyr, ond ambell dro yr oedd modd lleddfu effaith rhai o'r rhain : nid oedd gan Abertawe aelod seneddol ac felly nid oedd yn cyfrif fel tref i bwrpas y *Ddeddf Bum Milltir* a ddeolai bob tŷ cwrdd o leiaf bum milltir y tu allan i bob tref.

Mae'n ddigon hawdd deall bod anghydffurfwyr wedi goroesi tu fewn i'r trefi, am mai mudiadau a ledodd o dref i dref oedd y mudiadau anghydffurfiol yn aml; ond gan fod Cymru yn wlad a gefnogodd y Brenin yn erbyn y Senedd, y mae'n fwy anodd esbonio sut y lledodd anghydffurfiaeth i gefn gwlad Abertawe. Poenai'r Esgob Lucy yn 1666 a 1673 yn fawr fod cymaint o anghydffurfwyr i'w cael ym mynydd-dir Llangyfelach. 'Roedd hyn mewn cyfnod pan oedd y cynulleidfaoedd a fuasai gynt ym Mro Gŵyr yn ymchwalu ac edwino, tra oedd gweddillion yr hen gynulleidfaoedd yn ei chael hi'n haws cenhadu a lledu ac ailymffurfio yn y mynydd-dir Cymraeg. Fe fyddai'n esboniad hawdd pe bai modd dweud fod hyn yn digwydd oherwydd rhyddid naturiol y bröydd mynyddig, a'u pellter oddi wrth awdurdod y wladwriaeth a'r pendefigion. Ond nid oes dystiolaeth ar gael bod y bröydd Cymraeg yn flaengar o gwbl cyn y Rhyfel Cartref. Y mae'n eithaf posibl bod disodli'r hen drefn ar ôl 1642, a disodli'r Somersetiaid a'u cyfeillion, wedi bod yn fwy o chwyldro nag a feddylid gynt, a bod y bröydd mynyddig Cymraeg, unwaith eu bod wedi eu dihuno a'u hargyhoeddi, wedyn yn gallu manteisio ar eu rhyddid.

Yn y flwyddyn 1676 fe gasglwyd cyfanswm yr anghydffurfwyr yn Abertawe ar gais yr archesgob Sheldon, ac er bod tua 1500 o gyd-ymffurfwyr, yr oedd tua 292 o anghydffurfwyr. Mae arbenigwyr yn y maes yn tybio bod y rhif dipyn yn uwch na hyn. Beth bynnag 'roedd y cyfanswm yn dangos mai Abertawe yn fwy na thebyg oedd y dref lle 'roedd yr anghydffurfwyr gryfaf yng Nghymru. Yn holl esgobaeth Bangor nid oedd ond tua 250 o anghydffurfwyr ar y pryd. 'Roedd y saith-degau a'r wyth-degau yn gyfnod anodd o erledigaeth, gydag ambell lygedyn o olau a rhyddid, fel y cafwyd yn 1672 gydag Indwlgens y brenin Siarl II. Cynulleidfaoedd gwasgaredig iawn a oedd gan yr anghydffurfwyr, yn cyfarfod mewn tai annedd fel tŷ William Dykes yn y dref, neu yn fferm Llodre Brith ger y Cocyd, a'r aelodau yn dod o bell dros fryn a dôl i gymuno. Peth arall sy'n bwysig i gofio yw eu bod yn gymysg iawn eu daliadau, a byddai Presbyteriaid ac Annibynwyr a Bedyddwyr yn dod at ei gilydd i gyfarfod ac i gynorthwyo ei gilydd dan lach erledigaeth.

Yn 1688 fe ddaeth llawer iawn o'r erlid i ben gan fod Iago II wedi ei daflu allan a'r brenin Gwilym III wedi dod i'r orsedd. 'Doedd dim eisiau mwyach i'r ymneilltuwyr fod fel rhyw fyddin *guerilla*. Fe agorwyd capel newydd i'r anghydffurfwyr yn y dref yn 1688, a phan symudodd hwnnw lawr i waelod yr Heol Fawr yn 1697 fe gymerodd y Bedyddwyr yr hen gapel. Aeth y capel newydd ymhen amser i ddwylo'r Undodiaid, a dyma'r capel hynafol a saif heddiw drws nesaf i dŷ Woolworth yng nghanol Abertawe. Pan sefydlwyd Cymanfa gyntaf y Bedyddwyr yn Llundain yn 1689 Abertawe oedd yr unig gynulleidfa Gymreig i fod yno, ac am flynyddoedd 'roedd Cymanfa Gymreig y Bedyddwyr yn cyfarfod naill ai yn Llanwenarth neu yn Abertawe. Yn raddol hefyd fe gryfhaodd yr Annibynwyr, a chyfarfod mewn ffermydd a thai annedd o gwmpas Abertawe, heb gymysgu mwyach gyda'r Bedyddwyr fel y gwnaethpwyd cyn 1688. Yn 1762 y codwyd y capel ar Fynydd-Bach, rhwng Treforys a Llangyfelach, ac fe ystyrir Mynydd-Bach fel mam-eglwys yr holl achosion annibynnol o gwmpas Abertawe; ond wrth gwrs 'roedd gan yr annibynwyr ryw fath o dŷ cwrdd cyntefig cyn 1762, a llawer iawn o gyfarfodydd mewn ffermydd yn y Sgeti a Thirdwncyn a mannau eraill.

Fe gedwir yn y Llyfrgell Genedlaethol lawysgrif Llyfr Eglwys Annibynwyr Mynydd-Bach o ddechrau'r ddeunawfed ganrif. Mae'n amlwg ei bod yn eglwys wasgaredig iawn, a'r aelodau yn dod o bell ac agos o Abertawe ac o Flaenau Gŵyr draw hyd Gwm Llwchwr a Chwm Nedd. Mae'n amlwg hefyd fod ganddynt gyffes ffydd, a llywodraeth eglwysig ddatblygedig iawn, eu bod yn drefnus iawn yn eu cyfarfodydd, bod ganddynt ysgol sabothol ar brynhawn Sul, eu bod yn casglu tuag at y tlodion, a hyd yn oed at achosion da mewn mannau pell — yn 1704 fe gasglwyd swm go fawr i helpu ffoaduriaid Protestannaidd a oedd yn ffoi o dref Orange yn Ne Ffrainc a oedd dan ymosodiad Louis XIV. Nid Mynydd-Bach oedd yr unig achos annibynnol wrth gwrs — 'roedd Gelli Onnen i fyny ym mhlwyf Llan-giwg wedi ei agor mor gynnar â 1695. Yn ystod y ddeunawfed ganrif fe dyfodd y mân-ganghennau i fod yn gyrff annibynnol, ac fe agorwyd nifer fawr o gapeli gan yr Annibynwr a'r Bedyddwyr. I fyny yng Nghwm Tawe a'r blaeneudir yr oedd y deinamig mwyach, nid ym Mro Gŵyr, a'r eglwysi hyn yn cymryd rhan yn y dadleuon mawr ynghylch natur a sylfeini'r ffydd yn ystod y ganrif; Gelli Onnen, er enghraifft yn symud at Ariaeth ac yn mynd yn eglwys Undodaidd erbyn diwedd y ganrif. Wrth gwrs, yr oedd y boblogaeth yn dechrau codi yn y blaeneudir yn ystod y ddeunawfed ganrif, ac yn hollol

Mr Howells, Pregethwr gyda'r Methodistiaid, Abertawe. Lluniad Dyfrliw gan
George Delamotte, 1818
(Cafwyd gan Lyfrgell Genedlaethol Cymru)

wahanol i Fro Gŵyr, 'roedd yr eglwysi plwyf yn eithriadol o brin neu yn anhygyrch, Llandeilo Tal-y-bont, er enghraifft, ar dir isel ar lannau Llwchwr a oedd yn ynys pan orlifai'r afon ar lanw uchel. Gallai'r ymneilltuwyr fanteisio ar y boblogaeth a oedd yn dechrau heigio o gwmpas y gweithiau cynnar.

Pan gododd Methodistiaeth yn yr Eglwys yn ystod y ddeunawfed ganrif, fe ddaeth pregethwyr Methodistaidd yn gynnar i ardal Abertawe gan fod tuedd iddynt fanteisio ar yr ardaloedd lle 'roedd yr ymneilltuwyr yn gryf. Daeth Howell Harris i'r ardal yn 1739 ac yn 1741 lletyodd gyda John Rosser yn y Wig Fach ger y Cocyd; 'roedd Rosser yn un o selogion yr Annibynwyr, ac i gynulleidfa gymysg o Fethodistiaid ac Annibynwyr y pregethodd Harris. Yn 1742 aeth Harris i Lansamlet, ac efallai mai yn y plwyf hwn y cafodd fwyaf o groeso. Yn wir, efallai y gellir dweud mai Llansamlet a ddaeth yn ganolfan i Fethodistiaid y bröydd o gwmpas Abertawe, er bod yna seiadau cynnar erbyn 1750 yng Nghasllwchwr, Llandre-môr (ger Pontarddulais), Llangyfelach, Castell-nedd, Llandeilo Tal-y-bont, Cnap-llwyd (Treforys) a Gorseinon. Fe wnaeth y Methodistiaid ymdrech hefyd i efengylu ym Mro Gŵyr Saesneg. Daeth Wesley ei hun ar daith bregethu i Abertawe ac i Oxwich ym Mro Gŵyr a chael y bobol yno yn hawddgar a hoffus. O leiaf yr oeddynt yn deall ei bregethau, yn wahanol i'r bröydd uniaith Gymraeg. Y mae'r bwthyn prydferth lle y byddai Wesley yn pregethu i'w weld o hyd yn Oxwich. Nid esgeuluswyd y fro Saesneg ychwaith gan y Methodistiaid Calfinaidd: 'roedd seiadau cynnar yn y Mwmbwls ac yn Lunnon (Llan-non ym mhlwyf Llanilltud neu Ilston) ac yn 1745 aeth John Ingram i bregethu yn Saesneg i Fro Gŵyr, a chydag ef yr aeth John Richards yn amddifad o'r Saesneg ac yn flin, ebe fe, nad oedd yr iaith fain ganddo. Yn y fro Gymraeg fodd bynnag yr oedd y Methodistiaid gryfaf. Wedi'r ymraniad o 1752 i 1762 fe ddaeth Howell Harris yn ôl i Abertawe fwy nag unwaith i bregethu, gan dynnu torfeydd o bedair mil a mwy i'w glywed. 'Roedd seiad gref yn y Cwm rhwng Llansamlet a thref Abertawe, ar lethrau Mynydd Cil-fai, a diau mai dyma brif ganolfan Methodistiaeth yr ardal.

Yr ydym wedi sôn mewn pennod arall am y modd rhyfedd y newidiodd holl natur ardal Abertawe tua diwedd y ddeunawfed ganrif a dechrau'r ganrif ddilynol. Un agwedd ar y newid mawr wrth gwrs oedd gwneud y capeli yn llawer mwy pwysig na'r Eglwys. Arhosodd yr Eglwys yn bwysig o fewn muriau'r dref ac mewn llawer maenor ym Mro Gŵyr. Yn wir, pan drefnodd Arglwyddes Barham ymgyrch trwy Fro Gŵyr i godi capeli efengylaidd ar ddechrau'r 19 ganrif, ystyriai hi'r fro honno fel teyrnas dywyll a oedd wedi ei hanghofio gan y mudiadau efengylaidd, ac ni wyddai fawr neb am ddechreuadau ymneilltuaeth ym Mro Gŵyr yn gynnar yn y 17 ganrif. Ond o'r dechreuadau hynny, yr oedd yna gannoedd o gapeli yn perthyn i'r enwadau o gwmpas Abertawe yn enwedig ar y cyrion gogleddol yn yr ardaloedd diwydiannol, a'r patrwm modern wedi ei sefydlu.

Economi Rhanbarth a Chylch Abertawe rhwng 1700 ac 1900

R. O. Roberts

Prin y mae angen cyfiawnhau cynnwys pennod gyda'r teitl uchod mewn llyfr sy'n gysylltiedig â gŵyl ddiwylliannol fawr y mae iddi agweddau economaidd amlwg. Yn wir mae'n debyg y byddai'r celfyddwr mwyaf dilychwin yn cydnabod fod gweithgareddau economaidd yn rhoi'r cyfle a'r adnoddau materol sy'n angenrheidiol er mwyn cynhyrchu a mwynhau llenyddiaeth, cerddoriaeth ac arlunwaith. (Wrth gwrs, rhaid peidio â gorbwysleisio'r ochr eonomaidd hon, o gofio'r ddysg ddiweddar am ddatblygiad diwylliant gwerin grymus yng Nghymru ar waethaf prinder adnoddau economaidd, a hefyd yn nannedd hacrwch yr amgylchedd diwydiannol.) Eithr mae lle i fynd ymhellach ac ymholi ynglŷn â phresenoldeb diwylliant y *tu mewn* i ddiwydiant a masnach — mewn pethau fel symudiadau gosgeiddig y crefftwyr, effeithiolrwydd offer a pheiriannau, a'r cydweithio rhwng pobl a'i gilydd a rhwng pobl a chyfarpar. Yn ddiddorol iawn, mewn pregeth yn 1856, fe bwysleisiodd y Parch. David Rees, Llanelli, fod i fasnach 'ddybenion moesol i ddiwyllio y meddwl a gwella y gydwybod'. Yn ei farn ef hefyd, 'roedd masnach yn 'hanfodol' tra mai 'ychwanegiadol' oedd cynhyrchion 'y paentiwr a'r cerfiedydd . . . y gwyddonydd a'r bardd': eu swyddogaeth hwy oedd 'coethi', 'tlysu' ac 'addurno' cymdeithas.[1]

Yn ôl nodyn yn *Y Faner*, 4 Rhagfyr 1981, nid annhebyg yw dehongliad y beirniad Raymond Williams, gan ei fod ef yn gweld nid cyfochredd 'y materol [sic] a'r diwylliannol . . . ond yn hytrach . . . [y] . . . ddau edefyn wedi'u plethu'n un gwead clos, cyfan'. Mae lle i ddal y bu cryn lawer o ieuo o'r fath yn hanes cylch a rhanbarth Abertawe.

✳   ✳   ✳   ✳   ✳

Gellir nodi'n fyr yr ystyr sydd yma i'r termau 'rhanbarth' a 'cylch'. Mae'r arbenigwyr yn synio am ranbarth economaidd a chymdeithasol yn nhermau dwysedd — sef nifer a phwysigrwydd — y cysylltiadau rhwng pobl o'i fewn o gymharu hyn â'r 'trafodion' rhyngddynt hwy a phobl y tu allan. Yn ddamcaniaethol, o leiaf, gradd uchel o gysylltiad neu gyd-ddibyniad ei bobl sy'n pennu bras-ffiniau'r rhanbarth. Mae'n dilyn nad oes i gylch o fewn y rhanbarth yr un graddau o gysylltiadau ac o arwahanrwydd ag sydd i'r holl ranbarth. Yn awr, er nad oes sail ystadegol fanwl i'r gred, fe dderbynnir fod yna ranbarth o gyd-ddibyniad economaidd a chymdeithasol ym mhen gorllewinol y prif faes glo yn Ne Cymru. Mae'r rhanbarth hwn yn ymestyn gyda'r arfordir o Gydweli i Borth Talbot ac o'r arfordir i'r gefnwlad — gan gynnwys Rhydaman, Ystradgynlais, Blaendulais, Glyn-nedd a Maes-teg. O bryd i'w gilydd rhoed nifer o enwau arno, sef 'De-Orllewin Diwydiannol Cymru'. 'Rhanbarth Abertawe' a 'Dinas Bae Abertawe'.[2] Y 'cylch', sef cylch Eisteddfod Genedlaethol 1982, yw'r diriogaeth sydd dan lywodraeth Cyngor Dosbarth Abertawe; ac, fel y dengys y map ar dudalen 138, mae'n cynnwys Bro Gŵyr i'r gorllewin a Chwm Tawe hyd at Ynystawe a Llansamlet i'r gogledd-ddwyrain. Mae rhyw draean o'r boblogaeth, o tua hanner miliwn, sydd yn y rhanbarth yn byw yn Abertawe; a'r ddinas yw'r brif ganolfan fasnachol. Er hyn — ac er i fesur o hunaniaeth cymdeithasol ddatblygu ynddi, fel y dengys pennod J. D. H. Thomas — yn economaidd rhan annatod yw'r dref a'i chylch o brif uned y cyd-ymddibyniad, sef y rhanbarth. Felly, wrth gyfeirio isod at rai o brif nodweddion datblygiad yr economi, fe fydd yn rhaid ymwneud â'r rhanbarth yn ogystal â'r cylch, ac weithiau fe fydd yn ofynnol sôn hefyd am leoedd pell oddi yno.

Yn y rhanbarth hwn, fel yng ngweddill Cymru ac mewn llawer o wledydd eraill ar ddechrau'r 18 ganrif, gweithgareddau traddodiadol ffermwyr a chrefftwyr a masnachwyr oedd prif gynhaliaeth y boblogaeth fechan a gwasgaredig. Yna, i'r economi gymharol ddigyfnewid honno, fe ddaeth twf cyflym; a hynny, ar y naill law, oherwydd cynnydd yn y galw am nwyddau a gwasanaethau ac, ar y llaw arall, am fod ychwanegiadau at yr adnoddau neu'r 'ffactorau' cynhyrchu — menter, gallu a llafur pobl a hefyd gyfalaf — ac oherwydd mabwysiadu dulliau a threfniadau cynhyrchu mwy effeithlon. Ar y ddwy ochr, y galw a'r cyflenwi, yr oedd cynnydd cyflym y boblogaeth yn amlwg bwysig — a'r cynnydd hwnnw a'r datblygiadau economaidd yn effeithio ar ei gilydd yn bur gymhleth. A'r hyn a roddodd arbenigrwydd i'r holl brifiant, gan ei wneud yn Chwyldro Diwydiannol, oedd cyflymder y newid yn y dulliau cynhyrchu ac yn amodau gweithio ac amodau byw y bobl. Ynglŷn â'r technegau cynhyrchu, gellir nodi mai pobl o ranbarth Abertawe a gafodd ddwy ran o dair o'r patentau a gofrestrwyd i bobl yng Nghymru rhwng canol y 18 a chanol y 19 ganrif.

Presenoldeb glo fu'n gyfrifol am dwf economaidd rhanbarth Abertawe ar ddechrau'r 18 ganrif a hefyd am gynnydd diwydiannol a masnachol cyflym dau brif ranbarth economaidd arall yn Ne Cymru, sef blaenau'r cymoedd rhwng Merthyr a Blaenafon o ganol y 18 ganrif ymlaen, a Chymoedd Dâr a'r ddwy Rhondda (ynghyd â datblygiad cysylltiedig porthladdoedd Caerdydd a'r Barri) ryw ganrif yn ddiweddarach. Yn sicr, fe fu'r ffaith fod glo o wahanol fathau ar gael yng nghylch a rhanbarth Abertawe — a hynny heb fod ymhell o'r môr ac o aberoedd afonydd Nedd, Tawe a Llwchwr — yn allweddol yn yr holl ddatblygiad yno. Am hyn y daeth y rhanbarth yn brif ganolfan cynhyrchu'r meteloedd anhaearnaidd ym Mhrydain o ddiwedd y 18 ganrif hyd y Rhyfel Byd Cyntaf; yn wir, ar ddiwedd y 18 a dechrau'r 19 ganrif, Abertawe oedd prif ganolfan copr y byd. Fe sefydlwyd y toddfeydd metel hyn yng nghylch Abertawe er nad oedd mwynau copr, plwm, sinc, nicel, etc. yng nghreigiau'r rhanbarth; ac fe barhaodd y 'gweithfeydd tân'[3] hyn yn bwysig hyd yn ddiweddar iawn. Hefyd, ar sail yr adnoddau o lo — ond golosg i gychwyn — a pheth mwyn haearn, fe dyfodd diwydiannau haearn, dur ac alcam i fod o bwys. (Llain denau o haearn neu ddur â haen o dun drosto yw alcam.) Erbyn degawdau olaf y 19 ganrif, yn y rhanbarth hwn y cynhyrchid y rhan fwyaf o'r alcam neu'r tun a wnaed ym Mhrydain.

Bu cloddio am lo yng nghylch Abertawe o'r Oesoedd Canol ymlaen ac mae olion 'pyllau-cloch', lle codid glo ganrifoedd yn ôl, i'w gweld yn Nyffryn Clun ('Clyne' yn Saesneg) — uwchlaw Neuaddau Gilbertson a Martin, Coleg y Brifysgol.[4] Fodd bynnag, araf fu datblygiad turio am lo yn enwedig os oedd hwnnw ychydig yn bell o'r môr ac o'r afonydd mordwyol: gan fod costau cludiant mor uchel tua chanol y 18 ganrif 'fe gyfrifid glo pell o fordwyfa'n ddiwerth' yn ôl Gabriel Powell, stiward y Dug Beaufort dros Gil-fai a Gŵyr.[5] Eithr fe dyfodd y galw am lo, ac fe ddatblygwyd moddion cludiant; a bu'r ddeubeth hyn yn symbyliad i'r cynnydd sylweddol mewn cloddio am lo yn ail hanner y 18 ganrif ac yn y 19 ganrif. (Ar gyfer rhyw ugain o'i lowyr a'u teuluoedd yr adeiladodd John Morris — yn 1768-75 — y 'Castell' nodedig y gwelir ei adfail ar gopa Craig Trewyddfa uwchben Glan-dŵr a Plas-marl yng Nghwm Tawe. Y John Morris hwn oedd sefydlydd Treforys, a dywedir mai ei 'Gastell' oedd un o'r blociau cynharaf erioed o fflatiau gweithwyr.) Agorwyd nifer o lofeydd yn ardaloedd Llansamlet, Treforys, Glandŵr a Brynhyfryd, Fforest-fach, Clun a Phen-clawdd — heb sôn am y pyllau yng ngweddill y rhanbarth — ac fe dyfodd rhai ohonynt yn gryn faint. Er enghraifft, fe weithiai bron 300 o ddynion ym Mhwll y Pentre, Brynhyfryd, gan mlynedd yn ôl; ac o 100 i 400 rhwng 1850 a 1925 ym Mynydd Newydd, Pen-lan, Abertawe (lle cynhelid cyfarfodydd gweddi cyn a wedi naddu'r capel i lawr, bron 800 troedfedd, yn ei wythïen chwe-throedfedd).[6] Fe gaewyd y rhan fwyaf o byllau'r cylch erbyn 1930 a hynny am nifer o resymau, gan gynnwys lleihad yn y galw, a phroblemau gyda dŵr ac agweddau eraill ar gynhyrchu; eithr fe barhaodd y fasnach bwysig o allforio glo carreg drwy borthladd Abertawe yn hynod o sefydlog hyd yr Ail Ryfel Byd ar waethaf dirwasgiad y tridegau. (Ac o sôn am allforio, mae'n ddiddorol fod cyfanswm y glo a aeth o Abertawe ynghyd â Chastell-nedd yn 1840 yn fwy na'r hyn a adawai drwy Gaerdydd a Chasnewydd; ond yn hollol fel arall yr oedd pethau erbyn 1870.) Y rhanbarth y tu cefn i Abertawe oedd prif ffynhonnell Ewrop o lo carreg agos i'r môr, ac fe dyfodd ffyrmiau mawr yn y diwydiant hwn — megis Cwmni Gwauncaegurwen a gyflogai 1,800 o weithwyr yn 1914 ac Evans a Bevan gyda 1,600 mewn pedair glofa yng nghylch Castell-nedd yr un adeg.[7]

Gwaith Copr Morris a Lockwood, Glan-Dŵr, 1745

Un o nodweddion hanes economaidd cylch a rhanbarth Abertawe
yw rhesymoldeb sefydlu yno y gweithfeydd a fu'n bennaf gyfrifol am
y twf diwydiannol; ac fe welir hyn yn amlwg yn y cysylltiadau rhwng
codi glo a chynhyrchu'r meteloedd anhaearnaidd. Fe ddyfeisiwyd
techneg toddi mwynau copr, plwm-ac-arian a sinc trwy ddefnyddio
glo yn chwarter olaf y 17 ganrif yng nghylch Bryste; ac arweiniodd
hyn at ddatblygiadau pwysig yn rhanbarth Abertawe. Gyda'r dull
hwn rhaid oedd defnyddio tua theirgwaith cymaint o bwysau o lo ag
o'r mwyn i gynhyrchu copr — y pwysicaf o'r meteloedd a enwyd am
gyfnod hir — ac felly 'roedd mantais amlwg mewn symud y mwynau
at y glo yn hytrach na'r gwrthwyneb. Nid oedd glo ger ffynonellau'r
mwynau yng Nghernyw, Wicklow, Mynydd Parys ac Arfon ac felly
fe'i cludid hwy dros y môr i'r mannau lle 'roedd y gwahanol fathau
angenrheidiol i'w cael ger y porthladdoedd — a rhanbarth Abertawe
oedd y mwyaf addas o'r rheiny. Cedwid y gost o gludo'r mwyn yn

115

isel gan y byddid yn cario glo fel balast yn y llongau wrth iddynt ddychwelyd i borthladdoedd bychain Cernyw ac i Borth Amlwch a lleoedd eraill.

Cyn diwedd y 17 ganrif, yn union wedi'r ddyfais yng nghylch Bryste, agorwyd gweithfeydd i doddi mwynau copr a phlwm gyda glo yng Nghastell-nedd; o 1717 ymlaen sefydlwyd toddfeydd o'r fath yng ngwaelod Cwm Tawe — yr ardal a ddaeth yn brif ganolfan y diwydiant — a bu datblygiadau tebyg yng nghylch Pen-clawdd a Llanelli a hefyd yn Nhai-bach (Margam) o tua 1780 ymlaen. 'Roedd y datblygiadau hyn yn creu marchnad i'r glo ac yn werth eu hyrwyddo o safbwynt rhai tirfeddianwyr. Enghraifft ddiddorol o'r cyfryw hyrwyddo oedd yr hyn a wnaeth teulu'r Mansel o 1736 ymlaen, sef rhoi cymorth mewn arian a phethau eraill i bartneriaeth o Fryste i adeiladu a gweithio toddfa gopr ger glanfa White Rock ar Afon Tawe, gan glymu'r ffyrm yn gyfreithiol i brynu glo, a threfnu allforio glo fel balast, yn unig o'r glofeydd ar eu tiroedd hwy (y Manseliaid) ym mhlwyf Llansamlet. Felly nid peth newydd yw rhoi cymorthion i ddenu diwydiannwyr i gylch Abertawe.

Pobl gefnog o'r tu allan i ranbarth cymharol dlawd Abertawe a allodd fforddio i fentro a buddsoddi'r symiau mawr — cymaint â £500 gogyfer â phob gweithiwr tua 1800 — a oedd yn angenrheidiol yn y gweithfeydd hyn. Felly y daeth teuluoedd fel y Vivians a'r Grenfells o Gernyw, Williams a Foster, y Nevills, ac am gyfnod yr enwog Thomas Williams a'i gymheiriaid o Fôn i fod yn ddylanwadol iawn yn y rhanbarth; ac fe erys enwau rhai ohonynt ar adeiladau a strydoedd yn Abertawe a gwaelod Cwm Tawe. Parc teulu Vivian oedd Singleton, eu plastai hwy oedd Abaty Singleton, Castell Clun, Sketty Hall ac eraill, a hwy a adeiladaodd eglwysi Anglicanaidd Sgeti a Chlun.

Yn ystod y 19 ganrif rhanbarth Abertawe a gynhyrchai tua 90 y cant o'r copr a wnaed ym Mhrydain. Ni fu gwneud plwm mor bwysig, ond fe dyfodd cynhyrchu sinc i fod yn ddiwydiant sylweddol o tua 1870 ymlaen; ac fe gynhyrchid ychydig o arian, aur, cobalt ac arsenig. Datblygwyd y technegau o doddi'r meteloedd ac yr oedd medrusrwydd gweithwyr y diwydiannau hyn yn un o'r atyniadau a arweiniodd at sefydlu coethfa nicel Mond yng Nghlydach yn 1902. 'Roedd llawer o'r gweithwyr yn Gymry

Cymraeg, ac yn defnyddio termau fel 'metel cwrs', 'metel gwyn' a 'metel brych'; a hwy, mae'n debyg, oedd cynulleidfa Christmas Evans pan bregethodd, yn ôl yr hanes, yng ngwaith copr y Plas Uchaf (Upper Bank) — efallai yn y cyfnod pan oedd Owen Williams, mab Thomas Williams, yn berchen arno.

Fel y tyfodd y diwydiant copr di-hysbyddwyd y mwynau gorau yng Nghernyw, Môn a mannau eraill ym Mhrydain ac Iwerddon a bu'n rhaid cyrchu mwynau o Chile, Cuba, Sbaen, De Affrica ac Awstralia nes bod glanfeydd a dociau Abertawe o dridegau'r ganrif ddiwethaf ymlaen weithiau'n orlawn o longau hwyliau wedi dod o leoedd fel Coquimbo, Valparaiso a Port Nolloth, a llawer o longwyr y porthladd yn gyfarwydd iawn â'r mannau hynny ac â 'rowndio'r Horn'. Eithr erbyn diwedd y 19 ganrif 'roedd y mwynau o gynnwys metalig uchel yn prinhau yn y gwledydd pell hefyd, ac felly rhaid oedd symud mwy ohonynt i gynhyrchu'r un faint o fetel yn rhanbarth Abertawe. Hyn, ynghyd â darganfod glo yn gymharol agos at gloddfeydd mwynau copr mewn lleoedd fel Chile a Rhodesia, a sefydlu toddfeydd copr yn Ne a Gogledd America, De Affrica ac Awstralia oedd prif achosion diflaniad y diwydiant o gylch a rhanbarth Abertawe. Rhaid ychwanegu mai cymorth-daliadau'r Llywodraeth i raddau mawr, a hefyd rai oddi wrth adrannau Cwmnïau National Smelting ac Imperial Smelting a gadwodd doddfeydd sinc a phlwm ar agor yn Llansamlet hyd 1974.

Cymharol ychydig a weithiai yn holl doddfeydd metel anhaearnaidd y rhanbarth — dim rhagor na rhyw 3,500 ar y mwyaf — ond eto fe fuont yn bwysig iawn. Hwy a roddodd yr hwb cychwynnol i'r diwydianeiddio yn eu hardaloedd, a buont yn gyfrifol am greu marchnad sylweddol i'r glo a godwyd ger y porthladdoedd: yn nauddegau'r 19 ganrif âi 90 y cant o allforion glo Abertawe oddi yno yn y llongau mwyn copr. Rhoddai'r diwydiannau hyn hefyd waith i lawer iawn o bobl mewn gweithgar-eddau cysylltiedig — cludiant, adeiladu, etc. yn ogystal â chodi glo — nes chwyddo cyfanrif y gweithwyr a ddibynnai arnynt i ryw 10,000 neu fwy. 'Roedd y gwaith yn y toddfeydd yn galed iawn ac, yn arbennig yn y gweithfeydd plwm a sinc, yn afiach hyd at achosi marwolaethau cynnar.

Wrth gwrs, y mwg a'r nwyon o staciau'r 'gweithfeydd tân' a

Diwydiant yng nghylch Abertawe ar ddiwedd y 19 ganrif: rhan o fap Campion

anrheithiodd gannoedd o erwau yng ngwaelod Cwm Tawe ac ar y llethrau cyfagos; ac fe haerodd sylwedydd o Ffrainc tua chanol y 19 ganrif fod cymaint â 200 tunnell o ronynnau brwmstanaidd yn cael eu gwasgaru drwy'r simneiau yno bob wythnos. Y diwydiannau metel a wnaeth droi Glan-dŵr a'r Hafod, gyda'i Gae Morfa'r Carw, o fod yn ardal y prydyddwyd am ei harddwch coediog yn y 18 ganrif, i fod yn fangre gweithdai, ffwrneisiau, simneiau, tai, tafarnau, ysgolion a chapeli, camlas a rheilffyrdd a ffyrdd, a'r cyfan blith draphlith rhwng tomenni lludw a singrug a sorod ac yn y mwg.[8]

Ni fu haearn ac alcam mor bwysig â chopr yn y diwydianeiddio cynnar yng nghylch Abertawe, a hyd yn oed mor ddiweddar ag 1851 dim ond rhyw 300 o ddynion o'r dref a weithiai yn y diwydiannau haearn ac alcam o gymharu â phedair gwaith cymaint yn y gweithfeydd copr; eithr erbyn 1891 'roedd dros 3,000 o weithwyr y dref yn y diwydiannau haearn, dur ac alcam o gymharu â 1,500 mewn gweithfeydd copr a sinc. Yng ngweddill y rhanbarth, fodd bynnag, bu cynhyrchu haearn yn ysgogiad pwysig i'r diwydianeiddio mewn rhai ardaloedd. Yn gynnar yn y 18 ganrif 'roedd ychydig ffwrneisiau — yn Ynysgedwyn ger Ystradgynlais ac ym Mryn-coch a Melin-y-cwrt ger Castell-nedd — yn gwneuthur haearn gyda golosg coed; a golosg o'r fath hefyd oedd y tanwydd yn y gefeiliau haearn mewn lleoedd fel Ynys-pen-llwch (ger Clydach), Aberafan, Aberdulais a'r Fforest ger Treforys. Sut bynnag, er y cychwyn hwn, pan ddaeth toddi mwyn haearn gyda golosg glo yn ymarferol o ganol y 18 ganrif ymlaen, nid oedd manteision rhanbarth Abertawe'n gyfryw ag i ddenu datblygiad mawr fel yr un a gaed ym Merthyr a'r Blaeneudir dwyreiniol. Eithr fe godwyd un gwaith haearn pwysig yn y rhanbarth cyn diwedd y 18 ganrif, sef yr un ar y Glydach ger Abaty Nedd o 1785 ymlaen — gwaith a ddaeth yn sefydliad peirianyddol nodedig dan y Crynwyr, y Mri Fox, Tregelles a Price, o Gernyw.

Wrth gwrs, un o'r prif resymau am arafwch twf y diwydiant haearn yn y rhanbarth yw'r ffaith mai glo carreg sydd yn y gefnwlad yno, ger ffynonellau'r cerrig haearn; a bu'n rhaid aros hyd dridegau'r 19 ganrif nes agor gweithfeydd newydd yn Ynysgedwyn ac Ystalyfera lle llosgid cymysgiad o lo carreg a golosg glo, dan chwyth aer poeth, yn y ffwrneisiau. Dyma'r dechneg a ddatblygwyd yn Ynysgedwyn gan George Crane a chan David Thomas — gŵr a

119

ddysgodd ei grefft yng ngwaith haearn Abaty Nedd ac a ddaeth yn sefydlydd diwydiant haearn-glo-carreg Pennsylfania. Bu'r ddau waith ym mhen uchaf Cwm Tawe yn bwysig am ryw hanner canrif; yn 1846 fe dalodd Cwmni Ynysgedwyn gymaint â £2,800 o doll am gludo'u nwyddau ar Gamlas Abertawe a Chwmni Ystalyfera £1,500. Sefydlwyd gweithfeydd haearn eraill yn y rhanbarth rhwng 1800 a 1870, yng Nghwmafan, Llansawel (ger Castell-nedd), Brynaman, Pont-lliw a Llanelli; ac, yng nghylch Abertawe, Gwaith Fforest Uchaf, Treforys (1845), Gwaith Siemens Glan-dŵr (1868) a Gwaith Worcester, Treforys (1868). Yn y gweithfeydd cynharaf o blith y rhain fe gynhyrchid bariau o'r haearn gyr a fu'n bwysig fel defnydd alcam, hyd nes y'i disodlwyd gan ddur. Yn y ddau waith olaf a restrwyd, sef Siemens a Worcester, dur a gynhyrchid; ac fe fu'r

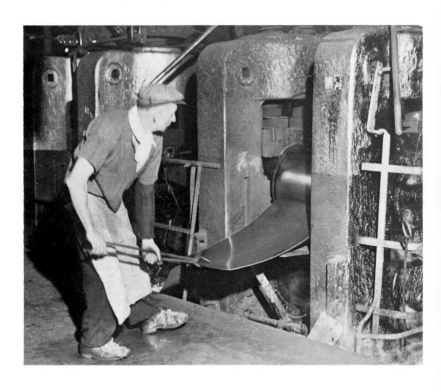

Hen Waith Tun: Y Felin Dwym

Hen Waith Tun: 'Y Dwplwr'

gwaith mawr yng Nglan-dŵr (lle y saif murddyn labordy William Siemens) yn bwysig yn hanes y diwydiant dur 'aelwyd agored'. Er hyn oll, bychan oedd mewnforion mwyn haearn drwy Abertawe o gymharu â rhai Caerdydd o chwarter olaf y 19 ganrif ymlaen.

Mae hanes y diwydiant paratoi llenni o haearn neu ddur, a rhoi haen denau iawn o dun drostynt yn ymestyn yn ôl yn Ne Cymru i'r cychwyn a fu ym Mhont-y-pŵl tua 1720. Rhwng hynny a 1860 sefydlwyd nifer o weithfeydd alcam, gan gynnwys rhai yng Nghydweli, Llanelli, Ynys-pen-llwch, Ystalyfera — y mwyaf yn y byd yn 1848, meddid — Margam a Chwmafan; ac, yng nghylch Abertawe, Fforest Uchaf yn 1845, Glan-dŵr yn 1851 a Chwmfelin yn 1858. Eithr yn hanner olaf y 19 ganrif y bu'r cynnydd mawr yn y diwydiant alcam, pryd yr adeiladwyd rhai degau o weithfeydd — a bron y cyfan ohonynt yn rhanbarth Abertawe. Cyflogent dros 20,000 o weithwyr ar brydiau cyn 1914, ac yn agos i 30,000 rhwng y ddau Ryfel Byd. Mor gynnar â 1880 'roedd saith gwaith alcam — 'gwaith tun' ar lafar — yn Llanelli (a lysenwyd yn 'Tinopolis'); 'roedd pump yr un ym Mhontarddulais, Treforys a Llansawel; pedwar yn Mhorth Talbot; a thri yr un yng Nghastell-nedd, Pontardawe a Gorseinon. Y gweithfeydd yma, ynghyd â'r gweithfeydd dur a hefyd y pyllau glo, oedd prif gynhaliaeth y trefi a'r cymunedau hyn ac eraill.

Fe leolwyd bron y cyfan o ddiwydiant alcam Prydain o fewn rhyw ugain milltir i Abertawe, a hynny oherwydd fod yno gyflenwadau angenrheidiol o lo addas, o haearn ac wedyn o ddur Siemens, o ddŵr ac o asid swlffwr (a hwnnw'n un o gyd-gynhyrchion y diwydiant copr). 'Roedd agosrwydd y porthladdoedd yn bwysig, a hefyd y ffaith nad oedd cystadleuaeth o gyfeiriad gweithiau dur dwyrain y maes glo — gan eu bod hwy'n canolbwyntio ar gynhyrchu cledrau dur Bessemer i'r rheilffyrdd. Fel y cyfeiriwyd, 'roedd cysylltiad agos rhwng y gweithfeydd dur a'r gweithiau tun a oedd yn farchnad i'w cynnyrch: yn aml yr un oedd eu perchenogion. Fe geir disgrifiad gwerthfawr o brosesau'r felin rholio ac adrannau piclo a thunio'r hen weithfeydd alcam mewn erthygl Gymraeg gan y diweddar D. Morgan Rees lle mynegodd ei fod wedi teimlo 'fwy nag unwaith ryw elfen hudol wrth edrych ar aelodau criw'r felin boeth, a symudiadau pob un yn cyflenwi symudiadau'r llcill' — a dyma gysylltu â pharagraff cyntaf y bennod hon.

Nid oedd y dull o gynhyrchu alcam yn golygu cymaint o fuddsoddi gogyfer â phob gweithiwr ag a oedd yn angenrheidiol yn y diwydiannau copr a sinc; a'r dwysedd-cyfalaf cymedrol yma oedd un o'r rhesymau pam y gallod pobl leol — yn siopwyr a masnachwyr eraill, ac yn athrawon, gweinidogion, meddygon a chyfreithwyr — gyfrannu llawer o'r buddsoddiadau angenrheidiol yn y gweithiau tun o ganol y 19 ganrif ymlaen. Erbyn hynny 'roedd gan nifer o bobl y rhanbarth ychydig arian wrth gefn, ac 'roedd cwmnïau'r diwydiant alcam yn cael eu cofrestru gyda'r fantais o gyfyngiad ar rwymedigaethau'r buddsoddwyr.

Gyda chau gwaith Player yng Nghlydach tua 1959 fe ddiflannodd yr olaf o'r hen weithfeydd alcam 'pac poeth' fel y'u gelwid, ond erys ambell adeilad — fel un Clayton ym Mhontarddulais, a'r un yng

Nghydweli sydd, gyda'r hyn sy'n weddill o'r cyfarpar, yn cael ei baratoi i fod yn amgueddfa. Mae ar gael hefyd luniau a ffilmiau o rai o'r hen weithfeydd.[9]

*   *   *   *   *

Yn ogystal â'r diwydiannau sylfaenol a drafodwyd uchod fe fu yn y rhanbarth amryw o ddiwydiannau eraill ynghyd â masnachoedd a gwasanaethau. Yn wir, un o nodweddion economi'r rhanbarth oedd y graddau cymharol uchel o amryfalaeth diwydiannol a masnachol ynddo — gan fod yn wahanol iawn yn hyn o beth i economïau undiwydiant lleoedd fel Cymoedd Rhondda a Rhymni. Un o ganlyniadau'r amryfalaeth hwn oedd peri bod economi a chymdeithas y rhanbarth yn medru'n well wrthsefyll dylanwadau dirwasgol o'r tu allan — o fewn yr hyn a eilw'r Athro Brinley Thomas yn 'Economi'r Iwerydd'. (Mae'n ddiddorol fod y Parch. Ddr Thomas Rees wedi cyfeirio at y nodwedd yma mor gynnar ag 1867 wrth sôn am y diwydiant copr.[10]) Gwnaeth yr amrywiaeth o weithgareddau gyfraniad gwerthfawr at gadw anghyflogaeth yn y rhanbarth yn gymharol isel. Cyfranasant yn ogystal at sicrhau graddau go helaeth o heddwch diwydiannol drwy roi cyfle i weithwyr anfoddog symud i waith arall yn yr un cylch. 'Roedd y ffaith fod cyflogau'n gyfran gymharol isel o'r holl gostau yn y diwydiannau metel hefyd yn lleihau anghydfod drwy wneud i benaethiaid eu ffyrmiau fod yn barotach i ganiatáu codiadau cyflog.

Fel yr awgrymwyd, 'roedd rhai gweithgareddau'n gwasanaethu'r diwydiannau glo a meteloedd, drwy gludo eu defnyddiau a'u cynhyrchion, drwy godi eu hadeiladau, neu drwy brosesu neu farchnata eu cynhyrchion. Prin y gellir gorbwysleisio dylanwad cludiant er nad oes ofod yma i wneud mwy na chyfeirio at ddatblygiad y moddion cludo. Gwnaed ffyrdd tyrpeg ar hyd a lled y rhanbarth; agorwyd Camlas Abertawe o'r porthladd i Ystradgynlais yn 1798; agorwyd tramffyrdd i'r gweithfeydd, a rheilffyrdd, gan gychwyn gyda'r un o Abertawe i gyfeiriad y Mwmbwls yn 1804 — y gyntaf yn y byd i gario pobl, meddir. Daeth rheilffordd rhwng Llanelli a Brynaman erbyn 1851, a'r un o Gas-gwent a Chaerdydd i Abertawe yn yr un flwyddyn, a llinell Cwm Tawe hyd at Ystalyfera ddeng mlynedd yn ddiweddarach. Fe agorwyd dociau Abertawe o 1850 ymlaen, gan gychwyn gyda'r un gogleddol a duriwyd ar ran o hen sianel Afon Tawe pan ailgyfeiriwyd hi drwy'r 'Toriad Newydd'. Fe dyfodd y diwydiant adeiladu yn y rhanbarth i godi gweithfeydd, tai, siopau, pontydd a chapeli — a William Edwards, y gweinidog ac adeiladydd pontydd Wychtree Treforys a'r un fwy enwog ym Mhont-y-pridd, yn cysylltu'r ddau faes olaf, meddir, fel 'pontiwr deufyd'.

Sefydlwyd nifer o weithfeydd i gynhyrchu 'pele' llwch glo i'w hallforio a'u gwerthu fel tanwydd llongau; a thebyg oedd sail y gweithfeydd cemegolion — 'roedd 14 ohonynt yn Abertawe yn 1900 — â llawer o'u defnyddiau'n is-gynhyrchion y diwydiannau metel lleol. I Loegr a gwledydd eraill yr âi'r rhan fwyaf o'r meteloedd a gynhyrchid; ac er bod rhai ffowndrïau a gweithfeydd peirianyddol, yn enwedig yng nghylch Abertawe, nid ymestynnodd yr amryfalaeth diwydiannol mor bell â chynhyrchu lliaws o fathau o nwyddau o gopr, efydd a meteloedd eraill fel yng Nghanolbarth Lloegr — un o brif farchnadoedd y copr a wnaed yn y rhanbarth. Gellir cyfeirio, fodd bynnag, at y cynhyrchion o gopr ac efydd — megis tiwbiau, platiau a blychau tân i beiriannau ager, a hefyd hoelion, arian-bath, etc. — a wnaed yng ngweithfeydd y Morfa a'r Hafod yng ngwaelod Cwm Tawe. Mae'n werth sôn hefyd am waith cynhyrchu blychau alcam a sefydlwyd gan y Tinplate Decorating Co. ym Melincryddan, Castell-nedd yn 1866; ac am ffatri bwysig Mannesmann a gychwynnodd gynhyrchu tiwbiau dur di-wnïad yn 1888 ar safle helaeth Gwaith Siemens a oedd newydd gau yng Nglan-dŵr. Ar y cychwyn 'roedd rhai o'r Siemens yn y fenter gyda'u cyd-Almaenwyr o deulu'r Mannesmann; ac ar ôl ad-drefnu'r ffyrm fe dyfodd y gwaith nes cyflogi hyd at tua 3,000 o weithwyr ar brydiau cyn ei gau yn 1961. Mae'n ddiddorol fod ei safle mewn rhan o Gwm Tawe a fu unwaith, yn ôl Samlet Williams, yn fro ffrwythlon gyda'r enw 'Gardd Morgannwg' a chydag anheddau a elwid yn Llys Newydd a Gwaun Llysty.

Fe fu marchnad mwynau copr bwysig yn Abertawe o ddechrau'r 19 ganrif ymlaen ac o 1866 bu yno 'Gyfnewidfa' lle gwerthid alcam. 'Roedd gan gwmnïau llongau ac yswiriant a gwahanol fasnachoedd eu swyddfeydd yng nghyffiniau'r porthladd, a bu'r dref yn ganolfan

Tref a phorthladd Abertawe tua 1880

ariannol bwysig: yn wir hi oedd prif ganolfan bancio Cymru (gyda'r
unig gangen Gymreig o Fanc Lloegr) cyn ei disodli gan Gaerdydd
tua chanol y ganrif ddiwethaf.

Gyda thwf cyflym y boblogaeth fe sefydlwyd gweithdai a
ffatrïoedd i gynhyrchu bwydydd, diodydd, dillad, esgidiau a
gwahanol angenrheidiau yn Abertawe ac yn nhrefi eraill a
phentrefi'r rhanbarth. Yn ychwanegol at gynhyrchion y melinau
blawd ar hyd a lled y rhanbarth daethpwyd i fewnforio mwy a mwy o
rawn, a'i falu yn y porthladdoedd mewn melinau-stêm mawr, gan
gynnwys un Weaver a'i Gwmni a fu'n gweithio yn Abertawe o 1899
hyd 1963 — ac fe bery dyfodol ei sgerbwd haearn-a-choncrid hi yn
destun cryn ddadlau. Ar wahân i'r 'pobi gartref', gwnaed bara a

125

theisennau gan fân fusnesau yn y trefi a'r pentrefi mwyaf; ac yn Abertawe yn 1847 yr agorodd J. E. Burgess (sefydlydd cwmni llongau) y popty mecanyddol cyntaf yn Ne Cymru, gan gynhyrchu bisgedi-llong caled. Deuai cynhyrchion amryfal o ffermydd y rhanbarth, a rhanbarthau cyfagos, i'r gwahanol ganolfannau poblog; ac 'roedd cannoedd o bobl yn pysgota a chasglu wystrys a chocos. Yr oedd hefyd felinau gwlân, gweithfeydd llestri priddfaen a llu o weithdai teilwriaid a chryddion; ac wrth gwrs fe gynyddodd nifer a maint y siopau — yn enwedig yn Abertawe. Diddorol yw'r argraff a wnaeth y dref a'i siopau ar 'drafaeliwr' dychmygol o'r Gogledd. O gymharu sefyllfa 1895 gyda stad pethau yn 1868, meddai 'Adronicus' Anthropos, 'mae'r boblogaeth wedi cynyddu, y dociau wedi eu ehangu a masnachdai bychain wedi gwneud lle i adeiladau gorwych a chyfleus at fasnach. Yr ordor gyntaf a gymerais i erioed yn Abertawe oedd gan Mr Lewis Lewis . . . shop fechan y pryd hynny, ond erbyn heddyw yn fasnachdy gwych ac yn gwneud busnes mawr. Mae gan Mr Ben Evans hefyd fasnachdy nad oes ei eangach allan o Lundain a llawer o fasnachdai rhagorol eraill.'[11]

Gan fod eu cartrefi ymhell i ffwrdd, 'roedd nifer o'r merched a wasanaethai mewn siopau o'r fath yn 'byw i mewn' — ac fe sonnir am High Street, Abertawe yn y cyswllt hwn. Yn Ne Cymru (ac mae'n debyg mai felly yr oedd yn rhanbarth Abertawe hefyd) rhyw 6 y cant o'r merched cyflogedig a weithiau mewn siopau rhwng canol y 19 ganrif a 1914, o gymharu â dros 50 y cant ohonynt a oedd yn gweini fel morynion tŷ.[12]

NODIADAU

1. T. Davies (Llandeilo), *Bywyd ac Ysgrifeniadau y Diweddar Barch. D. Rees, Llanelli* (Llanelli, 1871), tt.195-7; gweler hefyd Iorwerth Jones, *David Rees y Cynhyrfwr* (Abertawe, 1971), tt.94, 105-6.
2. *The Church in a Mobile Society* (gol. Vivian Jones: Abertawe a Llandybïe, 1969), pennod 1 (gan C. C. Harris a G. Humphrys), a phennod 2 (gan D. E. L.

Thomas); *Swansea and its Region* (gol. W. G. V. Balchin: Abertawe, 1971); G. Humphrys, 'Swansea Bay City joins the top twenty', *Geographical Magazine*, 43 rhif 12 (1971).

3. Ceir y term yn llyfr y Parch. W. Samlet Williams ar *Hanes a Hynafiaethau Llansamlet* (Dolgellau, 1908).

4. Mae ar gael daflen o arweiniad i daith yn Nyffryn Clun (Clyne) ac mae hefyd rai gyda nodiadau tebyg am ardaloedd eraill gan gynnwys Treforys, y Mwmbwls, Gwaelod Cwm Tawe, a mannau gyda chysylltiad arbennig â Dylan Thomas: cyhoeddedig gan Gyngor Dinas Abertawe ar ran y Swansea Heritage Committee.

5. Gabriel Powell, 'Survey' (1764), Archifau Llyfrgell Coleg y Brifysgol, Abertawe.

6. *Cylchlythyr Cymdeithas Archaeoleg Diwydiannol De-Orllewin Cymru* (S.W.W.I.A.S.), rhifau 13 (Gorffennaf 1976), 21 (Mawrth 1979), 22 (Gorffennaf 1979).

7. *Glamorgan County History*, Cyf. V (gol. Arthur H. John a Glanmor Williams: Caerdydd, 1980).

8. Am yr adran hon ar feteloedd anhaernaidd gweler ibid., pennod 1 (gan A. H. John) a pennod 2 (gan R. O. Roberts); a hefyd D. Morgan Rees yn *Y Gwyddonydd*, Cyfrol 10, Rhif 2 (1972). Ailgyhoeddwyd y gyfres erthyglau ganddo ef yn llyfryn gyda'r teitl *Agweddau ar Archaeoleg Diwydiannol* (Gwasg Prifysgol Cymru: Amgueddfa Genedlaethol Cymru, 1974).

9. Seiliwyd yr adran am haearn, dur ac alcam ar D. Trevor Williams, *The Economic Development of the Swansea District* (Caerdydd, 1940); W. E. Minchinton gol., *Industrial South Wales 1750-1914* (Llundain, 1969), y rhagymadrodd; a W. E. Minchinton, *The British Tinplate Industry* (Rhydychen, 1967); Laurence Ince, 'The Neath Abbey Ironworks', *Industrial Archaeology*, Cyf. 11 (4), 12 (1), Gwanwyn 1977; *Glamorgan County History*, Cyf. V, Pennod 3.

10. Thomas Rees, *Miscellaneous Papers relating to Wales* (Llundain, 1867), t. 6.

11. *Yn y Trên: neu Adgofion Trafaeliwr gan y diweddar Andronicus*, dan olygyddiaeth R. D. Rowlands (Anthropos), Caernarfon, Nadolig 1895, tt. 5, 36.

12. Ynglŷn â'r casgliad o ddiwydiannau a masnachoedd a drafodir yn yr adran uchod gweler *Glamorgan County History*, Cyf. V, penodau 5, 8, 9, 10; S. R. Hughes, 'The Swansea Canal: Navigation and Power Supplier', *Industrial Archaeology Review* Cyf. 4, rhif 1 (Gaeaf 1979-80); Norman L. Thomas, *The Story of Swansea's Districts and Villages* (1964) a *The Story of Swansea's Markets* (1969); R. O. Roberts, 'Cangen-Fanc Abertawe, 1826-1859', yn *Trafodion Economaidd a Chymdeithasol* 1956-1963, gol. M. J. Jones ac R. O. Roberts (Gwasg Prifysgol Cymru, 1966); W. C. Rogers, *A Pictorial History of Swansea* (Gwasg Gomer, 1981), pennod 3; *Neath and District: A Symposium* (gol. Elis Jenkins: Castell-nedd, 1974), penodau, 10, 12, 13.

Economi'r Rhanbarth a'r Cylch yn ystod yr Ugeinfed Ganrif

R. O. Roberts

Yn ystod y ganrif hon fe effeithiwyd yn arbennig ac yn sylweddol ar ddiwydiant a masnach y rhanbarth gan bedwar peth — sef, newidiadau ym maint a chyfansoddiad y galw am nwyddau a gwasanaethau; y ddau Ryfel Byd; datblygiadau mewn technegau cynhyrchu; a gweithrediadau'r Llywodraeth. 'Roedd y dylanwadau hyn yn cael effaith drwy Brydain oll ond fe ddibynnai eu canlyniadau mewn unrhyw ranbarth ar y sefyllfa leol hefyd — ar bethau fel yr arbenigaeth ddiwydiannol a'r pellter o'r prif farchnadoedd.

O ddechrau'r ganrif hyd yn gymharol ddiweddar ni bu gostyngiad mawr — ac weithiau caed cynnydd — yn y galw am brif gynhyrchion rhanbarth Abertawe; ac mae hanes economaidd y rhanbarth, eto yn y ganrif hon, yn wahanol i stori rhanbarthau diwydiannol eraill De Cymru. O tua 1920 ymlaen fe grebachodd marchnad y glo rhydd ond cynyddodd y galw am gynnyrch pwysicach y rhanbarth, sef glo carreg — a ddefnyddid fel ffynhonnell gwres canolog. Ac er mai lleihau a wnaeth y galw am feteloedd anhaearnaidd, fe fu twf mawr hyd yn oed drwy'r Dirwasgiad rhwng y ddau Ryfel yn y galw o weddill Prydain am alcam — er y bu crebachu ac ansefydlogi yn y marchnadoedd tramor. Oherwydd hyn oll bu canlyniadau Dirwasgiad y tridegau cynnar yn llai difrifol yn rhanbarth Abertawe nag yn y cymoedd i'r dwyrain: mor ddiweddar â 1937 'roedd cymaint â 57 y cant o weithwyr yswiriedig Ferndale allan o waith, a 47 y cant o rai Merthyr, tra na cheid mwy na 26 y cant yn y sefyllfa honno yn Abertawe. Rhaid ychwanegu y bu cynnydd mawr yn y galw, o fewn y rhanbarth ac yng Nghymru a gwledydd eraill, am bob math o nwyddau a gwasanaethau — yn foduron, offer trydan (gan gynnwys

Gweithfeydd Copr y Morfa a'r Hafod yn y Dauddegau (1921?)
(Cafwyd gan Amgueddfa Abertawe)

setiau radio a theledu), gwasanaethau trefnidiaeth, cyfathrebu, dosbarthu, etc. Cyn diwedd y bennod hon fe gyfeirir at rai o ganlyniadau'r cynnydd hwn ar economi rhanbarth a chylch Abertawe.

Fe gafodd y ddau Ryfel lawer o effeithiau gan gynnwys cynyddu'r galw am feteloedd, cemegau ac arfau milwrol. Hefyd fe ddaeth galw mawr am wasanaeth merched mewn ffatrïoedd ac ar y tir, i gymryd lle dynion a aethai i'r Lluoedd Arfog; ac fe gafodd hyn ddylanwad sylweddol a pharhaol yn rhanbarth Abertawe fel yng Nghymru gyfan. Cyn y Rhyfeloedd yr oedd cyfranogiad merched yno mewn gweithgarwch diwydiannol yn gymharol fychan — a hynny oherwydd bod y prif ddiwydiannau yn rhai 'trwm' ac oherwydd grym traddodiad. (Yr oedd un eithriad nodedig sef y diwydiant alcam, gydag ychydig filoedd o ferched yn gweithio ynddo — rhyw

15 y cant yn disgyn i tua 10 y cant o'r holl weithwyr yn y dauddegau a'r tridegau.) Yn ystod y ddau Ryfel fe ddaeth llawer o ferched i ymgymryd ac i ymgyfarwyddo â gweithio mewn diwydiant; a daeth pobl fwyfwy i dderbyn fod eu cyflogi yno ac yn y 'gwasanaethau' yn beth hollol gymeradwy. Fodd bynnag, yn rhanbarth Abertawe mor ddiweddar â 1961, 26 y cant yn unig o'r merched-mewn-oed-gweithio oedd mewn gwaith cyflogol neu'n ceisio gwaith o'r fath — o gymharu â chanrannau cyfatebol o 27.5 yng Nghymru gyfan a 38.5 ym Mhrydain. Erbyn 1968 'roedd y gyfradd — a elwir yn 'gyfradd gweithgaredd' — yn 32 y cant yn y rhanbarth, ac yn 40 y cant ym Mhrydain. Nid yw ffigurau Cyfrifiad 1981 am y rhanbarth ar gael ond credir fod cyfradd gweithgarwch merched ynddi bellach rhwng 45 a 50 y cant — o gymharu â 42.4 drwy Gymru, 46.6 ym Mhrydain a 49.1 yn yr Alban; ac o gymharu hefyd â'r blaenamcan swyddogol am y sefyllfa yn 1986, gyda chanrannau o 44.0 am Gymru gyfan, 47.3 am Brydain a 50.3 am yr Alban. Yn y mater hwn o gyfradd gweithgaredd merched fe ymdebygodd rhanbarth Abertawe i Brydain oll: fe gynyddodd y gyfradd i fod gyfuwch â'r lefel Brydeinig os nad wedyn (fel un yr Alban) i fod yn uwch na hi. Ac yn sicr fe fu gan y Rhyfeloedd eu dylanwad i'r cyfeiriad yna — er i'r canlyniadau orfod disgwyl eu cyfle.

Yn ystod rhan olaf y 19 ganrif a thrwy'r ganrif hon bu llawer iawn o ddatblygiadau mewn technoleg y gellid eu mabwysiadu gan ddiwydiannau a gwasanaethau. Fel canlyniad i waith gwyddonwyr a thechnolegwyr fe gynhyrchwyd llu o nwyddau o fathau newydd — megis moduron, awyrennau, offer trydan a defnyddiau synthetig — ac, fel y soniwyd, bu twf enfawr yn y galw am gynhyrchion o'r fath. Daeth hefyd yn bosibl cynhyrchu nwyddau cyfarwydd drwy ddulliau newydd: 'roedd y rhain yn aml yn ddulliau mwy mecanyddol, ac yn y degawdau diweddaraf daeth y math o fecaneiddio datblygedig a elwir yn awtomasiwn i fod yn gynyddol bwysig. Mae'n wir mai cymharol fychan fu dylanwad y technegau newydd ar economi'r rhanbarth hyd tua chanol y ganrif, ond er yr adeg honno bu eu heffeithiau'n sylweddol iawn ar ddulliau cynhyrchu ac ar natur y cynnyrch. Ar yr ochr drefniadol 'roedd nifer o'r datblygiadau hyn yn cynnig 'darbodion maint', ac felly'n hyrwyddo cynnydd ym maintioli gweithfeydd a ffyrmiau.

Yn ychwanegol at yr hyn a ddigwyddodd yn ystod y ddau Ryfel bu ymestyniad anferth ar ddylanwad y Llywodraeth ar economi Prydain o dridegau'r ganrif ymlaen. Daethpwyd i reoleiddio rhai diwydiannau a chenedlaetholi rhai eraill; gweithredwyd polisïau o geisio creu gwaith mewn ardaloedd dirwasgedig; datblygwyd y 'Wladwriaeth Les'; a rhwng popeth bu cynnydd mawr iawn yng ngwariant real y Llywodraeth Ganol a'r llywodraethau lleol. Fe ddaeth dibyniant yr economi ar y Llywodraeth Ganol i fod yn fwy o lawer yng Nghymru nag ym Mhrydain gyfan ac yn fwy wedyn yn rhanbarth Abertawe. Yn wir, erbyn y saithdegau 'roedd y Llywodraeth yn gyfrifol, yn uniongyrchol neu'n anuniongyrchol, am gyflogi dros hanner gweithwyr y rhanbarth.

✻   ✻   ✻   ✻   ✻

Bu cyfnewidiadau anferth yn nhechnegau diwydiannau glo a metel y rhanbarth er tua chanol y ganrif hon, ac fe grynodwyd y cynhyrchu ynddynt mewn gweithfeydd enfawr.

Yn y diwydiant glo, eisoes cyn canol y ganrif, 'roedd problemau daearegol, pellter cynyddol y talcennau o waelod y pyllau, a chostau cael gwared o'r dŵr yn peri fod llawer o'r glofeydd yn gweithio dan golled. Caewyd rhai ohonynt yn weddol gynnar yn y ganrif, ac fe ddaeth gyrfa bron y cyfan o'r hen byllau glo carreg i ben erbyn 1970. Eithr fe fu dau ddatblygiad nodedig yn yr un cyfnod, y naill o gloddio i lawr i ddyfnderoedd is na 800 metr a'r llall o ddychwelyd (ond gydag offer tra gwahanol) at y dulliau cynharaf o durio neu chwarelu at y glo lle yr oedd yn brigo neu'n agos at yr wyneb. Daethpwyd i gynhyrchu mewn dau bwll dwfn yn ardal y glo carreg, sef Cynheidre yng Nghwm Gwendraeth, a ddatblygwyd rhwng 1939 a 1960, ac Aber-nant, ger Gwauncaegurwen, a agorwyd yn 1959. Bu datblygiad hefyd yn ardal y glo lled-galed rhwng 1953 a 1959 trwy ail-lunio pwll Bryn-lliw i'r gogledd o Gorseinon. Gellir cychwyn amgyffred maint y gweithfeydd hyn o ystyried y ffaith bod Cynheidre wedi bod yn cyflogi dros fil o weithwyr ac Aber-nant tua naw cant, a bod y ddwy fynedfa i Gynheidre tua thair milltir oddi wrth ei gilydd. Mecaneiddiwyd yn helaeth yn y glofeydd hyn, gan ddefnyddio'r dull wal-hir o gloddio yn hytrach na'r hen gyfundrefn piler-a-stâl.

Eto, fe gychwynwyd cloddio glo brig yn 1944; ac mewn rhai blynyddoedd er yr adeg honno fe godwyd hyd at tua 45 y cant o holl gynnyrch y rhanbarth o'r mannau lle 'roedd glo i'w gael ger wyneb y tir. Bu gweithio mewn degau o safleoedd — ac fe bery ger lleoedd fel Banwen, yr Onllwyn a Gwauncaegurwen — ac ym mhob un ohonynt fe symudid miloedd o dunelli o bridd a cherrig oedd yn gor-doi'r glo, ac yna durio neu chwarelu'r haen o lo dros holl erwau'r safle cyn ailorchuddio'r lle â phridd — a'r cyfan fel rheol yn cymryd ryw bum i ddeng mlynedd. 'Roedd codi glo yn y dull hwn, wrth gwrs, yn llawer llai costus na sincio pyllau, a daeth â chryn elw i'r Bwrdd Glo i'w gyfosod â'r colledion mawr o weithio'r pyllau. Ar y llaw arall, bu cryn wrthwynebiad i'r chwareli glo oddi wrth bobl a oedd — ac sydd — yn gorfod dioddef y llwch a'r baw a'r sŵn a achosir gan y lorïau enfawr yng nghyffiniau'r glofeydd hyn; ond bu'r adfer, a ffrwythlonrwydd ychwanegol y mannau a adferwyd, yn dderbyniol. Caed gwrthwynebiad tebyg ynglŷn â Phwll y Betws ger Rhydaman — sef glofa drifft, ar oledd, gyda thrafnidiaeth fewnol effeithlon iawn. Ceir yr un fath o foderniaeth yng nglofa drifft Treforgan yng Nghwm Dulais, lle mae'r holl gynhyrchu dan arolygiaeth un dyn ag offer electronig, gan gynnwys cyfundrefn deledu. Y Bwrdd Glo Cenedlaethol oedd, ac sydd, yn gyfrifol am y cynhyrchu y cyfeiriwyd ato uchod, ond bu nifer o ffyrmiau preifat yn gweithio mân lofeydd dan drwydded a gafwyd gan y Bwrdd. Cymharol fychan fu cyfanswm cynnyrch y rheini, ac felly y pery.

Tebyg fu hanes y diwydiannau metel. Er 1945 caewyd dros ugain o weithfeydd dur aelwyd-agored; a rhwng y flwyddyn honno a 1960 dyna a ddigwyddodd hefyd i'r holl weithfeydd alcam pac-poeth — dros 30 ohonynt. Fe ellir dweud, yng ngeiriau englyn y Parch. R. Ithel Williams i'r 'Hen Ffatri', fod y lle yr oeddent

> Heb rŵn yr hen beiriannau — heb wennol,
>   Heb wŷn yn y strapiau,
>   A heb yr hen wynebau
>   A ddôi cynt cyn iddi gau.

Rhwng 1947 a 1951 adeiladwyd gwaith dur enfawr Margam gan Gwmni Dur Cymru; yna fe ychwanegwyd at nifer y ffwrneisi-chwyth anferth; ac yn ddiweddarach codwyd trawsnewidyddion nitrogen ac ocsigen i gynhyrchu dur. Bu'r hyn a ddigwyddodd ym Margam yn rhan hanfodol o'r chwyldro yn nhechnegau gwneud dur ac alcam yn y rhanbarth. Cynhyrchir y dur yno i raddau mawr o haearn crai poeth a ddaw o'r ffwrneisiau cyfagos; ac fe'i gweir gan ddefnyddio nwyon mewn ffyrdd newydd ac mewn unedau lle ceir darbodion maint helaeth. Â rhan o'r dur i'r melinau rholio di-dor sydd gerllaw; ac mae'r rheini'n cynhyrchu lleiniau-dur oer yn rholiau i'w gwerthu i'r gweithfeydd moduron neu i weithfeydd sy'n galfaneiddio'r metel (gyda haen denau o sinc) neu ei liwio (fel y gweir yn hen waith Bryngwyn, Gorseinon). Symudir y gyfran arall o'r dur yn rholiau poeth i'r ddau waith alcam mawr newydd, sef yr un yn Nhrostre ger Llanelli (a agorwyd yn 1953) a'r llall yn y Felindre ger Abertawe (lle y cychwynwyd cynhyrchu yn 1956). Yn y ddau waith mae melinau'n rholio'r metel yn oer a di-dor, dan dyndra, gan gynhyrchu lleiniau dur o ansawdd rhagorol. Rhoddir tun arnynt ar linellau-cynhyrchu electrolytig sydd hefyd yn gallu gweithio'n ddi-baid. Mae'r technegau yn y ddau waith yma hefyd yn rhan o'r chwyldro mewn dulliau cynhyrchu.

Un o lwyddiannau datblygiad economaidd y rhanbarth oedd y modd y gallodd llawer o weithwyr o'r glofeydd a'r gweithfeydd dur ac alcam a gaewyd gael gwaith o fewn y rhanbarth — naill ai yn yr unedau mawr newydd yn yr un diwydiannau neu mewn gweith-gareddau eraill. Ymhlyg yn hyn oll yr oedd newidiadau cymdeithasol — pethau fel trafaelio pellach yn ddyddiol i'r gwaith, symud i fyw i ardal arall, twf maestrefi newydd, a newid (os nad gwanychu) bywyd cymdeithasol rhai o'r hen gymunedau.

Bu datblygiadau hefyd yn y dull o gynhyrchu meteloedd eraill. Yn 1960 yng Ngwaith Swansea Vale, Llansamlet, fe gychwynwyd toddi sinc — am y tro cyntaf yn unman yn y byd — mewn ffwrneisi chwyth; ac fe gynhyrchid plwm a chadmiwm yno hefyd. Fodd bynnag, ni lwyddodd y datblygiad technegol i arbed y gwaith rhag cael ei gau yn 1974 — bron gan mlynedd ar ôl ei agor. Fe gyfeiriwyd eisoes at Waith y Mond lle coethir 'matte' nicel o Ganada, gan ddweud mai un o'r rhesymau dros ei sefydlu yng Nghlydach oedd medrusrwydd arbennig toddwyr metel y rhanbarth. Y prif resymau eraill oedd y cyflenwadau a oedd yno o ddŵr ac o lo carreg o safon uchel (i gynhyrchu'r nwy CO a hefyd ynni), yn ogystal ag agosrwydd y porthladd. O'r cychwyn yn 1902 bu'r gwaith yn gwbl ddibynnol ar weithredu a datblygu yn ôl darganfyddiadau cemegol a pheirianyddol hynod bwysig y Dr Ludwig Mond a'r Dr Carl Langer. Cofgolofn Ludwig Mond sydd gerllaw y gwaith yng Nghlydach. (Ar ei farwolaeth ef yn 1909 cymerwyd yr awenau fel cadeirydd Cwmni Mond Nickel gan Alfred Mond — yn ddiweddarach Syr Alfred, yr Aelod Seneddol, a chydweithiwr â David Lloyd George. Ac fe gododd nifer o Gymry i frig y grŵp o gwmnïau Mond Nickel, gan gynnwys y bargyfreithiwr D. Owen Evans, A.S., awdur erthygl ar hanes diwydiannau meteloedd anhaernaidd De Cymru a gyhoeddwyd yn *Trafodion Cymdeithas Anrhydeddus y Cymmrodorion* am 1929-30.) Fe barhaodd y gwaith yng Nghlydach i gyflogi tua mil o weithwyr, ac y mae nifer ohonynt yn byw yn y pentref 'modelaidd' a adeiladodd un o is-gwmnïau Mond o 1913 ymlaen.

Er yr Ail Ryfel fe ddatblygwyd yn ogystal nifer o weithfeydd i drin alwminiwm a chyfunfeteloedd yn banelau, lleiniau, gwifrau, etc. Mae'r gweithfeydd hyn yn Resolfen (lle y bu toddfa alwminiwm yn ystod y Rhyfel), Llansawel ger Castell-nedd, a Jersey Marine a Waunarlwydd ger Abertawe; ac yn Waunarlwydd mae hefyd ffatri sy'n cynhyrchu tiwbiau o'r metel titaniwm.

Presenoldeb y gweithfeydd hyn oedd yn gyfrifol, i raddau mawr, am sefydlu ffatrïoedd i drin meteloedd a gwneud ohonynt wahanol gydrannau a nwyddau gorffenedig. Dyma, wrth gwrs, y math o gadeirio neu ymganghennu y cyfeiriwyd ato yn y bennod flaenorol — gan roi enghreifftiau o'r hyn a ddigwyddodd yn y 19 ganrif ym Morthwylfa Pont-lliw, Gwaith Haearn Abaty Nedd a Gwaith Alcam Players yng Nghlydach. Enghraifft bwysig o hyn hefyd oedd sefydlu gweithfeydd i gynhyrchu blychau a thuniau o alcam. Yn y maes hwnnw, fe gyfeiriwyd eisoes at agor Gwaith 'Tinplate Decorating' ym Melincryddan yn 1866; ac fe barhaodd hwnnw i gynhyrchu hyd 1959. Erbyn hynny 'roedd gwaith arall, ac un mwy, gyda'r un math o gynnyrch wedi ymsefydlu yng Nghastell-nedd, sef ffatri bwysig Metal Box, yr hon a agorwyd yn 1936 ac a ddaeth i ymestyn dros 50 erw ger y rheilffordd i'r de o'r dref, gan dyfu nes cyflogi 2,000 a mwy o weithwyr. Un o'r rhesymau pwysicaf dros ddewis y safle oedd agosrwydd nifer o weithfeydd dur ac alcam, i gyflenwi llwythi trwm o blatiau alcam ac i dderbyn pwysau sylweddol o ddernynnau metel i'w haildoddi.

Yn eu cysylltiadau â'r diwydiannau metel, tebyg fu hanes sefydlu'r gweithfeydd cydrannau modruon yn y rhanbarth. Ar sail y cychwyn a fu yn ystod yr Ail Ryfel, datblygwyd y ddau waith sydd gan British Leyland yn y Felin-foel ger Llanelli, gyda thua 2,000 o weithwyr — yn wir tua 2,500 ar ddechrau 1982. Sefydlwyd Gwaith Ford yn Jersey Marine ger Abertawe yn 1964 a daeth i gyflogi tua 2,000 o bersonau; ac yn 1969 agorwyd gwaith Borg-Warner yng Nghynffig gan roi swyddi i dros 1,000 o bobl.

Mae ymhelaethu fel hyn yn yr un ardal — o gynhyrchu meteloedd, ar un llaw, i wneud tuniau a chydrannau moduron, ar y llaw arall — yn fath o ddatblygiad a gymeradwyir fel ffordd addawol o gryfhau economïau rhanbarthau cymharol ddirwasgedig. Galwyd canlyniad ymestyn o'r natur yma yn 'arbenigaeth haenol' gan ei fod yn digwydd o fewn haen o weithgareddau sy'n ehangach nag un diwydiant. Credir ei fod yn ddatblygiad sydd yn osgoi, ar un ochr, beryglon gorarbenigo ac, ar yr ochr arall, yn gymharol rydd o wendidau goramryfalu — sef cynhyrchu llawer math o nwyddau, a rheini'n ansicr eu marchnadoedd, heb gyswllt cynhyrchiol â'i gilydd a heb wreiddiau yn naear economaidd yr ardal neu'r rhanbarth dan sylw.

Ymestyniad tebyg oedd y ddau waith cemegol a sefydlwyd yn y chwedegau yn agos at Burfa Olew B.P. yn Llandarcy — a'r technegau oll yn ganlyniadau gwyddoniaeth gymhwysol. Agorwyd y Burfa yn 1921 gan y Cwmni Anglo-Persian, ac 'roedd rhesymau strategol-filwrol yn bwysig yn y penderfyniad i'w hadeiladu ar y safle ger Sgiwen. Cyfenw William Knox D'Arcy yw'r ail elfen yn yr enw a roddwyd ar y lle: efe oedd y cyntaf i gael yr hawl i godi olew crai ym Mhersia. Hyd tua chanol y ganrif cymharol fychan oedd cynnyrch y Burfa, ac fe ddeuai'r olew amrwd iddi drwy Ddoc y Frenhines yn Abertawe cyn 1960: y flwyddyn honno agorwyd y bibell 62 milltir o hyd a ddaw â'r olew o Fae Angle ym Mhenfro lle mae glanfa i'r llongau enfawr. Fe gynyddodd y cynnyrch, o wahanol fathau o olew a chemegau, ryw bymtheg i ugain gwaith er 1945 ac fe gyflogwyd hyd at 1,500 o weithwyr yn y Burfa. Ac er 1963 cynhyrchwyd plastigau mewn gwaith mawr arall ym Maglan lle cyflogir tua 1,500 o bobl gan un o gwmnïau'r Grŵp B.P. i drin defnyddiau a gludir yno o Landarcy. Sefydliad arall cyfagos i'r Burfa, ac yn ddibynnol ar ei chynhyrchion hi, oedd Gwaith E. M. Edwards a agorwyd yn 1964 gan Fwrdd Nwy Cymru ar safle hen Waith Copr y Cape; eithr, er buddsoddi miliynau ar yr offer a'r technegau cymhleth, fe ddaeth cynhyrchu i ben yno o fewn pymtheng mlynedd oherwydd dyfodiad nwy Môr y Gogledd.

⁕　　⁕　　⁕　　⁕　　⁕

Mae dau fath o ehangu ac amryfalu economaidd yn bosibl mewn rhanbarth. Gellir ymestyn trwy gydio gweithgareddau newydd wrth rai cyd-ddibynnol sydd eisoes yno — fel yn achos y gweithfeydd metel a pheirianwaith a'r gweithfeydd olew a chemegau y soniwyd amdanynt uchod. Gellir hefyd sefydlu gweithfeydd a gwasanaethau sydd nid yn unig yn newydd i'r rhanbarth ond yn gymharol ddigyswllt â gweddill yr economi yno; ac fel y cyfeirir isod fe fu yn ogystal ddatblygiadau o'r natur yma yn rhanbarth Abertawe.

'Roedd anfanteision a manteision yn wynebu'r rhai a fynnai sefydlu gweithfeydd a gwasanaethau yn y rhanbarth. Un o'r rhwystrau oedd absenoldeb busnesau perthynol i ddiwydiannau a oedd yn tyfu'n gyflym — fel moduron a pheirianyddiaeth trydanol — a fuasai'n sail i ddatblygiadau pellach ynddynt hwy. Anfantais ychwanegol oedd pellter y rhanbarth o'r marchnadoedd mwyaf tyfadwy ym Mhrydain — cwmpasoedd Llundain a chanolbarth Lloegr. (Mae'n werth nodi mai'r lleoedd mwyaf ffyniannus yng Nghymru o 1950 ymlaen oedd y rhai agosaf at y lleoedd hynny, sef rhanbarth Caerdydd a Chasnewydd a gogledd-ddwyrain Clwyd.) Ar y llaw arall, un o fanteision rhanbarth Abertawe i fentraeth newydd oedd fod gweithwyr yn llai prin yno nag mewn rhai rhanbarthau diwydiannol eraill, a hynny oherwydd cau'r hen weithfeydd glo a metel ac oherwydd 'graddfa gweithgaredd' isel y merched. Mantais arall oedd fod yno safleoedd digon mawr a chymharol rad ar gael i adeiladu ffatrïoedd, gyda moddion cludiant a oedd yn cael eu gwella

136

— pethau a oedd yn ddeniadol i rai dan rwystredigaeth tagfeydd adeiladau a thrafnidiaeth mewn rhai ardaloedd diwydiannol. Ac fe ychwanegwyd at yr atyniadau drwy weithrediad polisïau rhanbarthol y Llywodraeth Ganol.

Er 1945 fe roddodd y Llywodraeth gymhellion ariannol i ffyrmiau i sefydlu gweithfeydd mewn ardaloedd llai ffyniannus a restrwyd fel Ardaloedd Datblygu. Hefyd, dan nawdd y Llywodraeth, fe sefydlwyd ffatrïoedd parod a stadau diwydiannol yn yr Ardaloedd hyn, ynghyd â gwella ffyrdd a gwasanaethau cyhoeddus eraill — tanadeiledd neu seilwaith yr economi, fel y'i gelwir. Ar yr un pryd, gwaharddwyd codi rhagor o weithfeydd mewn rhanbarthau ffyniannus fel Llundain a Chanolbarth Lloegr. Yn ddiau fe gyfrannodd y polisïau hyn at leihau diweithdra ac ychwanegu at amryfalaeth diwydiannol yr Ardaloedd Datblygu, ond — er gwneuthur rhai ceisiadau glew — ni fu'n bosibl mesur yr effeithiau am nad oedd modd didoli'r canlyniadau hynny oddi wrth y dylanwadau eraill a oedd ar waith.

Er 1945 fe restrwyd rhanbarth Abertawe dros gyfnod yn Ardal Ddatblygu, ond ar adegau eraill er y flwyddyn honno rhannau'n unig o'r rhanbarth a ddynodwyd felly; a gyda'r trefniadau presennol fe rannwyd y rhanbarth, yn ôl maint y cymorth sydd ar gael gan y Llywodraeth, yn Ardal Ddatblygu Arbennig, Ardal Ddatblygu ac Ardal Ganolradd. I'r olaf, gyda'r lefel isaf o gymorth, y perthyn Cylch Abertawe; ond, gyda chynhorthwy y Llywodraeth, fe sefydlodd Cyngor Dinas Abertawe 'Ardal Fentraeth' o 735 erw (297h) yng Nghwm Tawe — yn agos i Draffordd yr M4 — ac fe roddir cymhellion ariannol hael i ffyrmiau sy'n sefydlu gweithfeydd yno. Bellach fe ddaw arian hefyd o'r Gronfa Ewropeaidd er hyrwyddo Datblygu Rhanbarthol; a chyhoeddwyd yng Ngorffennaf 1981 y byddai Gorllewin Morgannwg yn cael £722,000 o'r Gronfa honno i dalu am bibellau nwy, ffyrdd, carthffosydd ac amddiffyn rhag llifogydd.

     *   *   *   *   *

Yn y degawdau diweddar fe fu llawer iawn o wella ar danadeiledd neu seilwaith economi'r rhanbarth. Buddsoddwyd yn helaeth i

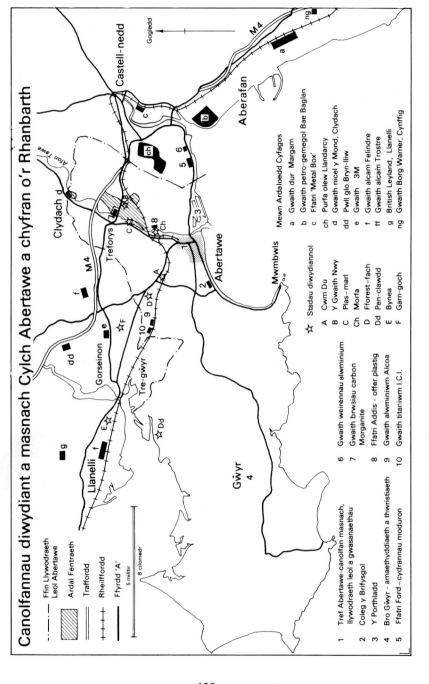

Canolfannau diwydiant a masnach Cylch Abertawe a chyfran o'r Rhanbarth

Ffin Llywodraeth Leol Abertawe
Ardal Fentraeth
Traffordd
Rheilffordd
Ffyrdd 'A'

5 milltir
8 cilomedr

Gogledd

M4
Castell-nedd
Aberafan
Clydach d
Treforys
Abertawe
Mwmbwls
Gorseinon
Tre-gŵyr
Llanelli
Gŵyr
Afon Tawe

1 Tref Abertawe–canolfan masnach, llywodraeth leol a gwasanaethau
2 Coleg y Brifysgol
3 Y Porthladd
4 Bro Gŵyr – amaethyddiaeth a thwristiaeth
5 Ffatri Ford – cydrannau moduron
6 Gwaith weirennau alwminium
7 Gwaith brwsiau carbon Morganite
8 Ffatri Addis – offer plastig
9 Gwaith alwminiwm Alcoa
10 Gwaith titaniwm I.C.I.

Mewn Ardaloedd Cyfagos
a Gwaith dur Margam
b Gwaith petro-gemegol Bae Baglan
c Ffatri 'Metal Box'
ch Purfa olew Llandarcy
d Gwaith nicel y Mond, Clydach
dd Pwll glo Bryn-lliw
e Gwaith 3M
f Gwaith alcam Felindre
ff Gwaith alcam Trostre
g British Leyland, Llanelli
ng Gwaith Borg Warner, Cynffig

Stadau diwydiannol
A Cwm Du
B Y Gwaith Nwy
C Plas–marl
Ch Morfa
D Fforest-fach
Dd Pen-clawdd
E Bynea
F Garn-goch

wella'r gyfundrefn ffyrdd, gan ganolbwyntio'n arbennig ar briffyrdd, ac, er canol y chwedegau, ar adeiladu'r Drafffordd — ac mai hi, fel y dengys y map, wedi ei chwblhau ar draws y rhanbarth, ag eithrio'r ychydig filltiroedd (rhwng Llandarcy a Baglan) y bwriedir eu gorffen erbyn 1987. Caewyd nifer o'r rheilffyrdd yn y chwedegau, ond bu gwelliannau ar y brif lein drwy Borth Talbot, Castell-nedd, Abertawe a Llanelli. Adeiladwyd harbwr mawr a dwfn newydd ym Mhorth Talbot yn niwedd y chwedegau; ac yn Abertawe fe gaewyd Doc y De, gan adael y tri doc i'r dwyrain o aber yr afon i ddelio â'r fasnach mewn meteloedd, glo, cynhyrchion olew a nwyddau eraill. Bu dyfodiad cyflenwad ychwanegol o ddŵr, o Lyn Brianne, yn gaffaeliad gwerthfawr; a bu'r tai a'r gwestai a'r siopau newydd a adeiladwyd yn atyniad i ddatblygiad economaidd — ac i raddau'n ganlyniad iddo. Cynyddodd y cyfleusterau addysgol, gan gynnwys addysg a gwasanaethau technolegol sy'n symbyliad ac yn gefn i ddiwydianwyr. Darpara'r Athrofa Addysg Uwch yn Abertawe gyrsiau mewn gwyddoniaeth, technoleg a thechneg ac astudiaethau busnes; a cheir cyrsiau ac ymchwil yn y meysydd hyn yng Ngholeg y Brifysgol, ynghyd â gwasanaethau ymgynghorol mewn triboleg a microbrosesu sydd ar werth yno. Ac mae'r hyfforddiant a roddir yn yr ysgolion a'r colegau technegol mewn trefi eraill yn y rhanbarth yn amlwg bwysig.

Yn ychwanegol at y caffaeliadau hyn, fe fu clirio olion hagr hen ddiwydiannau — gwaith sydd yn dal i fynd rhagddo — yn llesol iawn. Yn 1960, o Goleg y Brifysgol, ac yno oddi wrth Robin Huws Jones yn arbennig, y daeth y symbyliad a'r arweiniad cychwynnol i chwilio am ffyrdd o ddelio â'r hirdir o anialwch diwydiannol (ryw $3^1/_2$ milltir o hyd wrth filltir o led) a oedd yng Ngwaelod Cwm Tawe. Dywedir mai hon oedd yr ardal fwyaf eang o hagrwch difrifol a di-dor ym Mhrydain. Gydag arian o wahanol goffrau, ac adnoddau a roddodd y Coleg, sefydlwyd grŵp o ymchwilwyr amser llawn i astudio gwahanol broblemau a phosibiliadau'r ardal — gan weithio gydag aelodau o staff y Coleg, o wahanol ddisgyblaethau, ac mewn cydweithrediad â phobl o fyd diwydiant ac o Gorfforaeth Abertawe a'r Swyddfa Gymreig. Ysgrifennwyd adroddiadau manwl a thrwchus ar y gwahanol agweddau ac yna, mewn llyfr a olygwyd gan K. J. Hilton a'i gyhoeddi yn 1967, caed arolwg o'r cyfan ynghyd ag argymellion; ac yn ddiweddar fe gyhoeddwyd dau lyfr arall sy'n trafod y gwelliannau a wnaed a'r rhai sydd i ddod. Adroddir fel y symudwyd dros filiwn o dunelli o sbwriel diwydiannol a'i ddefnyddio wrth osod sylfeini adeiladau a ffyrdd. Arbrofwyd ar adfer tyfiant i'r tiroedd a gafodd eu gwenwyno; fe blannwyd glaswellt a thros hanner miliwn o goed; ac fe lwyddwyd yn rhyfeddol, trwy gydweithrediad yr ysgolion ac ardalwyr o bob oed, i warchod a datblygu'r coedlannau a'r lleiniau agored, ynghyd â'r afon a'i glannau, yn lleoedd i fwynhau ac i astudio byd natur. Hefyd fe luniwyd stadau diwydiannol, a meysydd chwarae, a gwnaed maes athletau o safon ryngwladol yn y Morfa. Gyda hyn oll, os na throdd y 'wlad lom adwythig' yng ngwaelod y Cwm i fod eilwaith yn 'Ardd Morgannwg', fe ddaeth llawer o lesni a glendid a gobaith yno — ac mae'r holl adfer, wrth gwrs, yn bwysig i ddiwylliant a delwedd ac economi cylch Abertawe. Gellir bod yn ffyddiog y bydd modd adrodd am nifer o lwyddiannau ychwanegol mewn cynhadledd sydd i'w chynnal yn 1987 i drafod yr ardal.

✻   ✻   ✻   ✻   ✻

Fe soniwyd uchod am yr amryfalu economaidd a ddigwyddodd yn rhanbarth Abertawe trwy sefydlu gweithfeydd newydd mewn cysylltiad â'r hen rai. Anodd — a di-fudd efallai — fyddai casglu a chywasgu'r holl wybodaeth am yr ail fath o amryfalu, sef y math a ddaeth drwy weithgareddau nad oedd fawr o gysylltiad rhyngddynt a'r hyn a oedd eisoes yn y rhanbarth nac ychwaith rhyngddynt â'i gilydd. Eithr fe ellir dosrannu'r gweithgareddau hyn yn 'Ffatrïaeth Cyffredinol' a 'Gwasanaethau', a chyfeirio at rai o'r prif enghreifftiau. Dangosir lleoliad ambell un o'r rhain ar y map.

Yn perthyn i'r ail fath hwn o amryfalu mae pum ffatri, gyda thua mil neu fwy o weithwyr yr un, sef gwaith y 3M ger Gorseinon, sy'n cynhyrchu tapiau magnetig (gan gynnwys rhai fideo) a thapiau glynu; gwaith celfi trydanol Smith's Industries, Ystradgynlais; ffatri deganau Mettoy yn Fforest-fach; gwaith cydrannau carbon trydanol Morganite ger Treforys; a ffatri Ford yn Jersey Marine. Mae llu o weithfeydd llai, ond pwysig er hynny, megis ffatri strapiau metel Signode, ffatri ddillad Hodges a ffatri bwydydd Smith's — y dair hyn yn Fforest-fach — a gwaith nwyddau plastig Addis yng ngwaelod Cwm Tawe. Mae'n werth sylwi fod y ffatrïoedd yng nghylch Abertawe wedi eu lleoli y tu draw i drum gogleddol y dref ac ar ei hochr ddwyreiniol.

Fe gryfhaodd safle Abertawe fel canolbwynt gwasanaethau'r rhanbarth ac ynddi'r prif ganolfannau trafnidiaeth, dosbarthu, arian a bancio, newyddiaduriaeth, iechyd, addysg ac adloniant. Yng ngwaelodion y dref mae'r siopau mawr fel Debenham's, David Evans, C & A a Boots, ynghyd â'r banciau a llawer o'r prif swyddfeydd, a gwestai fel y Ddraig a'r Dolphin. Yno hefyd mae nifer o ysgolion a cholegau — ac mae'n werth sylwi fod Coleg y Brifysgol yn cyflogi tua 1,650 o bobl, a bod staff o tua 400 gerllaw yn Ysbyty Singleton. Yn ddiweddar, fodd bynnag, fe sefydlwyd unedau gwasanaethol mawr ar gyrion gogleddol a dwyreiniol y ddinas. Ger Treforys yn 1974 fe agorwyd y Ganolfan Drwyddedu Modurwyr a Moduron (DVLC) gyda staff o tua 5,500 erbyn 1978 a rhyw 4,000 yn 1981. Hefyd mae archfarchnad gan Asda yn y Trallwn ac un gan Tesco yn Fforest-fach, ac ymsefydlodd cyfanwerthwyr ar y stadau diwydiannol. Fe ddatblygodd canolfannau siopau a gwasanaethau yn nwy brif dref arall y rhanbarth, sef Llanelli a Phorth Talbot.

Mae Abertawe hefyd yn ceisio adennill y lle a oedd iddi hyd at ganol y ganrif ddiwethaf fel canolfan gwyliau. Mae ganddi atyniadau sylweddol i dwristiaid, megis y Ganolfan Hamdden, yr amgueddfeydd ac Oriel Ddarluniau Glynn Vivian, Neuadd Brangwyn, y theatrau, y cyfleusterau i gychod pleser — heb sôn am draethau godidog, cefn gwlad hyfryd ac olion hynafiaethol sydd oll o fewn cyrraedd yn rhwydd. Bu Cyngor y Ddinas a Bwrdd Twristiaeth Cymru'n dra egnïol yn hyrwyddo datblygiad i'r cyfeiriad yma; a daeth cyhoeddiad yn Chwefror 1982 am grant o £220,000 gan y Swyddfa Gymreig tuag at welliannau a harddu yng nghyffiniau Marina Doc y De — lle hefyd, yr un mis, yr agorwyd canolfan newydd Cyngor Croeso'r De.

Gellir dirnad maint a rhai o effeithiau'r amryfalu gyda chymorth y tabl isod a'i gymharu â'r hyn a wyddys am arbenigaeth economaidd rhanbarth Abertawe yn y gorffennol. Sylwer mai ystadegau am

Orllewin Morgannwg sydd yn y tabl, ond mae terfynau'r sir yn cyd-daro'n bur dda â rhai'r rhanbarth, ag eithrio'r ffaith nad yw'n cynnwys cylch Llanelli. Ffigurau am 1977 a roddir, sef y flwyddyn olaf y ceir ystadegau amdani ynglŷn â galwedigaethau yn y siroedd.

FFRAMWAITH ECONOMI GORLLEWIN MORGANNWG YN 1977

		Dynion	*Merched*	*Cyfanrif*
Nifer y gweithwyr yn 1977		99,898	59,718	159,616
Y canrannau ohonynt yn y diwydiannau a enwir:				
1.	Diwydiannau metel	26.3	5.3	18.4
2.	Y swiriant, bancio a gwasanaethau proffesiynol a gwyddonol	8.0	31.8	16.9
3.	Gweinyddu llywodraethol ac amddiffyn	8.7	14.1	10.7
4.	Dosbarthu	6.7	16.2	10.3
5.	Ffatrïaeth cyffredinol	6.0	11.4	8.0
6.	Adeiladu	11.5	1.0	7.6
7.	Gwasanaethau cyhoeddus a thrafnidiaeth	10.3	3.0	7.6
8.	Gwasanaethau cyffredinol	4.4	12.1	7.2
9.	Peirianwaith a moduron	8.0	3.8	6.4
10.	Mwyngloddiau a chwareli	5.2	0.2	3.3
11.	Amaethyddiaeth, coedwigaeth a physgota	0.8	0.3	0.6

(Detholiad ac ad-drefniad yw hwn o dabl a gaed trwy garedigrwydd Uned Ymchwil Ganolog, Cyngor Sir Gorllewin Morgannwg.)

Ar yr olwg gyntaf ar y tabl ceir bod y diwydiannau metel — sy'n gyfrifol am 18.4 y cant o holl weithwyr Gorllewin Morgannwg a thros chwarter (26.3 y cant) y dynion — wedi parhau i fod yn brif ffynhonnell gwaith yn y rhanbarth. Ac yr oedd y diwydiannau cysylltiedig â hwy, sef peirianwaith a moduron, yn gyfrifol am 6.4 y cant arall o'r gweithwyr. Eithr, o ddwyn ynghyd ddosbarthiadau 2, 3, 4, 7 ac 8 yn y tabl, ceir bod dros hanner (52.7 y cant) y gweithwyr yn cael eu cyflogi yn y gwasanaethau; ac ynddynt hwy yr oedd mwy na thri-chwarter (77.2 y cant) y merched cyflogedig yn gweithio. Mae tabl arall a welwyd am randir mwy cyfyngedig sy'n cyfateb yn fras i gylch Abertawe yn dangos nad oedd ond 10 y cant o'r gweithwyr yno yn ennill eu bywoliaeth yn y diwydiannau metel ond fod cymaint â 63.8 y cant ohonynt (ac 80.0 y cant o'r merched) yn gysylltiedig â'r gwasanaethau. Mae'r newid pwyslais yma i gyfeiriad y gwasanaethau — o 34 y cant o weithwyr y rhanbarth yn 1951 i 52.7 y cant yn 1977, ac yn ddiau i ganran braidd yn uwch erbyn hyn — yn un o'r datblygiadau pwysicaf yn economi'r rhanbarth yn y degawdau diweddar. Newid hynod bwysig arall fu'r cynnydd yn nifer y merched mewn gwaith cyflogol, ac yng nghyfradd eu gweithgaredd — o 32 y cant yn 1968 i tua 50 y cant, fe gredir, yn 1981-2. Mae'n ddiddorol sylwi hefyd mor gymharol ddibwys bellach yw'r diwydiant glo fel cyflogwr yn y rhanbarth, canys rhyw 5 y cant o'r holl weithwyr a oedd ynddo yn 1977 o gymharu â 14.4 y cant yn 1951.

Fe gollodd tua 30,000 o bobl eu gwaith yn rhanbarth Abertawe rhwng 1977 a diwedd 1981. Erbyn Ionawr 1982 yr oedd 27,728 o bobl allan o waith yng Ngorllewin Morgannwg, sef 16.2 y cant o'r holl weithwyr (yr un ganran ag yng Nghymru oll) — mewn cymhariaeth â 3.8 y cant yn 1974 a 15.4 y cant yn Awst 1981. Y ffatrïoedd — ac nid yn unig y rhai yn yr hen ddiwydiannau — oedd yn gyfrifol am 70 y cant o'r diswyddo a fu yng Ngorllewin Morgannwg rhwng 1977 a 1981. Yn y diwydiant adeiladu y bu 21 y cant arall o'r diswyddiadau ond nid oedd ond 6 y cant ohonynt yn y gwasanaethau. Tristwch hyn oll, wrth gwrs, yw fod llawer o ddiffyg defnyddio galluoedd pobl, ynghyd ag adnoddau eraill, i gynhyrchu'n fuddiol, a bod cynifer o'r rhai sydd heb waith a'u teuluoedd yn dioddef — ac nid o brinder arian yn unig.

Mae'n amlwg fod rhagolygon rhanbarth Abertawe yn dibynnu'n

bennaf ar benderfyniadau a datblygiadau y tu allan iddi er bod dewis-
iadau a gweithredoedd o'r tu mewn hefyd yn bwysig. Ymddengys yn
ogystal fod yna elfennau ffafriol yn sefyllfa bresennol y rhanbarth a'r
cylch — pethau fel amryfalaeth yr economi; y tueddiadau, gan
gynnwys yr helaethu ar hamdden, sydd yn cynyddu'r galw am weith-
gareddau gwasanaethol; y gwelliannau yn y gyfundrefn ffyrdd ac yn
adrannau eraill y tanadeiledd; a'r parodrwydd i ddysgu ac addasu er
mwyn defnyddio'r technegau diweddaraf, ac i gynhyrchu gogyfer â
marchnadoedd sy'n cynyddu. Gellir bod yn weddol obeithiol hefyd
ynglŷn â rhai o'r gweithfeydd newydd, gan nad atodiadau hawdd eu
hepgor ydynt ond rhan hanfodol o holl weithgaredd y ffyrmiau a'r
corfforaethau sy'n eu meddu. Eithr mae cryn anhapusrwydd am nad
oes statws uwch gan gylch Abertawe o safbwynt cymorth oddi wrth
y Llywodraeth — ac mae teimladau tebyg mewn cylchoedd eraill yn
y rhanbarth i'r gorllewin o Borth Talbot a Chymer ynghylch eu
statws hwythau. Ymhellach, fe gododd rhywfaint o gynnen ynglŷn
â'r ffafrau arbennig a roddir i'r Ardal Fentraeth ger Treforys —
cymhellion nad ydynt hyd yma wedi denu llawer o fusnesion o'r tu
allan i'r rhanbarth ond y credir eu bod yn bennaf gyfrifol am symud
rhai mân weithfeydd i'r Ardal honno o fannau eraill yn y rhanbarth.

Wrth gwrs pobl, fel cynhyrchwyr a defnyddwyr, yw craidd yr holl
weithgareddau economaidd. Prif bwrpas diwydiant a masnach a'r
gwasanaethau yw cynhyrchu yr hyn y mae pobl yn galw amdano; ac
mae'r cynhyrchu hwnnw, o'i iawn gyfeirio, yn rhan o'r 'cyfuniad o
weithgareddau . . . lle mae'r gwâr yn ennill ar y gwyllt', a dyfynnu o
anerchiad llywyddol yr Athro J. E. Caerwyn Williams yn Eisteddfod
Genedlaethol Dyffryn Lliw yn 1980. Felly y mae pobl wrth eu gwaith
yng nghylch a rhanbarth Abertawe yn cyfrannu at ddiwylliant, sef
bywyd helaethach a chyfoethocach i bobl sy'n byw yno ac mewn
mannau eraill.

Y PRIF FFYNONELLAU

Buasai nodiadau cyfeiriadol manwl ar gynnwys y bennod hon yn rhy niferus i'w rhoi yma, ond gellir rhestru'r prif ffynonellau fel hyn:

Swansea and its Region (gol. W. G. V. Balchin: Abertawe, 1971);

Glamorgan County History, Cyfrol V (gol. Arthur H. John a Glanmor Williams: Caerdydd, 1980);

W. E. Minchinton, *The British Tinplate Industry* (Rhydychen, 1967);

Neath and District : a Symposium (gol. Elis Jenkins: Castell-nedd, 1974);

Geographical Excursions from Swansea (gol. G. Humphrys, Adran Ddaearyddiaeth, Coleg y Brifysgol, Abertawe 1978);

G. Humphrys, 'Swansea Bay City', *Western Mail Review*, 10 Rhagfyr 1981;

Paul Harrison, 'The Life of Cities' (Abertawe a Chaer-lŷr), *New Society*, 5 Rhagfyr 1974;

Graham L. Rees ac eraill, *Survey of the Welsh Economy* (Commission on the Constitution, H.M.S.O., 1973);

R. O. Roberts, 'Creu gwaith mewn rhanbarthau ac ardaloedd datblygu', *Lleufer*, Gwanwyn 1962;

Roy Thomas, 'Agweddau ar leoliad diwydiant', *Trafodion Economaidd a Chymdeithasol, 1956-1963* (gol. M. J. Jones ac R. O. Roberts: Gwasg Prifysgol Cymru, 1966);

Syr Melfyn W. Rosser, 'Cefndir ymarferol polisi datblygu rhanbarthol', *Trafodion Economaidd a Chymdeithasol, 1964-1973* (gol. W. Huw R. Davies ac R. O. Roberts: Gwasg Prifysgol Cymru, 1977);

The Lower Swansea Valley Project (gol. K. J. Hilton: Llundain, 1967);

Dealing with Dereliction (gol. Rosemary D. F. Bromley a Graham Humphrys: Coleg y Brifysgol, Abertawe, 1979);

Steve Lavender, *New Lands for Old* (Bryste, 1981);

Cyngor Dinas Abertawe, *Lower Swansea Valley – Legacy and Future* (1982);

Cyngor Sir Gorllewin Morgannwg, *Development Fact Sheets* (1981);

South Wales Evening Post;

Swansea Trade and Industry (*Swansea Advertiser*);

City of Swansea and Land Authority for Wales, *Swansea Enterprise Zone* (Mai 1981).

Caed ystadegau, gan gynnwys y rhai sydd yn y Tabl, drwy garedigrwydd Mr Lyn Jones o Uned Ymchwil Cyngor Sir Gorllewin Morgannwg. Yn *Y Faner* y cyhoeddwyd yr englyn gan y diweddar Barch. R. Ithel Williams. Ymddangosodd yr anerchiad gan y Dr J. E. Caerwyn Williams (y cyfeirir ato ar y diwedd) yn *Y Goleuad*, 3 Medi 1980; ac mae'n bleser hefyd gydnabod dylanwad trafodaeth yr Athro T. J. Morgan yn ei lyfr *Diwylliant Gwerin* (Gwasg Gomer, 1972), ac yn arbennig tt. 7-9 a 118-120.

Hoffai'r awdur ddiolch i ddau gyfaill o Goleg y Brifysgol, Abertawe, sef W. Gerallt Harries, Adran y Gymraeg a Geinor B. Lewis, yr Adran Ddaearyddiaeth.

Yr Arlunydd yng Ngorllewin Morgannwg

Donald Moore

Pan ymwelodd Eisteddfod Genedlaethol Cymru ag Abertawe yn 1964, trefnodd Pwyllgor Cymreig Cyngor y Celfyddydau arddangosfa arloesol o dan y testun 'Celfyddyd yng Nghymru', i'w chynnal yn Oriel Glynn Vivian y Fwrdeistref. Honno oedd yr arddangosfa fwyaf uchelgeisiol a wnaed hyd hynny gan y Pwyllgor Cymreig, yn ôl yr Athro Gwyn Jones yn ei ragair i'r catalog. Cyd-weithredodd y ddau sefydliad cenedlaethol — yr Amgueddfa a'r Llyfrgell — ynghyd ag arbenigwyr o leoedd eraill, i gynnull arddangosfa o drysorau'r wlad yn cynrychioli hanes pedair mil o flynyddoedd.

Er cymaint oedd diddordeb, pleser a syndod yr ymwelwyr wrth edrych ar yr arddangosfa, bu raid i'r trysorau yn y diwedd fynd yn ôl i'w hen leoedd arferol — amgueddfeydd, orielau neu gartrefi preifat. Ond arhosodd y catalog — llyfr bach sgwâr — ar y silff lyfrau, yn arwydd o'r cyfoeth gwefreiddiol a ymddangosodd mewn un man am gyfnod byr. Mewn bodolaeth yn barod yr oedd llyfr arall ar yr un pwnc a gyhoeddasid saith mlynedd yn gynharach, *Art in Wales* gan Guradur Oriel Glynn Vivian, David Bell.

Yr oedd neges glir yn y ddau lyfr: ni ddylid anwybyddu neu ddibrisio etifeddiaeth gelfyddydol Cymru. Er na fu Cymru erioed yn wlad gyfoethog, erys digonedd o bethau cain o'i chynnyrch hi ac o eiddo pobl ddyfod i haeddu sylw parchus.

Bedair blynedd ar ddeg wedi'r arddangosfa fawreddog honno, cymerodd Cyngor Celfyddydau Cymru (dilynwyr y Pwyllgor Cymreig) y catalog bach yn sail i gyhoeddi cyfrol ddarluniadol swmpus *Y Celfyddydau yng Nghymru 2000 C.C. - 1850 O.C.* Ynddi ymhelaethwyd ar y gwahanol gyfnodau, ac ychwanegwyd ffrwyth llawer ymchwiliad diweddar.

Dywedir yn aml y dylai celfyddyd gael ei hystyried yn nhermau tiriogaeth eang, gan fod dulliau hunanfynegiant yn ymledu'n fuan y tu hwnt i ffiniau gwlad, a'i bod yn gamarweiniol cyfyngu astudiaeth i wlad arbennig, yn enwedig i wlad mor fechan â Chymru, sydd wedi dibynnu cymaint ar ddylanwadau celfyddydol o gyfeiriad Lloegr. Os felly, mwy peryglus fyth yw cyfyngu'r astudiaeth hon i ran fechan o'r wlad honno, sydd wedi dod yn uned o dan ei henw presennol — Gorllewin Morgannwg — dim ond ryw wyth mlynedd yn ôl. Fodd bynnag, fe ddengys hanes y llyfrau uchod faint o bethau pwysig sydd wedi mynd i ebargofiant yn y gorffennol, a gall y rhai effro heddiw weld faint o waith creadigol sy'n mynd ymlaen yn awr. Mewn maes mor anhysbys a chyfnewidiol felly, mae unrhyw gyfraniad yn ychwanegu at ein dealltwriaeth. Efallai y cawn weld hyd yn oed fod rhinwedd arbennig yn yr ardal dan sylw.

Mae tair elfen i Orllewin Morgannwg: ardal fryniog, arfordir cul, gorynys wastad. Nodwedd cyfran sylweddol o'r arfordir yw ei ffurf hanner cylch, a gymharwyd gynt i Fae Napoli o ran pryferthwch. Heddiw, efallai, mae angen llygad gwahanol i edmygu'r olygfa o'r holl ddiwydiannau a'r ffatrïoedd sydd wedi codi o gwmpas y bae yn gymharol ddiweddar; dywed rhai y dylid ystyried y parthau adeiledig yn un ddinas — Dinas Bae Abertawe. Ar y llaw arall, ardal wledig ac amaethyddol yw gorynys Bro Gŵyr gyda chlogwyni serth a thraethau tywodlyd. Yn y bryniau ceir mineralau i fwydo diwydiant, yn ogystal â phrydferthwch dŵr a dyffryn.

Yr oedd prydferthwch natur yn atyniad sylweddol i ymwelwyr ac arlunwyr y ddeunawfed ganrif, ond rhaid cofio nad oedd llawer o ddewis ganddynt, gan fod prif lwybrau masnach a chyfathrebu o'r dwyrain yn gorfod mynd trwy'r ardaloedd hyn, prydferth neu beidio. Porthladd allweddol oedd Abertawe gyda chysylltiadau cryf dros y môr â Bryste, prifddinas Môr Hafren.

Ar y tir byddai'n rhaid i bob teithiwr a fyddai'n defnyddio priffordd yr arfordir tua'r gorllewin fynd ar hyd gwastadedd cul heibio i Fargam, Llansawel a Chastell-nedd; dyna sut y bu ers amser y Rhufeiniaid. Os oedd am groesi afon Nedd, byddai'n rhaid iddo gymryd y fferi o Lansawel neu fynd ymlaen hyd at y bont yng Nghastell-nedd ei hun. I'r fan honno deuai ffordd bwysig arall drwy'r bryniau o'r Fenni. Cofier fod y ffyrdd hyn yn arwain i

Iwerddon yn y pen draw, ac oherwydd hyn gwelid trafnidiaeth gyson a phwysig.

Ond o sôn am hanes celfyddyd yn yr ardaloedd hyn rhaid dewis man cychwyn. I fod yn rhesymegol dylid dechrau gyda'r noddwr, y dyn holl-bwysig yng nghreadigaeth gweithiau celf. Efe sy'n mynegi dymuniad yn y lle cyntaf, ganddo ef y mae'r moddion a chanddo ef y mae'r cyfleusterau arddangos. Gall y noddwr fod yn unigolyn, yn gymdeithas, yn sefydliad, neu yn gorff cyhoeddus. Erbyn heddiw nid yw'r unigolyn mor amlwg ac mae nawddogaeth yn fwy cudd a gwasgaredig. Hefyd, arfera arlunwyr yn fwyfwy wneud eu gwaith yn ôl eu hargyhoeddiadau neu eu mympwyon eu hunain; chwiliant am noddwyr wedyn, pan fyddant yn gwerthu eu cynnyrch.

Gellid gofyn hefyd pa mor llwyddiannus ydyw ardal i gynhyrchu arlunwyr a chrefftwyr, neu ba fath gyfleusterau sydd yno er hyfforddi disgyblion celf a chrefft. Gellid sôn am y bonheddwyr gynt yn creu casgliadau celfyddyd ac orielau arddangos yn eu plastai er eu lles eu hunain a'u gwesteion. Yn ein dyddiau ni, rhaid cyfeirio at waith cynghorau lleol neu sefydliadau cenedlaethol yn codi orielau

Llansawel. Lluniad pin-a-golch gan Samuel Hieronymus Grimm, 1777
(Cafwyd gan wasanaeth Archifau Morgannwg)

ac arddangosfeydd i'r cyhoedd, neu gyfleusterau ymarfer i'r arlunwyr a'r crefftwyr. Diddorol hefyd fyddai gweld pa mor bell y mae marchnad gelfyddyd wedi datblygu yn achos gwaith cyfoes neu greiriau hanesyddol. Oddi wrth lwyddiant y fasnach hon ceir gwybodaeth am chwaeth, cyfoeth ac awydd y trigolion. Ond y mae un ffactor yn dylanwadu ar y llall, ac felly y mae cyfiawnhad dros ddechrau mewn unrhyw fan. Dywedodd Elis Gwyn Jones yn ddiweddar wrth gyflwyno arddangosfa o dirluniau yn Llandudno: 'Credaf y byddai'n deg dweud bod diddordeb y rhan fwyaf ohonom mewn celfyddyd weledol yn gysylltiedig â'n teimlad tuag at dirwedd'. Fe ddechreuir felly trwy olrhain sut oedd yr arlunwyr cynharaf yn dangos tirwedd y rhan yma o'r wlad.

Nid hawdd heddiw yw treulio hyd yn oed ddiwrnod o'n bywyd heb weld darluniau dirifedi o ryw fath neu gilydd — mewn papur newydd, cyfnodolyn, llyfr, hysbyseb neu'n fwy na dim mewn modd symudol ar deledu neu ffilm. Ni bu felly tan yn gymharol ddiweddar. Fwy na phedwar can mlynedd yn ôl, byddai'r Cymry i gyd yn byw'n llwyddiannus yn ôl safonau eu hoes heb edrych ar ddarluniau o gwbl, ar wahân i ambell baentiad, cerflun a ffenestr wydr lliw yn yr eglwys ar y Sul. Gellir dweud sut a phryd y dechreuwyd ar ddarlunio lleoedd a phobl ar Gyfandir Ewrop, wedyn yn Lloegr ac yn nes ymlaen yng Nghymru. Yn sicr yr oedd Cymru braidd yn ddiweddar yn y datblygiad hwn ac ni chawn bron ddim tan ddechrau'r ail ganrif ar bymtheg. Bryd hynny, o dan ddylanwad y gwneuthurwyr mapiau gwnaed golygfeydd bychain o drefi pwysig yng Nghymru. Mae hanes y darluniau cynnar mewn llawer ardal yng Nghymru yn dilyn yr un patrwm, ac mae enwau cyfarwydd yn dod i'r amlwg dro ar ôl tro. Ond er bod Abertawe yn ganolfan bwysig i deithwyr, nid oedd hi'n dref sirol; felly nid ymddangosodd golygfa ohoni ar y mapiau o'r siroedd a gyhoeddodd John Speed yn 1611, nac ar ei fap o Gymru ychwaith. Rhaid aros hyd yn ddiweddar yn yr ail ganrif ar bymtheg cyn cael lluniau o leoedd perthnasol. Fe'u gwnaed gan ddau deithiwr ar ffurf brasluniau nas cyhoeddwyd ar y pryd: rhai gan Francis Place yn 1678, ac eraill gan Thomas Dineley yn 1684.

Gŵr bonheddig o swydd Durham yng Ngogledd Lloegr oedd Francis Place, yn teithio er mwyn diddordeb. Arferai gofnodi lleoedd mewn pin, pensil, golch a dyfrliw. Fe ddaeth i dde Cymru ar daith gerdded yng nghwmni cyfaill, William Lodge, yn 1678. Ar y ffordd o Gaerdydd i Sir Benfro, arhosodd i wneud brasluniau o Abertawe ac Ystumllwynarth. Dyma'r darluniau cynharaf y gwyddom amdanynt sy'n dangos yr ardal yma. Gweithiau syml a bychain oeddynt, wedi eu gwneud ar frys wrth fynd heibio.

Y teithiwr arall a grybwyllwyd uchod oedd Thomas Dineley, a ddaeth chwe blynedd ar ôl Francis Place ond ar neges go wahanol. Yr oedd ymhlith gosgordd Dug Beaufort, Arglwydd Lywydd Cyngor Cymru ac Arglwydd Warden y Gororau. Yr oedd ei daith yn debyg i orymdaith frenhinol; pwrpas y Dug oedd arolygu'r wlad yn gyffredinol a'r milisia'n arbennig, yr hyn a wnaeth â rhwysg mawreddog. Yr oedd yn rhaid iddo fod yn bresennol mewn gwasanaeth swyddogol ymhob eglwys o bwys, a chafodd Dineley o ganlyniad gyfle i ddilyn ei ddiddordebau hanesyddol a hynafiaethol drwy gofnodi hen feddargraffiadau ac arfbeisiau. Gwnaeth frasluniau o eglwys Y Santes Fair, Abertawe, eglwys Castell-nedd ac eglwys Margam; hefyd o'r hen blasty ym Margam, sydd bellach wedi diflannu. Mae'r llun olaf yn nodweddiadol a phwysig (er bod y dechneg yn wan) gan nad oes ond dau lun arall o'r lle mewn bodolaeth.

Mae'r ddau ddarlun hyn o Fargam wedi eu gwneud mewn olew ar gynfas, ac yn ôl arfer y cyfnod, maent yn edrych i lawr o'r awyr. Yr oedd y modd hwn yn addas i ddangos helaethrwydd eiddo tirfeddiannwr, mawredd ei dŷ a phrydferthwch ei erddi. Cymerwyd un olygfa o'r gogledd ac un o'r de. Gellir gweld sut y trawsffurfiwyd hen adeiladau'r abaty canoloesol yn annedd sylweddol ar ôl y Diwygiad gan Syr Rice Mansel o Oxwich ym Mro Gŵyr a'i ddisgynyddion. Cymhlethdod o waith gothig, Tuduraidd a Chlasurol Cynnar oedd y lle. I'r dwyrain o'r tŷ dangosir adeilad bach ar ffurf dwy sgwâr: man gwledda'r haf oedd hwn, a dyna lle y cafodd Dug Beaufort ei groesawu yn amser Dineley. Ni wyddys pwy oedd arlunydd y ddau ddarlun hyn, nac i sicrwydd eu dyddiad, ond tua'r flwyddyn 1700 yw'r cyfnod tebycaf. Go brin felly ydyw tystiolaeth tirluniau yn yr ail ganrif ar bymtheg; noder na chafodd yr un ohonynt ei argraffu a'i gyhoeddi pan wnaed ef.

Daeth datblygiad y tirlun i'w uchafbwynt ar ddiwedd y ganrif nesaf, ond araf oedd y dechreuad. Cyhoeddwyd y llun cyntaf o dref

Yr Hen Blasty ym Margam o'r De. Rhan o dirlun olew gan arlunydd
anadnabyddus, tua 1700
(Cafwyd gan Amgueddfa Genedlaethol Cymru)

Abertawe y gwyddom amdano yn 1729, fel ychwanegiad at fap gan
Emanuel Bowen. Fe sylwir pa mor fychan oedd y lle bryd hynny, a
sut yr oedd trefn yr anheddau o'r de i'r gogledd, yn wrthwyneb i'r
hyn sy'n bod heddiw pan ddeil y dref i ymestyn ar hyd yr arfordir, o'r
dwyrain i'r gorllewin. Nid yw gwaith Bowen yn hardd na chaboledig,
ond y mae yn ddechrau.

Tua'r un adeg yr oedd dau frawd yn dod i'r amlwg fel awduron
darluniau o leoedd hanesyddol ymhob man yn y wlad — Lloegr a
Chymru — sef Samuel a Nathaniel Buck. Byddent yn mynd o
gwmpas rhyw ardal o'r wlad bob haf er mwyn gwneud lluniadau o
gestyll, abatai, eglwysi a phlastai; y gaeaf dilynol byddent yn engrafu
(neu 'lin-gerfio') delweddau ar blatiau copr yn eu gweithdy yn
Llundain. Wedyn, yn y gwanwyn byddai cyfrol o 24 darlun mawr yn
ymddangos ar werth. Cynhwyswyd saith darlun yn ymwneud â

gorllewin Morgannwg mewn casgliad a gyhoeddwyd 25 Mawrth, 1741. Cysegrwyd plat yr un i gestyll Abertawe, Ystumllwynarth, Pennardd, Pen-rhys a Weblai; yn yr olygfa o Bennardd gwelir Castell Oxwich yn y pellter, a'r tu hwnt i Weblai gwelir olion castell Landimôr. Darluniodd y brodyr hefyd adfeilion Abaty Glyn Nedd ynghyd â'r rhan ohono a gafodd ei drawsffurfio bellach yn weithdy neu annedd. Darlun arall ganddynt oedd porth y castell a'r dref yng Nghastell-nedd; ar y bryn tua'r dde safai bryd hynny blasty'r Gnoll, cartref Herbert Mackworth, Yswain, yr Aelod Seneddol dros Fwrdeistrefi Morgannwg. Enwir y Tra Phendefigaidd Henry Somerset, Dug Beaufort, o dan y darluniau o gastell Ystumllwynarth ac o gastell Pennardd, a'r Gwir Anrhydeddus Thomas Arglwydd Mansel o dan gestyll Pen-rhys a Weblai. Hwy oedd y ddau dirfeddiannwr pwysig yn yr ardaloedd hynny ar y pryd.

Yn ogystal â'r saith llin-gerfiad hyn, cyhoeddwyd panorama o dref Abertawe yn 1748 mewn cyfres arall yn ymwneud â threfi a dinasoedd yn hytrach na henebion unigol. Mae llin-gerfiadau Buck yn adnabyddus iawn y dyddiau hyn, gan fod cymaint o gopïau i'w cael, ond rhaid wrth fwy o chwilio i gael hyd i'r lluniadau gwreiddiol. Mae llun mewn pin a golch o'r panorama o Abertawe yn Llyfrgell Genedlaethol Cymru, un o Gastell Abertawe yn Sefydliad Brenhinol De Cymru, ac un o Abaty Glyn Nedd gyda Chymdeithas Hynafiaethwyr Castell-nedd. Ceir triniaeth helaethach o waith y brodyr hyn ym Morgannwg mewn cyhoeddiad arall, ond rhaid pwysleisio eu bod yn arloeswyr pwysig yn hanes datblygiad celfyddyd dopograffig.

Un amcan gan arlunwyr oedd cofnodi adeiladau, o leiaf y rhai hen a phwysig, ond yr oedd diddordeb hefyd mewn golygfeydd o'r wlad o gwmpas. Arloeswr yn y maes hwn oedd Richard Wilson (1713-82), mab i reithor Penegoes ger Machynlleth. Astudiodd Wilson i ddechrau yn Llundain ond aeth i'r Eidal yn 1750; yr oedd yr ymweliad hwn yn dra phwysig iddo ef ac yn wir i hanes celfyddyd yn gyffredinol. Gwelodd waith arlunwyr meistraidd o'r cyfnod hwnnw ac o'r ganrif o'r blaen, a phrofodd awyr a golau Môr y Canoldir. Perffeithiodd y grefft o wneud tirlun delfrydol, a dylanwadodd ar arlunwyr am ganrif wedyn. Gwnaeth un enghraifft o dirlun yng ngorllewin Morgannwg, sef porth y castell yng Nghastell-nedd, yr un lle ag a ddarluniodd y brodyr Buck, ond o gyfeiriad gwahanol, gyda mwy o'r cefn gwlad i'w weld. Efallai nad yw hwn mor nodweddiadol â hynny o arddull Wilson; ceir gwell syniad ohono yn ei lun o Gastell Penfro.

Yr oedd dylanwad Wilson yn enfawr ar ei ddilynwyr, yn eu plith Paul Sandby, John 'Warwick' Smith a Samuel Hieronymus Grimm. Gwelir yn eu darluniau gyfuniad o'r diddordeb mewn adeiladau hanesyddol ac ymwybod â chefn gwlad. Gwnaeth Grimm luniad pin-a-golch yn 1777 o lan orllewinol afon Nedd, yn dangos cychod yn croesi o gyfeiriad Llansawel, gyda phlasty George Venables Vernon yn hanner cudd gan goed ar y lan arall. Gellid cwtogi'r daith i Abertawe o bum milltir drwy ddefnyddio'r fferi yma, ac arferid cludo anifeiliaid a cherbydau yn ogystal â phobl. Gwnaeth Sandby dirlun hardd yn y cyffiniau o'r ochr ddwyreiniol, a gyhoeddwyd yn 1775 ar ffurf *aquatint*, hynny yw, sur-gerfiad (*etching*) a wnaed ar blat copr gydag *aqua fortis*.

Yn ddiweddarach yn y ganrif daeth Julius Caesar Ibbetson drwy'r ardal. Dyn o swydd Efrog oedd ef, arlunydd galluog yn dilyn bywyd crwydrol, ac yn mwynhau cwrdd â phobl o bob gradd a'u darlunio fel elfen bwysig yn ei gyfansoddiadau. Byddai'n peintio mewn dyfrliw neu olew; gwnaed llin-gerfiadau gan engrafwyr wedi'u seilio ar ei waith. Mae dyfrliw ganddo yn dangos cerbyd y Cyrnol Greville yn cael ei lwytho ar gwch rhwyfo yn Llansawel i groesi'r afon: mordaith ddigon peryglus, gellid tybio, gyda llwyth mor fawr ac uchel. Yr oedd taith Ibbetson o gwmpas Cymru yn 1797 yn enghraifft nodweddiadol o'r ffordd y byddai arlunwyr yn ennill eu bywoliaeth: noddwr Ibbeston oedd y Cyrnol Fulke Greville, bonheddwr cefnog a chanddo chwaeth artistig ac awydd cofnodi ei daith; felly gwahoddodd Ibbetson i gydymdeithio ag ef, fel 'camera byw'. Mae'n amlwg o'i ddarluniau fod Ibbetson yn cymryd mwy o ddiddordeb mewn dynion, gwragedd ac arferion y wlad nag yn yr adfeilion. Gwnaeth ddyfrliw o gastell coll Cynffig, a oedd bron wedi diflannu o dan fryniau tywod, ond yng nghanol blaendir y llun y mae grŵp bywiog yn cynnwys ffarmwr ar gefn ceffyl yn tywys buwch, llo, geifr, a chi, tra bod ei wraig yn cerdded y tu ôl iddo, ei basged ar ei braich a phecyn ar ei phen.

Cyn gadael Llansawel, rhaid sôn am William Daniell, a gafodd y syniad gwreiddiol am gyfansoddi llyfr ar fordaith o gwmpas Prydain a wnaeth yng nghwmni cyfaill o'r enw Richard Ayton. Cyhoeddodd y gyfrol gyntaf yn 1814, ac yn honno yr oedd *aquatint* hynod o ddeniadol yn dangos llong hwylio ar fin cychwyn o borthladd Llansawel, yn aros am awel i'w chludo i borthladd pell, a chychod yn symud rhwng llong a llong. Aeth y ddau gyfaill ymlaen i Abertawe lle y tynnodd Daniell lun o oleudy'r Mwmbwls ac un arall o benrhyn Gŵyr o ochr Dinbych-y-pysgod. Fe atgynhyrchwyd y ddau lun hyn yng Nghalendr Bwrdd Nwy Cymru am 1982. Yr oedd gan Daniell ddawn arbennig i wneud lleoedd a phobl yn rhamantus a dymunol eu golwg, ond dywedodd Ayton fod gwragedd Abertawe yn fudr tu hwnt ac yn gwisgo i gyd yn debyg i'w gilydd, yr hyn a briodolodd i ddatblygiad diwydiant yno.

Yng ngwaith John 'Warwick' Smith ceir darluniau dyfrliw niferus yn dangos lleoedd yn yr ardal tua diwedd y ddeunawfed ganrif. Unwaith eto cofnodwyd y Castell yng Nghastell-nedd, ond ychwanegwyd manylion diddorol yn y blaendir, sef cwch yn cludo glo i lawr yr afon. Ni ellir enwi pob un o'i weithiau perthnasol, ond

Tŷ'r Post, Pontarddulais. Dyfrliw gan John 'Warwick' Smith, (1795?)
(Cafwyd gan Lyfrgell Genedlaethol Cymru)

155

rhaid crybwyll golygfa drawiadol o waith copr y Fforest yn Llansamlet, lle llifai mwg a nwyon niweidiol o'r simneiau. Yr oedd cymylau glaslwyd o'r gwaith toddi copr yn cuddio'r wybren ar hwyr braf o Awst yn 1792. Yng nghasgliad Llyfrgell Genedlaethol Cymru mae enghreifftiau eraill o waith 'Warwick' Smith yn yr ardal, yn dangos Ystumllwynarth, Pennardd a Phontarddulais. Mae ei fedr yn arbennig o amlwg yn ei lun o Gastell Pennardd ar ben ei fryn tywodlyd. Go wahanol oedd ei lun o Bontarddulais, yn dangos grŵp o dai, gan gynnwys 'Tŷ'r Post'.

Mae arlunwyr diwedd y 18 ganrif a dechrau'r 19 ganrif yn rhy niferus i'w henwi i gyd, ond un pwysig yn nhraddodiad y tirlun oedd Thomas Hornor (1785-1844), brodor o Hull yn swydd Efrog. Fe gyhoeddodd hysbyseb yn newyddiaduron Abertawe, *The Cambrian* a *Seren Gomer*, yn cynnig gwneud cofnodion darluniadol o eiddo tirfeddianwyr yr ardal. Mae'n ymddangos ei fod wedi derbyn comisiynau gan yr Arglwydd Jersey, Tŷ Vernon, John Edwards-Vaughan, Rheola, John Llewelyn, Ynysygerwn a Phenlle'r-gaer a William Williams, Aberpergwm. O ganlyniad cafwyd cynnyrch toreithiog o dirluniau dyfrliw yn ymwneud gan mwyaf â Glyn Nedd. Yn wir, daeth y dyffryn yn boblogaidd iawn ymhlith arlunwyr a 'thwristiaid' yn y 19eg ganrif.

Erys llawer o luniau Hornor mewn llyfrau, *albums*, rhai mewn pin a golch, rhai mewn dyfrliw glas a gwinau, a rhai mewn lliw llawn. Oherwydd hyn nid yw'n hawdd i orielau eu harddangos; ond yn bwysicach, mae dyfrliw yn dioddef yng ngolau dydd. Felly nid yw gwaith Hornor yn adnabyddus ond i ychydig o guraduriaid orielau. Gwneir ymdrechion gan Wasanaeth Archifau Morgannwg i'w hatgynhyrchu a'u hailgyhoeddi fel platiau'n rhydd. Ymysg y mwyaf deniadol y mae tref Castell-nedd, plasty Rheola, eglwys y Santes Fair, Llansawel (cyn ei hailadeiladu), Porth yr Ogof a gwaith haearn Dowlais. Yn ddiamau hoff gynefin Hornor oedd Dyffryn Nedd. Mae un tirlun ganddo yn crynhoi ei deimlad yn well na dim, sef yr olygfa fendigedig i lawr y dyffryn o'r Bwa Maen: o dan bebyll dros dro y mae teulu'r plas yn trefnu picnic ar ddiwrnod heulog o haf.

Beth am ddarluniau o'r tirfeddiannwyr a noddodd Hornor? Ceir rhai o'u portreadau mewn plastai gyda'u disgynyddion o hyd, ond mae llawer bellach mewn amgueddfeydd. Yn Oriel Gelf

Golygfa o Ddyffryn Nedd o'r Bwa Maen. Dyfrliw gan Thomas Hornor, 1819
(Cafwyd gan Wasanaeth Archifau Morgannwg)

Southampton mae portread olew mawr gan Thomas Gainsborough yn dangos yr Anrhydeddus George Venables Vernon. Daeth plasty Llansawel i'w feddiant yn 1757 pan briododd yr Anrhydeddus Louisa Mansel, aeres y stadau Mansel. Etholwyd ef yn Aelod Seneddol dros Sir Forgannwg yn 1768 a 1774, ond bu raid iddo ymddiswyddo wedi etifeddu teitl ei dad, yr ail Arglwydd Vernon, yn 1780. Yn y portread fe'i dangosir yn pwyso ar goeden yn ei ystad, a'i gi yn neidio i fyny arno.

Yr oedd arfer gan bob un o bwys gael tynnu ei lun gan arlunydd; byddai'n rhaid i'r eisteddwr fynd i Lundain neu dalu treuliau i arlunydd ddod i'w dŷ. Rhoddwyd comisiwn yn 1789 i'r arlunydd enwog John Russell, R.A., i wneud portread mewn pastel o Syr Herbert Mackworth, y Barwnig cyntaf, o'r Gnoll. Yr oedd Syr Herbert Mackworth yn ddisgynnydd o deulu dylanwadol yng Nghastell-nedd; arloeswyr oeddynt i gyd mewn diwydiant a

157

masnach. Sefydlodd Syr Herbert y banc cyntaf yn y dref; ni pharhaodd, gwaetha'r modd, ond tan 1791. Gwasanaethodd fel Aelod Seneddol dros Fwrdeistref Caerdydd o 1766 hyd 1790. Wedi crwydro dipyn mae ei bortread yn ddiogel bellach yn y Llyfrgell Genedlaethol.

Gellir enwi portread o ddiddordeb lleol sy'n fwy hynafol, sef darlun olew gwych o Jenkyn Williams, Aberpergwm (eiddo casgliad preifat ydyw hwn). Gwisga het fawr ddu â chantel eang, coler gwyn, a chôt hir ddu gyda rhes o fotymau ar hyd y blaen. Ysgrifennodd yr arlunydd ddyddiad yn y cornel, *Anno Domini* 1627, gydag oedran Jenkyn Williams ar y pryd, 79. Drwy ffenestr ar yr ochr ceir cipolwg ar ei ystad. Fel yn achos llawer o'r hen bortreadau ni wyddys pwy oedd yr arlunydd.

Ni cheir portreadau o'r rhai iselradd o'r cyfnod hwnnw, ond yn gynnar yn y 19 ganrif gwnaeth George Delamotte, un o deulu artistig, bortread dyfrliw o'r hen John, gwas Aberpergwm. Ceir y llun hwn mewn albwm yn y Llyfrgell Genedlaethol, ac ysgrifennwyd arno ddyddiad, Tachwedd 15, 1818. Saif John yn ei lifrai ger cadair yn y tŷ. Mae'r casgliad hwn yn cynnwys llawer o werinwyr, yn ddynion, merched a phlant, ac nid yn unig frodorion o ardal Abertawe a Llansawel, ond hefyd Wyddelod ac Albanwyr a oedd yn crwydro heibio. Y mae darluniau o Rees y Cowmon o Lansawel, Sam Lewis o Abertawe gyda'r castell a'r farchnad y tu ôl iddo, a darlun gwawdlyd o Mr Howells, pregethwr gyda'r Methodistiaid yn Abertawe; mae'n debyg nad oedd Delamotte yn bleidiol i'r achos hwnnw. Cymeriad i beri dychryn i bobl, yn ôl ei olwg, oedd 'Black Dick', dyn y fferi dros y Tawe. Gwnaeth arlunydd arall, John Nixon, bortread ohono.

Cynyddodd diddordeb mewn tirluniau yn ystod y 19 ganrif, nid yn unig ym Morgannwg ond ymhobman. Oherwydd amlder yr arlunwyr a ymwelai â'r ardal neu a ddaeth i fyw yng nghyffiniau Abertawe, ni ellir enwi pawb, a rhaid cadw at ddatblygiadau arwyddocaol.

Mae'r môr yn elfen o bwys pan edrychir ar dirwedd Cymru. Fe'i cynhwyswyd mewn llawer o luniau gan Wilson, 'Warwick' Smith, Daniell ac eraill, ond prif nodwedd y lluniau hyn oedd y lan, nid y cefnfor. Mae darluniau cynnar o longau ar y cefnfor mewn dyfroedd

Syr Herbert Mackworth, Barwnig 1af (1736/7-91)
Portread mewn pastel ar bapur gan John Russell, R.A. 1789
(Cafwyd gan Lyfrgell Genedlaethol Cymru)

Hen John, gwas yn Aberpergwm
Lluniad dyfrliw gan George Delamotte, 1818
(Cafwyd gan Lyfrgell Genedlaethol Cymru)

Cymreig yn brin iawn. Pan ddatblygwyd y llong ager gwnaed mwy o 'bortreadau' o longau â chysylltiadau Cymreig. Ond gan nad oedd llawer o weithgarwch gan y Llynges Brydeinig o gwmpas glannau Cymru, mae darluniau o'r fath yn eithriadol o brin.

Diddorol felly yw darganfod darlun olew â'r teitl 'Man of War off Swansea' a ddaeth i'r golwg mewn arwerthiant yn Llundain ac a brynwyd gan y Llyfrgell Genedlaethol. Yr arlunydd oedd James Harris a weithiai yn Abertawe rhwng 1846 a 1876. Daeth ei dad John Harris, cerfiwr, goreurwr ac arlunydd, i fyw yn Reynoldston tua 1828. Yr oedd gan James Harris brofiad fel morwr a gwybodaeth sut i ddarlunio manylion y llongau â chywirdeb. Arddangosodd ei waith yn yr Academi Frenhinol yn Llundain rhwng 1859 a 1862. Arlunydd arall â diddordebau morol oedd Edward Duncan o Lundain (1803-82). Aeth ar fordeithiau ym Môr Hafren er mwyn tynnu lluniau; arferai ddarlunio cychod ar y traeth, tywydd garw, llongddrylliadau a gweithgareddau'r bad achub.

Ar dir sych yr oedd digon o ddiddordeb mewn dŵr o fath arbennig — dŵr yn byrlymu mewn rhaeadr. Ceir llecynnau delfrydol i ymarfer â'r gelfyddyd hon yn Nyffryn Nedd, ac yr oedd rhai arlunwyr yn arbennig o lwyddiannus — Samuel Jackson a J. B. Smith, er enghraifft. Yr oedd bri mawr ar 'raeadr wedi'i thorri', hynny yw, yn disgyn mewn dau gam. Pan beintiodd J. B. Smith raeadrau Clungwyn Uchaf, addasodd yr olygfa o'i flaen i gynnwys ail a thrydedd raeadr.

Parhaodd diddordeb yn y panorama. Peintiwyd golygfa eang o fae a thref Abertawe o'r dwyrain gan Penry Williams o Ferthyr Tudful yn 1820. Rhoddodd Samel Prout bwyslais ar wartheg yn ei ddarlun o adfeilion Abaty Glyn Nedd. Ymddiddorai J. M. W. Turner yn effeithiau'r tywydd a'r golau yn ei ddarluniau o dde Cymru. Fe wyddys bod ffotograffiaeth yn graddol ddatblygu yn ail hanner y 19 ganrif, a mynnai arlunwyr o ganlyniad anelu at rywbeth amgenach na'r olygfa syml, a oedd mor addas i'r camera.

Rhaid cofio na fyddai llawer o bobl yn gweld darluniau gwreiddiol y dyddiau hynny heblaw'r perchnogion a'u teuluoedd. Ond o dipyn i beth daeth mwy o gyfle i bobl weld darluniau gyda datblygu moddion gwell o gyhoeddi a lluosogi. O ddiwedd y 18 ganrif ymlaen ymddangosodd ar werth lu o lyfrau darluniadol yn ogystal â phrintiau rhydd, naill ai drwy danysgrifiad ymlaen llaw neu drwy bryniant oddi wrth lyfrwerthwyr. Atgynhyrchodd Paul Sandby ei waith ei hun ar ffurf *aquatint*, ac yn y 1770au cyhoeddodd bedair cyfres o olygfeydd yng Nghymru, ac yn eu plith dirlun o Lansawel.

Llyfr darluniadol hynod o boblogaidd oedd *South Wales Illustrated* gan Henry Gastineau, a gyhoeddwyd gyntaf yn 1830. Rhinwedd y darluniau oedd iddynt gael eu hatgynhyrchu gyda thechneg newydd, sef llin-gerfio ar *ddur*, nid ar gopr. Gellid lluosogi mwy o gopïau ar y tro o'r platiau nag o'r blaen, a chafwyd cylchrediad ehangach o ganlyniad. Cynhwyswyd cefn gwlad, trefi, cestyll, plastai a henebion yn y darluniau ac ychwanegwyd disgrif-iadau byr o bob safle. Ar yr wynebddalen dangoswyd Maen Ceti ('Arthur's Stone') ym Mro Gŵyr. Yn y cyfnod hwnnw credid bod yr heneb hon yn ymwneud â'r derwyddon, ond heddiw honnir i sicrwydd ei bod yn rhan o feddrod o Oes Newydd y Cerrig. Ceir yn y llyfr luniau o Harbwr Abertawe ac o oleudy'r Mwmbwls mewn tywydd garw, hefyd Castell Abertawe, Abaty Glyn Nedd, Eglwys Margam ac adfeilion Abaty Margam, Melin Aberdulais a Chastell Ystumllwynarth. Mae'n werth nodi bod ailgynhyrchiad y llyfr hwn yn 1976 wedi rhoi inni gyfle i fwynhau'r darluniau atyniadol a rhamantus hyn unwaith eto.

Canwyd clod Glyn Nedd gan William Weston Young yn ei lyfr *Guide to the Scenery and Beauties of Glyn Neath* (1835), a chynhwysodd ynddo bedwar sur-gerfiad (*etching*) ar ddeg. Mae llawer enghraifft o'i waith gwreiddiol mewn casgliadau cyhoeddus yn y Llyfrgell Genedlaethol, yr Amgueddfa Genedlaethol ac Oriel Glynn Vivian, er enghraifft. Daeth Young i Gastell Nedd yn 1797 i weithio fel ffermwr a melinydd, heb fawr o lwyddiant. Cafodd waith yn y Cambrian Pottery, Abertawe, fel dylunydd i addurno'r llestri. Cydweithiodd â Lewis Weston Dillwyn, gŵr blaenllaw yn Abertawe a oedd yn datblygu'r Crochendy drwy haelioni ei dad William Dillwyn. Yr oedd gan Lewis Weston ddiddordeb dwfn mewn botaneg, a threfnodd i'w ddylunwyr, Thomas Pardoe a William Weston Young, ddilyn arddull newydd o ddarlunio blodau a dail ar y llestri. Yr oedd ansawdd rhagorol i gynnyrch y ffatri ac fe'i dosbarthwyd yn eang iawn, gan ddwyn felly waith celf a chrefft gain i mewn i gartrefi. Gweithiai Thomas Rothwell hefyd yn y Cambrian

Golygfa o Gastell-nedd oddi ar draws yr afon. Dyfrliw gan Thomas Hornor, 1819
(Cafwyd gan Wasanaeth Archifau Morgannwg)

Plasty Rheola yn Nyffryn Nedd. Dyfrliw gan Thomas Hornor, 1819
(Cafwyd gan Wasanaeth Archifau Morgannwg)

Pottery tua diwedd y 18fed ganrif, ac engrafiodd rai lluniadau o olygfeydd yng nghyffiniau Abertawe, megis plasty Pen-rhys.

Hyd yn hyn fe soniwyd am arlunwyr a wnaeth ddarluniau gwrthrychol o leoedd ac adeiladau neu bortreadau o enwogion y fro. Ond mae'r gweithgareddau hyn yn ymwneud â dwy agwedd ar gelfyddyd yn unig. Byddai llawer o wŷr celf yn honni nad yw'r agweddau hyn yn bwysig y dyddiau hyn nac yn arwyddocaol yn natblygiad celfyddyd gyfoes. Os edrychir ar waith arlunwyr heddiw, dyweder aelodau Grŵp 56 Cymru, gwelir bod y mwyafrif wedi symud i ffwrdd oddi wrth olygfeydd a phortreadau naturiol er mwyn gwneud patrymau haniaethol, cyfansoddiadau symbolaidd, datganiadau o liw pur, neu adeiladwaith o ddefnyddiau dethol. Gwelir yr un tueddiadau ymhob man yn y byd gorllewinol, yn enwedig ymhlith y rhai a gafodd eu haddysg mewn ysgolion celf.

Gwelwyd datblygiad o waith haniaethol a symbolaidd o safon a enillodd edmygedd y byd yng ngyrfa Ceri Richards (1903-71). Dyma Gymro Cymraeg, a aned yn Fairwood Road, Dunvant, yn fab i weithiwr yn y diwydiant alcam. Yn ei ieuenctid yr oedd ganddo ddiddordeb mewn barddoniaeth a cherddoriaeth fel llawer Cymro Cymraeg; daeth yn organydd yng nghapel yr Annibynwyr. Astudiodd yng Ngholeg Celf Abertawe rhwng 1920 a 1924, ac wedyn aeth i Lundain, lle y treuliodd y rhan fwyaf o'i oes.

Gallai Ceri Richards wneud darluniau 'naturiol' yn well na neb, yr hyn oedd yn amlwg mewn cyfres o luniadau a wnaeth yn 1942 i ddangos gweithgareddau diwydiannol y felin alcam yn Nhre-gŵyr, lle y gweithiai ei dad. Ond yr oedd ganddo ysbryd diorffwys, yn prysur chwilio am brofiadau newydd mewn celfyddyd ac am ffyrdd newydd o'i fynegi ei hun. Ymddangosodd yn fuan elfen symbolaidd a haniaethol yn ei waith, yr hyn sy'n gwneud i ddarluniau'n 'anodd' i lawer o bobl. Ceir gwrthrychau arbennig fel haul a lloer, blodau a drain, penglog a bronnau yn ymddangos yn arwyddion, yn ddamhegion gweledol, heb fod mewn golygfeydd naturiol. Byddai'n troi at themâu cerddorol a llenyddol; edmygai waith Vernon Watkins a Dylan Thomas. Daeth yn enwog oherwydd ysbrydoliaeth ac ansawdd ei waith, ond mae rheswm arall pam ei fod mor adnabyddus, sef ei arfer o wneud *printiau* yn ogystal â darluniau gwreiddiol. Fel hyn gallai mwy o bobl feddiannu ar ei waith a'i weld

Evan Walters (1893-1951). Hunan-bortread mewn olew
(Cafwyd gan Lyfrgell Genedlaethol Cymru)

yn eu cartrefi. Cyflwynwyd Medal Aur yr Eisteddfod Genedlaethol
iddo yn 1961. Agorwyd ystafell goffa iddo yn Oriel Glynn Vivian yn
1978. Trefnwyd llawer o arddangosfeydd o'i waith, gan gynnwys un
fawreddog yn Oriel y Tate, Llundain, yn 1981.

Diddorol yw cymharu Ceri Richards â chyfoeswr talentog iddo,
Evan Walters (1893-1951); bu iddo hanes tebyg yn ei ddyddiau
cynnar. Ganed nepell o Abertawe, yn Nhafarn y Welcome, Mynydd-
bach, yr ieuengaf o bedwar plentyn, a threuliodd ei febyd yn
Llangyfelach. Aeth i Goleg Celf Abertawe yn llanc Cymraeg cefn
gwlad, ac arhosodd yno o 1910 hyd 1913. Treuliodd dair blynedd yn
yr Unol Daleithiau, ac ar ôl y rhyfel daeth adref i Abertawe. Yn ei
arddangosfa gyntaf yn Oriel Glynn Vivian tynnodd sylw Miss

Winifred Coombe Tennant o Langatwg, Glyn Nedd, a mwynhaodd nawddogaeth hael ganddi wedyn. Cynyddodd ei fri gymaint fel y cafodd gyfle i arddangos yn Oriel Warren, Llundain. Aeth i fyw yn Llundain, a phrynwyd yn helaeth o'i waith. Yn anffodus, fe gollodd ei hunan-hyder rywsut, a daeth yn ôl i Langyfelach yn ddi-hwyl. Parhaodd i beintio, ond mewn modd newydd, wedi'i seilio ar y briodwedd o weld yn ddwbl. Diflannodd ei fri oddieithr yn ei hen gynefin, lle y perchir ei waith o hyd mewn dwy Oriel — y Glynn Vivian, Abertawe, a Pharc Howard, Llanelli. Gwnaeth bortreadau bywiog o bobl — glöwr, gwraig gocos ac enwogion lleol yn ogystal â modelau stiwdio. Cyfansoddiad mawreddog a chofiadwy yw ei gynfas yn y Llyfrgell Genedlaethol, 'Merry-go-round', lle mae llu o wynebau yn mwynhau miri'r ffair. Cofir hefyd am ei ddarluniau o wrthrychau mewn cefndir cartrefol — *still life*.

Unigolion yn y byd celfyddydol oedd Ceri Richards ac Evan Walters, heb fod yn perthyn i 'ysgol' neilltuol. Tua'r un adeg yr oedd Cymro arall o'r ardal yn mynd yn flaenllaw fel arlunydd, sef Christopher Williams (1873-1934), brodor o Faesteg. Ar y cyfan dilynodd draddodiad academaidd y ganrif o'r blaen. Drwy gydol ei oes ymfalchïai yn ei wreiddiau Cymreig; pregethai i'w gyd-wladwyr bwysigrwydd celfyddyd ar adeg pan oedd llawer llai o barch tuag ati na heddiw. Cafodd ei addysg mewn ysgolion yng Nghaerdydd a Chroesoswallt, ac wedyn enillodd ysgoloriaeth i Goleg Brenhinol Celfyddyd Llundain.

Mynnodd Christopher Williams beintio cynfasau enfawr yn darlunio ffigurau hanesyddol, mytholegol neu alegorïaidd. Enghreifftiau oedd 'Edifeirwch Saul' (Oriel Glynn Vivian) a 'Deffroad Cymru' (Bwrdeistref Caernarfon). Daeth ei ddarlun 'Branwen' i Neuadd y Ddinas, Abertawe; ynddo dangosir cloben o ferch mewn gwawnwisg yn eistedd ar graig ar lan y môr. Nid rhyfedd bod David Bell wedi beirniadu'r llun hwn yn llym. Ond gwnaeth Christopher Williams beintiadau bychain ar wyliau teuluol yng nghyffiniau Porthmadog sydd ymhlith goreuon ei gynnyrch. Dangosant aelodau o'i deulu neu bobl leol yn gorffwyso'n anffurfiol ar y traeth; fe alwant i gof arddull Augustus John, arlunydd Cymreig arall o'r un cyfnod. Fe gofir am Williams o hyd fel arlunydd portreadau enwogion Cymru — David Lloyd George, Syr John

Rhŷs, Syr John Williams, Syr John Morris-Jones ac eraill. Daeth ei holl Gymreictod i'r amlwg pan beintiodd bortread llawn o'r Archdderwydd Hwfa Môn (Rowland Williams) yng ngwisg yr Orsedd, gyda meini derwyddol yn y cefndir; mae hwn yn agos iawn at fod yn waith alegorïaidd. Tasg y tu allan i'w gomisiynau arferol oedd gorchymyn brenhinol i beintio seremoni Arwisgiad Tywysog Cymru yn 1911, darlun sydd yn awr ym meddiant Bwrdeistref Caernarfon. Gellid sôn hefyd am fab Christopher Williams, Ivor, yntau yn arlunydd, ond efallai nad yw ei gysylltiad â'r ardal mor gryf. Mae ef yn dal i beintio portreadau yn ei stiwdio yn Llandaf.

Yn yr 20fed ganrif ymddangosodd mudiad a gafodd ganlyniadau nid yn unig yng Nghymru ond yng Nghwm Tawe ac yn Nyffryn Nedd — 'Mynegiadaeth' oedd y label — *Expressionism* yn Saesneg. Mae'n haws cymysgu *Impressionism* gydag *Expressionism* yn Saesneg, ond mae gwahaniaeth mawr rhyngddynt. Mae Mynegiadaeth, yn ôl y *Dictionary of Art and Artists*, yn golygu chwilio am fynegiant drwy gyfrwng gormodiaith a gwyrdroadau llinell a lliw, er mwyn cyrraedd arddull syml a ddylai wneud mwy o argraff emosiynol. Tarddodd y mudiad yng ngogledd Ewrop, nid ym Môr y Canoldir, a daeth i Gymru yn ystod yr ail rhyfel byd gyda ffoaduriaid — Josef Herman a Martin Bloch. Brodor o Warsaw yng Ngwlad Pwyl oedd Herman; dihangodd i'r Alban yn 1940 a daeth i Ystradgynlais yn 1944. Bywyd y glowyr a'r olwg a oedd ar eu cynefin oedd testunau ei arlunio. Darluniodd Gwm Tawe mewn dull newydd, yn wahanol i'w ragflaenwyr, a dylanwadodd ar eraill, fel Ernest Zobole a Will Roberts.

Ganed Will Roberts yn Rhiwabon ond symudodd yn blentyn i Gastell-nedd. Mynychodd Goleg Celf Abertawe yn rhan-amser yn y 1930au ac yr oedd yn ddisgybl i Joseph Herman. Diddordeb Roberts yw bywyd yr ardal o gwmpas Cimla (mae'n dal i beintio), ond gyda phwyslais ar gefn gwlad a fferm. Mae'r ddau arlunydd yn debyg iawn i'w gilydd o ran arddull — ffurfiau anferth cryfion, dim byd ysgafn neu dyner, adlewyrchiad o galedwch bywyd a bro.

Trefnodd Cyngor Celfyddydau Cymru yn 1981 arddangosfa o waith saith o arlunwyr cyfoes y gellir eu dosbarthu o dan y label 'Mynegiadaeth', sef Josef Herman, Kyffin Williams, Will Roberts, Martin Bloch, George Chapman, Ernest Zobole a Peter

Christopher Williams (1873-1934). Hunan-bortread mewn olew, tua 1900
(Cafwyd gan Lyfrgell Genedlaethol Cymru)

Prendergast. Cafwyd cyfle i weld eu darluniau yn Abertawe yn gynnar yn 1982. Nid yw pawb yn hoffi gwaith amrwd, cryf, garw a thywyll yr arlunwyr hyn ond yn ddiamau maent wedi darganfod ysbrydoliaeth newydd yn yr olygfa Gymreig, ac fel yn amser y tirlun clasurol, daeth Cymru unwaith eto yn amlwg i'r byd fel gwlad ac iddi ei nodweddion priod ei hun.

Ychwanegir gweithiau celfyddyd at etifeddiaeth yr ardal yn ddibaid. Nid oes angen pwysleisio'r cyfraniad a wnaeth Syr Frank Brangwyn i Neuadd y Ddinas yn 1933 — er nad oedd yn bwriadu gwneud hyn. Peintiodd Syr Frank 'Baneli'r Ymerodraeth Brydeinig', yn y lle cyntaf fel addurniadau enfawr ar gyfer yr Oriel Frenhinol yn Nhŷ'r Arglwyddi. Er ei fawr siom, fe'u gwrthodwyd, a

169

bu raid chwilio am gartref arall iddynt. Yn y diwedd fe'u prynwyd gan Fwrdeistref Abertawe ar gyfer Neuadd Ymgynnull newydd sbon y 'Guildhall'. Mae yno heddiw ddau banel ar bymtheg yn dangos planhigion, anifeiliaid a phobl o bob llwyth dan haul, a gellir gweld yn y coridorau cyfagos gartwnau paratoadol ar gyfer y gwaith mawr.

Wrth sôn am Neuadd y Ddinas, rhaid crybwyll cyfres o ddarluniau yno gan William Grant Murray (1877-1950), yn darlunio seremonïau'r Orsedd ar adeg Eisteddfod Genedlaethol Abertawe yn 1926. Er cymaint yw'r ffotograffau sy'n cael eu tynnu bob blwyddyn ar y Maes, rhaid cyfaddef fod darluniau gwreiddiol o'r gweithgareddau yno yn eithriadol o brin. Albanwr oedd Grant Murray, brodor o Bortsoy (ceir peintiad olew o harbwr Portsoy ganddo yn Llyfrgell Genedlaethol Cymru). Daeth i Abertawe yn 1927 i fod yn bennaeth y Coleg Celf a Chrefft yno. Arferai beintio tirluniau a ffigurau.

Hefyd yn Neuadd y Ddinas mae cyfres o ddarluniau olew hynod o drawiadol, yn dangos adfeilion gaeaf 1941, ar ôl i awyrennau'r

Onllwyn, Cwmdulais. Olew gan Will Roberts
(Cafwyd gan Lyfrgell Genedlaethol Cymru)

170

Almaen ollwng eu bomiau ar ganol y dref yn ystod y nosau erchyll hynny.

Mae treftadaeth celfyddyd yn cynyddu mewn moddion eraill. Mae'r eglwysi a'r capeli yn dal i fod yn noddwyr i grefftwyr celf, yn enwedig mewn ffenestri lliw. Mae hyd yn oed weithdy masnachol yn Abertawe lle y mae ffenestri eglwysi yn cael eu gwneuthur — Celtic Studios. Mae hefyd unigolion sy'n derbyn comisiynau i addurno eglwysi ac yn datblygu defnyddiau newydd fel plastig yn ogystal â gwydr lliw.

Crefftwr amlochrog yn y maes hwn yw John Petts o Lansteffan. Yn eglwys babyddol Gorseinon (a gafodd ei hun ei hadeiladu yn ôl cynllun cyfoes ac anarferol) dyluniodd 23 ffenestr lliw â phatrymau symbolaidd, a chyfres arall yn dangos hanesion Beiblaidd yn adran y plant (sydd wedi'i diogelu rhag sŵn, gyda llaw); yn yr un eglwys gwnaeth John Petts ddelw 'Crist atgyfodedig' gyda stribedi dur wedi eu weldio at ei gilydd yn ôl techneg a ddatblygwyd yng ngweithdy cerflunydd Americanaidd, Robert Fowler o Houston, Texas. Mae yno hefyd 'Y Wyryf a'r Plentyn', delw mewn alwminiwm a phlastig wedi'i gadarnhau â gwydr. Yn eglwys St Pedr, Y Cocyd, gwnaeth groes mewn brithwaith i'w chrogi o fwa'r gangell, ac yng nghapel Ysbyty Sancta Maria groeshoeliad mewn alwminiwm a phlastig wedi'i gadarnhau â gwydr. Mae gweithiau eraill ganddo yn eglwys babyddol Llansawel. Bydd llawer o drigolion Abertawe yn cofio'r arddangosfa adolygol o waith John Petts a gynhaliwyd yn Oriel Glynn Vivian yn 1975.

Fe sylwir pa mor aml y bu sôn am weithgareddau Oriel Glynn Vivian; yn ddiamau mae wedi chwarae rhan bwysig ym mywyd diwylliannol y dref. Daeth i fodolaeth drwy haelioni Richard Glynn Vivian, aelod o'r teulu a ddatblygodd y diwydiant copr yng Nghwm Tawe. Perswadiodd y Fwrdeistref i dderbyn y swm angenrheidiol i adeiladu oriel, yr hon a agorwyd o dan ei enw yn 1911. Arddangoswyd yno gasgliadau Glynn Vivian o beintiadau, lluniadau, llestri a phethau eraill. Yn nes ymlaen dechreuodd y Fwrdeistref ddarparu grant pwrcasu bychan bob blwyddyn a derbynnid rhoddion gan ewyllyswyr da. Cafwyd casgliad enfawr o hen brintiau a lluniadau, a oedd gynt ym meddiant John Deffett Francis, casglwr ac arlunydd o'r ganrif o'r blaen. Ei frawd oedd

George Grant Francis, yr hynafiaethydd; adeiladwr cerbydau yn y dref oedd eu tad.

Mae'r casgliadau parhaol yn cynnwys gwaith diddorol a dymunol gan arlunwyr Prydeinig mewn dyfrliw ac olew, yn enwedig y rhai sydd â chysylltiadau lleol neu Gymreig; mae ambell enghraifft o'r Cyfandir, fel 'Bateaux en Hollande près de Zandaam' gan yr arlunydd 'argraffyddol' enwog Claude Monet. Mae hefyd gasgliadau tri-dimensiwn fel porslen Abertawe a Nantgarw, crochenwaith Abertawe, hen wydrau yfed a phwysau papur addurniadol.

Rheolid yr oriel yn gyntaf ar y cyd â'r Ysgol Gelf dros y ffordd, gyda'r prifathro yn bennaeth. Ond gwahanwyd y ddwy yn 1951 a rhoi i'r oriel guradur amser llawn, David Bell, a fuasai gynt yn swyddog gyda Chyngor y Celfyddydau yng Nghaerdydd. Daeth yr oriel yn ddylanwad pwysig ar gelfyddyd y wlad, yn enwedig drwy drefnu arddangosfeydd-dros-dro arwyddocaol, rhai teithiol a rhai yn arbennig ar gyfer yr oriel. Mae'r hen adeilad yn nodweddiadol o'i gyfnod, ond heddiw gofynnir am gymwysterau arddangos mwy pwrpasol. Cafwyd hyn mewn estyniad modern i'r oriel — neuadd syml a moel gyda goleuadau hyblyg, a adeiladwyd yn 1974. Gellir felly ychwanegu'n gyson ac yn sylweddol at y casgliadau parhaol a chadw sylw'r cyhoedd lleol. Gall Abertawe ymfalchïo yn ei horiel — ar yr amod bod digon o gyllid ar gael i'w chadw i fynd mewn ffordd anturus.

Cyfeiriwyd eisoes at y Coleg Celf. Sefydlwyd hwn mor gynnar â 1853, a daeth yn fridfa arlunwyr, rhai ohonynt yn mynd ymlaen i fod yn enwog dros Glawdd Offa. Ond chwalwyd gobeithion y Coleg yn 1963, pan gafwyd archwiliad swyddogol o addysg gelfyddydol, a gwrthod yr hawl i'r coleg i ddysgu hyd at y dystysgrif uchaf, sef y Diploma mewn Celfyddyd a Dylunio. Casnewydd yn unig yng Nghymru a gafodd yr hawl hon ar y dechrau. O ganlyniad mae Coleg Celf Abertawe wedi dod yn adran gelf ragbaratoawl yn Athrofa Addysg Uwch Gorllewin Morgannwg.

Ni ddylid anghofio oriel arall yn Abertawe, sef Sefydliad Brenhinol De Cymru, sydd wedi llafurio er 1835 i ledaenu gorwelion y trigolion, nid yn unig mewn celfyddyd ond mewn gwyddoniaeth, llenyddiaeth a hanes, ac sy'n parhau i wneud hyn gyda help Coleg y Brifysgol, Abertawe. Ceir yno gasgliad pwysig o baentiadau olew a dyfrliw yn dangos Abertawe, yn ogystal â chyfoeth o borslen a llestri lleol.

Erys o hyd ambell 'oriel' breifat mewn plasty. Disgrifiwyd darluniau Pen-rhys ym Mro Gŵyr, yn 1968, gan Rollo Charles, Ceidwad Celfyddyd yn yr Amgueddfa Genedlaethol. Dechreuodd gyda grŵp o bortreadau yn dangos Syr Thomas Mansel, Barwnig cyntaf (1614), ac aelodau eraill o'r teulu yn yr un cyfnod. Mae'n drueni nad oes sicrwydd am eu henwau i gyd. Mae'r portreadau cynnar hyn yn ffurfiol ac yn brennaidd, yn wahanol iawn i waith bywiog a naturiol o'r ganrif nesaf gan Allan Ramsay sy'n dangos yr ail Arglwydd Mansel, ei hanner chwaer a'i ddau frawd yn yr un llun tua 1740. Mae yno ddarluniau gan yr hen feistri, megis tirlun dramatig o arfordir gwyllt a stormus yn yr Eidal gan Salvator Rosa, arlunydd enwog a dylanwadol yr ail ganrif ar bymtheg. Ceir hefyd ddarluniau o ardaloedd coediog gan feistri o'r Iseldiroedd. Nid yw'r enghreifftiau hyn ond yn rhan o'r hen gasgliad Mansel Talbot, a fuasai mewn dau le, Margam a Phen-rhys. Arbenigrwydd casgliad Margam oedd cerfluniau clasurol o farmor; mewnforiwyd hwy gan Thomas Mansel Talbot mewn tri ar hugain o flychau mawr yn 1775 yn syth o Leghorn i'r Mwmbwls. Gwerthwyd Margam a'i gynnwys yn 1941, a dim ond cysgod o'r casgliad eithriadol hwnnw sydd bellach yn eiddo cynrychiolydd yr hen deulu, Mr Christopher Methuen-Campbell, ym Mhen-rhys heddiw.

Diwedd y gân yw'r geiniog, a rhaid dychwelyd at swyddogaeth y noddwr. Fel rheol mae'r noddwr yn berson gwahanol i'r gŵr celf. Wrth gwrs yr oedd Francis Place yn noddwr ac yn artist ei hun, ond dibynnai'r brodyr Buck ar fonedigion am gyfraniadau i ddechrau ar eu gwaith. Derbyniai arlunwyr fel Paul Sandby a 'Warwick' Smith gynhaliaeth am gyfnodau gan uchelwyr. Gwerthai Gastineau ei ddarluniau mewn llyfrau. Rhaid i arlunwyr portreadau aros nes cael comisiwn gan rywun. Mae'r rhai sy'n gwneud ffenestri lliw yn gorfod chwilio am eglwysi sy'n barod i gomisiynu gwaith newydd a chasglu arian i dalu amdano. Ond mae llawer o artistiaid heddiw — yn enwedig y rhai nad ydynt yn gwneud bywoliaeth o'u celfyddyd — yn dewis eu testunau eu hun ac yn gweithio mewn dulliau sy'n apelio atynt hwy eu hunain, gan obeithio y bydd rhywun rywle a fydd yn derbyn eu gweledigaeth a phrynu ffrwyth eu llafur. Mae llawn digon o gyfle mewn orielau preifat ac arddangosfeydd cyhoeddus i'r trigolion ddewis yr hyn sydd wrth eu bodd. Os na cheir masnach rhwng y ddau barti, mae'n rhaid naill ai i'r cyhoedd esbonio wrth yr arlunydd beth sydd arno ei eisiau, neu i'r arlunydd argyhoeddi'r cwsmer o werth ei weledigaeth.

LLYFRYDDIAETH

Kathleen Armistead and W. J. Grant-Davidson, *Catalogue of the Kildare S. Meager Bequest: Swansea Pottery*, Swansea: Glynn Vivian Art Gallery.

David Bell, *The Artist in Wales*, London: Harrap, 1957.

Rollo Charles, 'Some Penrice Pictures', in Stewart Williams' *Glamorgan Historian*, Volume Five, Cowbridge, 1968, pp. 213-9.

Henry Gastineau, *South Wales Illustrated*, London: Jones & Co., 1830, republished by E. P. Publishing Ltd, Wakefield, 1976.

Arthur Giardelli (ed.), *56 Group Wales: The Artist and How to Employ Him*, Cardiff, 1976.

Glynn Vivian Art Gallery, *John Petts: a Retrospective Exhibition*, Swansea, 1975.

Michael Jacobs and Malcolm Warner, *Art in Wales*, Jarrold Regional Guide Book 8, Oxford, 1980.

A. D. Fraser Jenkins, *Y Bryniau Tywyll, Y Cymylau Trymion / The Dark Hills, The Heavy Clouds*, Cardiff: Welsh Arts Council, 1981.

Elis Jenkins (ed.), *Neath and District: a Symposium*, Neath, 1974.

Donald Moore and Patricia Moore, 'Buck's Engravings of Glamorgan Antiquities', in Stewart Williams' *Glamorgan Historian*, Volume Five, Cowbridge, 1968, pp. 133-51.

Donald Moore, *The Earliest Views of Glamorgan / Y Tirluniau Cynharaf o Forgannwg*, Caerdydd: Gwasanaeth Archifau Morgannwg, 1978.

Patricia Moore and Donald Moore, *A Vanished House: Two Topographical Paintings of The Old House at Margam, Glamorgan*, Cardiff: Glamorgan Archive Service, 2nd edition, 1980.

Patricia Moore, 'Three Seventeenth-Century Travellers in Glamorgan' (including Thomas Dineley), in Stewart Williams' *Glamorgan Historian*, Volume Seven, 1970, pp. 13-36.

Eric Rowan (gol.), *Celfyddyd yng Nghymru 2000 C.C. - 1850 O.C.*, Caerdydd: Cyngor Celfyddydau Cymru a Gwasg Prifysgol Cymru, 1978.

Meic Stephens, *Y Celfyddydau yng Nghymru 1950-75*, Caerdydd: Cyngor Celfyddydau Cymru, 1979.

Richard Tyler, *Francis Place 1647-1728*, York: City Art Gallery, 1971.

Welsh Committee of the Arts Council, *Art in Wales: A Survey of Four Thousand Years to A.D. 1850*, Cardiff, 1964.

Jeremiah Williams (ed.), *Christopher Williams, R.B.A.*, Swansea: Delyn Press, 2nd edition, 1955.

Isaac J. Williams, *A Catalogue of Welsh Topographical Prints*, Cardiff: National Museum of Wales, 1926.

Cerddoriaeth yn Abertawe : Y Blynyddoedd Cynnar

John Hugh Thomas

Ni chafodd Abertawe yr hyn y gellid ei alw'n fywyd cerddorol llewyrchus cyn wythdegau'r ganrif ddiwethaf. Ac yna, am gyfnod byr, edrychai fel pe deuai'r dre' fechan, ddi-nod hon, ac iddi ryw chwedeg pump o filoedd o drigolion, yn ganolfan bywyd cerddorol Cymru.

Cyn blynyddoedd cynnar y bedwaredd ganrif ar bymtheg 'roedd cerddoriaeth naill ai'n bod fel adloniant parchus i'r boneddigion neu fel difyrrwch aflafar i'r gwerinwyr a fynychai'r tafarnau niferus yn y Strand ac yn ardal Wind Street. Dywedir fod bron bob yn ail adeilad yn y rhan hon o'r dref yn dŷ tafarn a bod gan lawer ohonynt eu hystafelloedd cerdd.[1]

Disgrifiwyd Lloegr yn y ganrif ddiwethaf gan y cerddor Almaeneg nodedig hwnnw, Eduard Hanslick, fel *das Land ohne Musik*, 'y wlad heb gerddoriaeth'. Gellid dweud yr un peth am Gymru yn yr un cyfnod. Os edrychwn drwy ddyddiaduron, llythyrau a llyfrau taith a ysgrifennwyd gan rai o'r llu o ymwelwyr a ddaeth i Gymru ar drywydd ei chelfyddyd a'i phrydferwch naturiol ym mlynyddoedd cynnar y ganrif ddiwethaf sylwn pa mor anfynych y daethant ar draws cerddoriaeth mewn trefi neu yn y wlad. Sylwodd ymwelydd ag Eglwys Gadeiriol Llandaf yn 1803 nad oedd yno gôr ac na cheid clywed cerddoriaeth ffurfiol yno o ganlyniad. Ond hwnt ac yma fe gawn awgrymiadau fod cerddoriaeth yn cael eu hymarfer mewn llefydd ac mewn dulliau sydd, hyd yn hyn, yn dal heb sylw dyladwy. Er enghraifft, yn ei hanes am daith drwy dde Cymru a Sir Fynwy tua 1800, disgrifia John Thomas Barber, yr arlunydd, ei ddyfodiad i borthladd Bryste fel hyn:

'In company with a brother artist, I entered Bristol with an intention of commencing my Cambrian tour in the neighbourhood of Chepstow; but an unthought of attraction induced us to relinquish this project. Returning from a ramble through the town by the quay, we were agreeably amused with a fleet of vessels that was about to quit the river with the ebbing tide and others getting under weigh . . . On a sudden, we were saluted with a duet of French horns from a small sloop in the river; a very indifferent performance to be sure, yet it was pleasing. This sloop was bound for Swansea and we learned that the wind was so directly favourable that the voyage would, in all probability, be completed the same afternoon. We were now strongly disposed for an aquatic excursion; nor did the laughing, broad faces of about a dozen Welsh girls, passengers, alarm us from our purpose; so, by an exertion we collected our portmanteaus and some refreshments in due time and engaged on the voyage'.[2]

Bu'r daith o Fryste yn dra anghysurus oherwydd cododd storom enbyd i rwystro'r fordaith gan orfodi'r teithwyr i aros ar y llong fechan hyd at y bore trannoeth. Eu gweld yn cysgu yn eu hyd ar lawr ger drws y caban, yn wlyb domen, oedd yr olwg olaf a gafodd Barber ar y ddau hen gerddor a'i denodd ef a'i gyfaill i'r llong.

Pwy oedd y cerddorion a ddioddefodd y fath daith ddiflas ac anesmwyth? O ble y daethant? Paham y teithient i Abertawe? A oeddent yn chwilio am waith yma? Efallai eu bod yn bwriadu mynd yn eu blaen cyn belled ag Iwerddon. Tybed ai dynion lleol oeddent? Neu tybed ai'r ddau gerddor Henrard a Cooke, fu'n chwarae yng Ngŵyl y Tri Chôr yng Nghaerwrangon yn 1797 ac yn 1800 oeddent?[3] Go brin y cawn ddarganfod pwy oedd y ddau gerddor bellach, na'u rheswm dros hwylio i Abertawe. Ond, y mae'n bur debyg mai chwilio am waith yr oeddent, efallai yn Theatr y dre'.

Yr oedd yn hollol arferol yn y cyfnod hwnnw i chwaraewyr y corn hysbysebu eu parodrwydd i deithio er mwyn ennill eu bywoliaeth. Yr oedd yr arferiad lawn mor gyffredin yn Lloegr ag yr oedd yn yr Almaen. (Yn wir, fe gofiwn mai er mwyn defnyddio dau gerddor o'r math y cyfansoddodd Bach ei 'Brandenburg Concerto' cyntaf tua 1720.) Ac yn 1765 fe welwyd yr hysbyseb canlynol mewn newyddiadur yn Llundain:

Two lads that play the French-horn, just come out of their time, can read and write, and attend table, would be glad to serve any Gentleman upon such conditions as can be agreed on, one aged 17 years, the other 18 years of age, both had the small-pox, and can be well recommended.[4]

Er i enwau'r ddau offerynnwr a deithiodd gyda Barber aros yn anhysbys, nid y rhain oedd y cerddorion cynta', na'r ola' ychwaith, i ymweld ag Abertawe i ddilyn eu galwedigaeth.

Trwy'r bedwaredd ganrif ar bymtheg fe ddaeth llu o gerddorion i'r dref, rhai ohonynt i weithio mewn capeli ac eglwysi fel organyddion a chôr feistri, eraill i ymsefydlu fel athrawon canu, athrawon y piano, y ffidil, yr organ, a dawnsio hyd yn oed. 'Roedd rhai ohonynt yn bobol brofiadol a galluog a oedd eisoes wedi gwneud eu marc; er enghraifft, Mr Harrison, 'late of the King's Theatre Opera House, London', a ddysgai ddawnsio yn yr Ystafelloedd Ymgynnull (Assembly Rooms), Cambrian Place; neu John Williams, organydd yn Eglwys y Santes Fair o 1809 ymlaen a fu, unwaith, yn un o Blant y Capel Brenhinol; neu, Mr Mitchell a ddaeth i Eglwys y Santes Fair yn 1881 wedi iddo fod yn organydd yn Eglwys Gadeiriol Truro; a Mr Radcliffe, organydd eto yn yr un eglwys, a hyfforddwyd yn 'conservatorium' cerdd, Leipzig, yn ôl ffasiwn y cyfnod.

Llai disglair efallai, ond llawn mor bwysig yn natblygiad cerddoriaeth yn Abertawe, oedd yr offerynwyr dienw tebyg i'r rhai a atebodd yr hysbyseb canlynol:

HARPER AND VIOLIN PLAYER

A steady man of each of the above description will gain constant employ and great encouragement by settling at the town of Swansea; if they are capable of performing on any other instrument it may add to the advantages of the situation.[5]

Gresyn na wyddom naill ai enw'r gwrda a roddodd yr hysbyseb yn y *Cambrian* neu enwau'r cerddorion a atebodd. Ond mae'n sicr mai drwy noddwyr fel hwn a thrwy ymdrechion llu o gerddorion teithiol anhysbys fel y rhain y dechreuodd cerddoriaeth yn Abertawe egino a blodeuo ym mlynyddoedd cynnar y ganrif ddiwethaf.

Heb os, y cerddor mwyaf enwog a phwysig i ymsefydlu yn Abertawe oedd y gantores fyd-enwog, Adelina Patti. Ganed hi yn Sbaen yn 1843. 'Roedd ei rhieni yn Eidalwyr ac yn gantorion operatig llwyddiannus. Ymfudodd y teulu i Efrog Newydd pan nad oedd hi ond plentyn ac yn yr Unol Daleithiau y cafodd ei hyfforddiant cynnar. Mae'n amlwg ei bod yn eneth alluog dros ben oherwydd fe ganai'r brif ran yn yr opera *Lucia di Lammermoor* gan Donizetti pan nad oedd hi ond un ar bymtheg. Ymhen dwy flynedd 'roedd yn canu yn Llundain am y tro cyntaf yn yr opera *La Sonnambula*.[6] 'Roedd ei pherfformiad yn llwyddiant llwyr a llachar. Pan ddaeth hi i Gymru i fyw yn yr wythdegau cydnabyddid hi fel un o gantorion enwocaf a disgleiriaf y dydd. Mae'n anodd deall pam y daeth hi i'r fath le anghysbell â Chwm Tawe, a gwneud ei chartref yn y tŷ llwyd ger yr afon droellog wyllt a'r llethr creigiog, cuchiog, mor bell o gyrraedd y canolfannau cerdd pwysicaf, pan allasai ddewis byw yn y fan a fynnai.[7] Hwyrach mai'r rhamantydd ynddi a'i gyrrodd i le mor brudd a hudolus.

Yr oedd Patti eisoes yn eithriadol o gyfoethog cyn iddi ddyfod i Graig y Nos. Dywedir iddi dalu rhyw £100,000 am y tŷ a'r tir, ac yna iddi wario ffortiwn arall ar adeiladu ystafell filiards, tŵr a chloc, pafiliwn, tŷ gwydr enfawr, a theatr fechan. Nid peth newydd i drigolion Abertawe oedd ymweliadau cerddorion o bwys, ond 'roedd Patti ar ei phen ei hun. Ac nid ar ymweliad y daeth hi. Daeth i aros!

Wrth edrych ar gyfrifon Eisteddfod Genedlaethol Abertawe, 1863, fel welwn i unawdwyr adnabyddus fel Edith Wynne, John Thomas (Pencerdd Gwalia) a Brinley Richards dderbyn tâl o un gini ar hugain — swm go sylweddol mewn cyfnod o galedi pan oedd enillion gweithwyr cyffredin yn llai na £1-10-0 yr wythnos.[8] Ond, 'roedd enillion Patti gannoedd o weithiau'n fwy hyd yn oed na phobol debyg i Edith Wynne a'i chyd-gerddorion. Er enghraifft, yn gynnar yn 1884 dywedir i Patti gytuno i ganu yn America ar ddiwedd y flwyddyn. Honnir iddi dderbyn £1,600 yn syth mewn arian parod ym mis Mehefin ac iddi gael addewid o £3,000 yn ychwaneg ym mis Hydref, er nad oedd hi i deithio i'r Unol Daleithiau cyn Tachwedd! At hyn, gwarantwyd £10,000 arall iddi cyn iddi ganu'r un gân ac £800 wedyn am bob un o'i chyngherddau. Hyn i gyd heb gynnwys ei threuliau! Pedair blynedd yn ddiweddarach ymgymerodd â chyfres o bedwar ar hugain o gyngherddau yn Buenos Aires. Derbyniai ei chwmni £3,500 am bob un ohonynt, a derbyniai hithau £1,600 am bob ymddangosiad.

Yr oedd hi'n llawn mor boblogaidd yn Lloegr ag yr oedd hi mewn rhannau eraill o'r byd. Ysgrifennodd gohebydd y *Musical Notes* am ei chyngerdd yn y Royal Albert Hall yn Llundain: 'tickets were at a premium and the big hall was crammed in every part'. Golygai hynny fod dros ddeuddeng mil yn y gynulleidfa. Cawsai, 'as a matter of course, the most rapturous of greetings'. 'Roedd y *diva* ar ei gorau a chanodd yn fendigedig, 'with matchless tones and exquisite vocalization'.[9]

Gellid dychmygu y byddai person mor gyfoethog ac enwog â Patti, yn ei chastell dirgel, diogel ymhen uchaf Cwm Tawe, yn cadw ei hun ar wahân, heb ymyrryd â bywydau a phroblemau'r werin. Ond nid felly. Ymddiddorai'n llwyr ym mywyd y cwm, creodd waith i ddwsinau o bobol, a chyfoethogodd fywydau diramant a llwyd trigolion y cwm tlawd.

Pan oedd bywyd yn y castell ar ei ddisgleiriaf cyflogai ryw wyth deg o weision a morwynion i wasanaethu yn y tŷ ac i ofalu am y gerddi. Ac os oedd hi'n hael iawn â'i harian ac â'i phethau materol, yr oedd hi'r un mor haelionus â'i doniau cerddorol. Fe ganai'n fynych iawn er lles tlodion Cwm Tawe ac er mwyn helpu Ysbyty Abertawe, gan ddwyn i'w chefnogi yn y cyngherddau arbennig hyn rai o gerddorion enwocaf y dydd, megys Tito Matei, Wilhelm Ganz, Fraulein Kitty Berger a hefyd ei gŵr, y tenor Ernest Nicolini.

Heb os, teimlai ei hun yn rhan o gymdeithas glos y cwm; cydymdeimlai â phobol y cwm ac 'roedd ganddynt hwythau barch mawr tuag ati hi. Yn 1889 fe ddaeth cynulleidfa o 13,000 i wrando arni'n canu yn Eisteddfod Genedlaethol Aberhonddu — mwy o gynulleidfa, hyd yn oed, nag a fyddai'n ymgynnull yn y Royal Albert Hall yn Llundain. Ond yr oedd hi serch hynny'n barod i ganu gerbron cynulleidfaoedd lawer llai na hyn, fel y dangosodd pan agorwyd neuadd y dre' ym Mhontardawe, a phan agorwyd Theatr y Grand yn Abertawe. Yn ystod y deng mlynedd ar hugain y bu Patti yn byw yng Nghwm Tawe ymdaflodd i fywyd y gymdeithas. Ond uwchlaw popeth, ymgorfforai freuddwyd pob cerddor ifanc yn ei harddwch eithriadol, ei dawn ddihafal, ei golud enfawr, a'i phoblogrwydd byd-eang. Wrth gael Brenhines y Gân yn y Cwm am dros ddeng mlynedd ar hugain, rhoddwyd i fywyd cerddorol a diwylliadol Abertawe ddisgleirdeb a statws tu hwnt i brofiad yr un dref wledig arall.

Hyd at ganol y ganrif ddiwethaf bu cerddoriaeth a chyngherddau cyhoeddus yn nwylo nifer fach o gerddorion proffesiynol ac athrawon cerdd, er fod traddodiad cymharol hen yn bod o gyflwyno perfformiadau gan rai o'r actorion teithiol fyddai'n ymweld â'r dref o bryd i'w gilydd. Fodd bynnag, tua 1850 gwelwyd dechreuadau traddodiad newydd a ddatblygodd yn gyflym iawn i gyfoethogi bywydau cannoedd os nad miloedd o bobl gyffredin. Sôn yr ydym am ganu corawl.

Wrth i anghydffurfiaeth a'r mudiad Dirwest ledaenu dros Gymru adeiladwyd llu o gapeli a oedd i fod nid yn unig yn ganolfannau bywyd ysbrydol, ond hefyd yn feithrinfeydd bywyd diwylliannol pentref a chwm. Er fod Catch Club wedi'i sefydlu yn Abertawe yn 1805, ac er i rai ymdrechu i gynnal dosbarthiadau mewn darllen cerddoriaeth a chanu corawl, y gymdeithas gorawl gyntaf i gael ei sefydlu yn y dref oedd Cymdeithas Gorawl Amatur Abertawe (*Swansea Amateur Choral Society*) a ffurfiwyd yn 1848. Codwyd rhagor o gorau yn ystod y blynyddoedd dilynol, rhai ohonynt yn gysylltiedig â chapeli, eraill yn rhan o fywyd cymdeithasol pentrefi neu weithfeydd.

Y côr pwysig cyntaf i ymddangos yn y cylch oedd Cymdeithas Gorawl Cwm Tawe a ffurfiwyd gan William Griffiths (Ivander) yn 1862. Mae'n debyg y gellid ei gymharu â rhai o'r goreuon ymysg corau amatur Lloegr. Dywedid am y côr nad oedd tonyddiaeth yn ei boeni o gwbwl oherwydd i'r aelodau ymarfer canu digyfeiliant yn gyson. Yn anffodus, ni wyddom bellach pa ddarnau oedd yn ei *repertoire*, ond cymaint oedd bri côr Ivander fel y gofynnwyd iddo roi'r cyngerdd mawr cyntaf pan agorwyd Neuadd Gerdd Abertawe ym mis Mai 1864, perfformiad o'r oratorio, Ystorm Tiberias.

Y flwyddyn gynt fe godasid côr cymysg fel rhan o weithgareddau'r Eisteddfod Genedlaethol yn y dre'. 'Roedd hyn yn gam pwysig iawn, nid yn unig yn hanes y cylch ond, yn wir, yn hanes yr Eisteddfod Genedlaethol. Fe gofir, bid siŵr, mai yng Nghaerfyrddin yn 1819 y cafwyd cyngherddau cyhoeddus am y tro cyntaf fel rhan o weithgareddau'r Eisteddfod pan ddaeth rhai o aelodau'r Bath Harmonic Society, o dan arweiniad y Parchedig John Bowen bob cam o Gaerfaddon i berfformio.[10]

Codwyd llawer o gorau yn saithdegau'r ganrif, yn eu plith, Côr Tabernacl, Treforys, Côr Ystalyfera a Chymdeithas Gorawl

Abertawe. Ond yn yr wythdegau y cyrhaeddodd bywyd cerddorol y dre ei uchafbwynt pwysig cyntaf. Sonia'r *Cambrian* yn Chwefror, 1881, am gyngerdd a oedd i'w gynnal gan Undeb Corawl Abertawe a fyddai'n cynnwys yr oratorio *Engedi*, neu Crist ar Fynydd yr Olewydd. Tynnwyd sylw'r cyhoedd at ail ran y cyngerdd arbennig hwn:

'A special point will this time be made of the band in order to render the beautiful and difficult orchestral music of Beethoven . . . What will render the forthcoming concert unusually attractive is that after the oratorio . . . there will be a miscellaneous selection of music in which Mr Edward Lloyd and the other artists will sing favourite ballads, the band will perform the Overture to William Tell, and the choir will sing the Market Chorus from the Opera of Masainello, "Come hither all who wish to buy", and the Gipsy Chorus from Il Trovatore. In the latter chorus two or three anvils will be introduced with black-smiths and strikers: the gas will be lowered and coloured lights burnt so as to realise the effect of a forge'.[11]

Cludwyd y dorf oedd am wrando ar y datganiad mewn trenau arbennig o Bort Talbot, o Gastell-nedd, o Lantrisant, Glan-dŵr, Y Mwmbwls ac o Lanelli.

Erbyn y cyfnod hwn 'roedd yn Abertawe lawer o ganolfannau lle y gellid cynnal cyngherddau cyhoeddus. 'Roedd yn y dre' ddwy theatr; y 'Theatre Royal' a safai yn Temple Street lle y bu llawer o actorion mwyaf adnabyddus y cyfnod, pobl fel Edmund Kean, Charles Kean a William Charles Macready, yn ymddangos; a'r 'New Theatre and Star Opera House' yn Wind Street. Yn y chwaraedy hwn byddai cwmnïau opera teithiol yn ymddangos o bryd i'w gilydd. Yn 1880, er enghraifft, fe ddaeth cwmni o Loegr am bythefnos i gyflwyno *Il Trovatore; Don Giovanni; Lucia di Lammermoor; Martha; Lucrezia Borgia; Faust; La Traviata* a *Fra diavolo*. Sôn am dymor o opera!

Soniwyd eisoes i'r Neuadd Gerdd agor ei drysau yn 1864. (Ail enwyd y neuadd yn 'Albert Hall' ymhen rhai blynyddoedd.) Yn ogystal â neuadd i gynulleidfa o 2,500 'roedd yn yr un adeilad neuadd lai ('Albert Hall Minor') ag iddi lawer o ystafelloedd lle gellid swpera neu ymlacio. Pan agorwyd yr Ystafelloedd Ymgynnull yn Cambrian Place yn 1804, safent mewn gerddi prydferth a wynebai olygfeydd hardd dros y môr draw i gyfeiriad Ystumllwynarth a'r Mwmbwls. Ond, cyn canol y ganrif, 'roedd yr adeilad hardd hwn wedi'i

Yr Ystafelloedd Ymgynnull yn Cambrian Place
(Cafwyd gan Amgueddfa Abertawe)

amgylchynu gan fudreddi a hylltra'r diwydiant a dyfasai yng
nghyffiniau'r porthladd.

Oherwydd y datblygiad hwn symudai canol y dref yn raddol tua'r
gorllewin ac, yn 1863 adeiladwyd Ystafelloedd Ymgynnull yn Heo.
Sant Helen, adeilad sydd bellach yn siop gelfi. Yn ddiweddarach,
gelwid y neuadd hon 'The Agricultural Hall', a defnyddid hi ar gyfer
dawnsfeydd, cyngherddau, cyfarfodydd cyhoeddus, arddangosfeydd
a hyd yn oed gyfarfodydd crefyddol. Safai'r 'Drill Hall' yn Stryd
Singleton ac yma cynhelid cyfres o gyngherddau poblogaidd yn
ystod yr wythdegau a'r nawdegau bob nos Sadwrn. 'The Saturday
Pops' oedd yr enw arnynt. Er mai i hyrwyddo addysg yn gyffredinol
a gwyddoniaeth yn arbennig y sefydlwyd Sefydliad Brenhinol De
Cymru yn 1835, fe gynhelid cyngherddau yma o bryd i'w gilydd.

Rhoddwyd un, er enghraifft, ym mis Medi, 1885, pan oedd pob aelod o'r grŵp oedd yn perfformio yn perthyn i'r un teulu, sef teulu John Squire. Dyma, am wn i, y cyngerdd siambr cyntaf fu yn y dre', a dyna sy'n ei wneud mor arbennig, gan fod cyngherddau o'r math yn anghyffredin iawn yng Nghymru bryd hynny. Pan gyhoeddwyd yng ngaeaf 1885-6 y byddai'r Coleg Prifysgol newydd yng Nghaerdydd yn trefnu cyfres o gyngherddau siambr, honnid mai dyna fyddai'r tro cyntaf i gyngherddau o'u bath gael eu cyflwyno yng Nghymru. A mwy diddorol fyth oedd y sylw fod awdurdodau'r coleg yn teimlo bod 'the encouragement of the taste for classical music' yn rhan o'u cyfrifoldeb a'u gwaith addysgol.

'Roedd yr un ysbryd arloesol llawn mor fywiog yn Abertawe yn yr un cyfnod. Gwelid ef ar waith mewn llawer modd: yn sefydliad y Llyfrgell Gyhoeddus a agorwyd gan Gladstone yn 1887; yn narlithiau Bwrdd Estyn Prifysgol Caer-grawnt a draddodwyd yn y 'Royal Institution'; ac yn y darlithiau gwyddonol poblogaidd wythnosol yn y Neuadd Gerdd.

'Roedd yr union ysbryd arloesol y tu ôl i amcanion proffesedig Cymdeithas Gerddorfaol Abertawe a ffurfiwyd yn 1881. Hon oedd y gymdeithas gyntaf o'i bath yng Nghymru, mae'n debyg. Fe ddaeth i fodolaeth bron yn ddamweiniol wedi i'r hysbyseb canlynol ymddangos yn y *Cambrian* ar yr 8fed o Hydref, 1880.

'An amateur is desirous of meeting with other amateurs for the purpose of forming an instrumental class for the practice of classical music.'

O'r ymateb i'r hysbyseb yna y daeth Cymdeithas Gerddorfaol Abertawe i fod. Ei phrif nod oedd: 'to study classical music for its own sake and perform occasionally in public for the advancement of music'. Sylwer ar y pwyslais ar *astudio* cerddoriaeth a'i hyrwyddo drwy berfformiadau. Ymysg yr aelodau cyntaf 'roedd 'the leading professional and amateur instrumentalists of the town and neighbourhood'.

Erbyn 1880 'roedd Abertawe yn dref lle meithrinid ac y gwerthfawrogid cerddoriaeth. Yn yr amgylchfyd ffafriol hwn bu llawer o gerddorion yn byw ac yn ffynnu; yn eu plith, cerddorion mor wahanol eu cefndir, eu profiad a'u hagweddau â'r Cymro W. T. Samuel a'r Sais W. F. Hulley.

W. F. Hulley

Er ei fod bellach fel pe wedi'i lwyr anghofio, yr oedd W. F. Hulley yn un o gerddorion mwyaf egnïol ac amryddawn y dref yn ystod ail hanner y ganrif ddiwethaf. Yn wir, prin y gwelwn yr un rhaglen neu hysbyseb neu boster heb ddod ar draws ei enw fel arweinydd, blaenwr y gerddorfa, feiolinydd, organydd neu gyfansoddwr. Ganed ef i deulu Gwyddelig a drigai yn Yarmouth. Fe ddaeth i Abertawe yn ddyn ifanc i fod yn Gyfarwyddwr Cerdd yn y 'Star Theatre' wedi cael ei annog i ddod yma gan yr actor Andrew Melville. Yn ôl disgrif-iadau ohono yr oedd yn glamp o ddyn a edrychai bob modfedd yn gerddor gyda'i 'Prince Imperial' a'i wallt du, trwchus.[12] 'Roedd yn adnabyddus am ei waith yn darparu cerddorfeydd i gyfeilio'n y

185

cyngherddau dirif a gynhelid mewn capeli a neuaddau drwy Dde Cymru. Yn wir, am amser hir, ei gerddorfa ef oedd yr unig un ar gael i gynorthwyo mewn perfformiadau oratorios yn y cylch.[13] Hwyrach nad oedd chwarae'r gerddorfa o'r radd flaenaf yn gyson, ond cofiwn mai cyfyng oedd dewis Hulley o ran offerynwyr ac mai ychydig o amser i ymarfer a gâi'r gerddorfa. Ar yr adegau hynny pan gaent gyfle i chwarae darn offerynnol fel rhan o'r rhaglen, er mwyn rhoi seibiant i'r côr, gwnâi'r gynulleidfa'n fawr o'r cyfle i glebran — 'Converazione Time' ydoedd, chwedl y *Western Mail.* 'No one listened. No one in the musical decorum of those days was expected to listen.'

Hully, hefyd, a gyflwynodd y cyngherddau poblogaidd ar nos Sadwrn yn y 'Drill Hall'. Er mor syml ac uniongyrchol oeddent yn eu hapêl, 'roeddent yn rhan bwysig o fywyd cerddorol y dre, yn cynnig i'r trigolion adloniant cerddorol deniadol am bris y gallai pawb ei fforddio: 3c., 6ch. a swllt. 'Roedd y cyngherddau hyn yn rhoi cyfle pwysig i'r goreuon ymysg cerddorion ifainc y cylch i ennill profiad gwerthfawr o berfformio o flaen cynulleidfa. 'Roedd y soprano Ellen Flynn yn ffefryn mawr ac yn un o'r sêr disgleiriaf yn y 'Saturday Pops'. Un arall fu'n canu ynddynt yn fynych oedd y *tenor robusto* Eos Morlais, ac fe fyddai'n hudo'r cynulleidfaoedd yn gyson â'i ddatganiadau o ganeuon Handel. Er i'r cyngherddau dueddi i ganolbwyntio ar faledi a chaneuon ysgafn fe fyddai Hulley weithiau'n cyflwyno rhai darnau modern, hyd yn oed weithiau sylweddol megis simffonïau Haydn. Pan ddaeth y cyngherddau i ben o'r diwedd, collodd Abertawe 'one of its greatest social . . . and musical attractions'.

Yr oedd gan Hulley ochrau eraill, dyfnach, i'w bersonoliaeth amlochrog. Ef oedd arweinydd Cymdeithas Gerddorfaol Abertawe, ac fel organydd a chodwr canu yn Eglwys Dewi Sant, yr eglwys babyddol, fe fu'n ddylanwad cryf ar gerddoriaeth yn yr eglwys honno. Rhyfeddwn iddo fedru cyflwyno perfformiad o'r Offeren yn G gan Weber yn yr eglwys yn Hydref 1880 fel rhan o'r gwasanaeth boreol!

Fe gyfansoddodd operâu ar gyfer y cwmni amatur a oedd ganddo yn yr eglwys. Y ddwy fwyaf llwyddiannus oedd *The Coastguard* neu *The Last Cruise of the Vampire* (1884) a *The Rustic* (1888). Yr oedd

Patti yn ei edmygu'n fawr a buont yn gyfeillion clòs hyd at farwolaeth y gantores enwog yn 1919. Pryd bynnag y byddai Patti'n gwahodd ei ffrindiau i'r castell, ac yn eu plith rai o gerddorion ac artistiaid blaena'r dydd, byddai Hulley yn fynych yn gofalu am y gerddoriaeth ac yn trefnu fod offerynwyr a chantorion o'i gwmni operatig yn cyfrannu i'r rhaglenni. Fe gyflwynodd ei operâu yng Nghraig y Nos, hyd yn oed, o dan nawdd Patti ei hun. Mae'n amlwg iddi feddwl yn uchel iawn am ddoniau'r dyn gweithgar, dylanwadol hwn.

Ar ôl iddo ymddeol fe symudodd o'r dref a dychwelodd i'w hen gynefin yn Yarmouth. Bu'n gweithio yn Abertawe am hanner can mlynedd a bu colled fawr ar ei ôl. Yng ngeiriau'r gwerthfawrogiad ohono yn y *Cambrian*, yn Abertawe 'roedd cerddoriaeth a Hulley yn gyfystyr.

Yr oedd W. T. Samuel yn gerddor o fath hollol wahanol. O'i gymharu â Hulley y feiolinydd, arweinydd cerddorfaol, cyfansoddwr operâu a dyn y theatr, 'roedd bywyd cerddorol W. T. Samuel ynghlwm wrth draddodiadau Cymreig, sef, y capel, yr eisteddfod a Chymdeithas y Tonic Sol-ffa. Er ei fod yn fwy cyfyngedig na Hulley o ran ei ddoniau a'i agweddau at gerddoriaeth ac yn llai ei brofiad o'r byd efallai, yr oedd yn dra galluog yn ei feysydd arbennig ef ei hun, a chydnabyddid hynny gan bawb a'i hadwaenai ac a weithiai gydag ef.[14]

Fe ddaeth i Abertawe yn 1880 o Gaerfyrddin wedi'i apwyntio, allan o bump ar hugain o ymgeiswyr, i swydd organydd a chodwr canu yng Nghapel Mount Pleasant, capel y Bedyddwyr. Dechreuodd ar ei waith ar 26ain Hydref, 1880 drwy draddodi darlith gyhoeddus ar y sol-ffa. Cyn pen mis 'roedd wedi sefydlu dosbarth o dros gant o bobl yn y capel ac un arall tebyg iddo yn siop Ben Evans. (Tua'r un amser ffurfiwyd y 'Temple Glee and Dramatic Society' yn y dre — pob aelod ohoni wedi'i gyflogi yn siop Ben Evans. Yn wir, mae datblygiad y mudiad drama yn y dre yn rhedeg ochr yn ochr â thwf y traddodiad corawl.) Yn ogystal â chyfarwyddo gwaith y côr ym Mount Pleasant, cyfansoddodd lawer o emyn donau ac arweiniodd Gôr Undebol Sankey a Moody — côr o 360 o gantorion dethol o eglwysi a chapeli'r cylch. Fe fu'n gyfrifol hefyd am gôr o 500 o blant a'u hathrawon a llawer o gorau eraill hwnt ag yma. Fe aeth â rhai o'i gorau i Lundain i ganu yng ngŵyl flynyddol y Gymdeithas Sol-ffa yn y Palas Grisial.

Dichon fod ei waith fel athro cerdd yn bwysicach hyd yn oed na'i waith fel hyfforddwr corau. Ymdrechai'n hir ac yn ddiwyd i ddysgu plant ac oedolion i ddarllen cerddoriaeth drwy sistem y sol-ffa. Fe ddilynai amserlen drom o ddysgu, beirniadu a gweinyddu. Wedi traddodi ei ddarlith ar 'System y Tonic Sol-ffa a'r Ysgolion Elfennol' yn Abertawe fe'i apwyntiwyd ef gan y Bwrdd Lleol i hyfforddi'r athrawon yn y sol-ffa. 'Roedd ganddo ddosbarth o athrawon o ysgolion Eglwys Loegr; dosbarth o 150 yng Nghapel y Bedyddwyr yn Nhreforys; a dosbarth arall o 70 yng Nghapel y Bedyddwyr yn Westbrook yn y Mwmbwls. Cynhaliai ddosbarth-iadau yn Llanelli; dysgai dros y Y.M.C.A. yn Abertawe; dysgai yn y Lleiandy ac yn ysgolion pabyddol y dref. Dysgai, hefyd, yn ysgolion eglwysig Pentre-chwyth, Cil-fai a St Thomas. Amhosibl yw i ni or-brisio pwysigrwydd ac arwyddocâd ei waith a'i ddylanwad ar ddatblygiad doniau cerddorol y bobl gyffredin mewn cyfnod pan oedd corau Cymru'n cael eu beirniadu'n llym am nad oeddynt yn darllen cerddoriaeth yn rhugl ac yn rhwydd. Mewn adolygiad o'r Eisteddfod Genedlaethol yn Llundain yn 1887 ysgrifennodd un beirniad:

> 'the men's voices were particularly fine and, had the sopranos and altos been capable of producing an equally grand volume and quality of tone in proportion to their numbers, the Yorkshire singers would have needed to look even more closely to their laurels. On the other hand, a very weak display was made in the sight-singing contest. This important branch (of music) seems to be sadly neglected in Wales and the fact is to be much regretted'.[15]

Gwnaed sylwadau tebyg o flaen y Cymmrodorion yn 1888; 'not one out of ten sopranos,' meddai Joseph Bennett, 'could read music from either tonic sol-ffa or old notation. But day schools and juvenile choral classes are now modifying the situation.' Yn anffodus, canrif yn ddiweddarach, nid yw pethau'n llawer gwell, er i arloeswyr fel W. T. Samuel weithio mor ddyfal a diwyd.

Er pwysiced oedd W. T. Samuel a W. F. Hulley yn y gymdeithas, ac er lleted eu cyfraniad i fywyd cerddorol y dre, ni allai'r un ohonynt, na neb arall ychwaith ymhlith cerddorion y dre yn wythdegau'r ganrif ddiwethaf, gystadlu â'r Dr Joseph Parry o safbwynt carisma a dylanwad. Dim ond ychydig o bobl bellach sy'n cofio i Joseph Parry gartrefu yn Abertawe o 1881 tan 1888, ac mai yn y dref hon y penderfynodd sefydlu ei Goleg Cerdd Cenedlaethol i Gymru.

Wedi iddo orffen ei addysg ffurfiol yn yr Academi Frenhinol yn Llundain apwyntiwyd ef yn Athro Cerdd cyntaf yng Ngholeg y Brifysgol, Aberystwyth yn 1875. Amharwyd ar y pum mlynedd y bu yn Aberystwyth gan anghytundebau rhyngddo ef ac awdurdodau'r coleg, a chan deimlad o anniddigrwydd a llesteiriant a fu'n cnoi'n ddi-dor ar esmwythder ei feddwl. O'r diwedd, wedi i'w feistri ychwanegu at faint ei waith, torri ei gyflog, a'i wahardd rhag derbyn merched i'w ddosbarthiadau, penderfynodd ymddiswyddo. Aeth yn ôl i'r Unol Daleithiau am gyfnod ac yn y cyfamser, tra'n ystyried y posibilrwydd o sefydlu coleg cerdd annibynnol yn America, derbyniodd wahoddiad oddi wrth ei hen gyfaill a'i gefnogwr, Dr Thomas Rees, gweinidog Ebeneser, Capel yr Annibynwyr, i ddod i Abertawe i fyw a gweithio.

Cyrhaeddodd yng ngwanwyn 1881 ac ymsefydlodd yn Blodwen House, Northampton Terrace. Bwriodd ei hun i'r mewn i fywyd cerddorol y dre. Gafaelodd yn ei gyfrifoldebau yn y capel yn llawn brwdfrydedd ac, i ddathlu ei ddyfodiad, adeiladwyd organ newydd ac oriel lle eisteddai'r côr. Cyn pen hir o amser wele'r *Cambrian* yn cyhoeddi: 'a large and efficient choir has been organized and is now in bi-weekly practice at Ebenezer school-room for the rehearsal of Blodwen.'[16]

Hyd yn oed yn ystod ei ddyddiau yn Aberystwyth dyhead Joseph Parry oedd sefydlu coleg cerdd a fyddai'n cynnig addysg gerddorol i'r llu o bobl dalentog a oedd, yn ei dyb ef, ar wasgar drwy'r gymdeithas, yn methu â datblygu eu talentau oherwydd prinder arian a diffyg cyfle. Ar ôl ei siom a'i rwystredigaeth yn Aberystwyth edrychai ar ei symudiad i Abertawe fel cyfle gwych i geisio cyflawni ei ddyhead. Trefnwyd cyfarfod cyhoeddus yn yr 'Assembly Rooms', Heol Sant Helen, er mwyn iddo esbonio'i fwriad ac er mwyn mesur maint y gefnogaeth yr oedd yn debygol o'i chael. Daeth nifer go helaeth i'r cyfarfod ac ar 1af Ebrill, 1881, gwelwyd yr hysbyseb canlynol yn y *Cambrian*:

Joseph Parry

Dr Parry begs to inform the public that he will open
his college on Thursday 29 April 1881

Bu hysbysebion tebyg yn y *Cambrian* drwy gydol y mis i geisio
sicrhau dechreuad llwyddiannus i'r coleg. Ac ar ddiwrnod agor y
coleg, printiwyd erthygl hir yn y *Cambrian* yn tanlinellu pwrpas ac
athroniaeth y coleg newydd. O'r dechrau, cafodd Parry gefnogaeth
cyfoethogion y dre. 'Roedd dau o wŷr mwyaf cyfoethog a
dylanwadol Abertawe, sef Syr H. Hussey Vivian, Bart, A.S., a J. T.
D. Llewellyn o Benlle'rgaer yn Llywydd ac Is-Lywydd ar ei goleg.
Wedi denu cefnogaeth cystal â hyn fe aeth ati i drefnu rhaglen waith
lawn a thrylwyr a fyddai'n cynnwys canu, cynghanedd, gwrthbwynt,
offeryniaeth, y piano, y ffidil a'r organ. 'Roedd maint y taliadau'n
amrywio o £1-10s. i £6-6s. y tymor.

190

Fel bob amser, 'roedd sicrhau cefnogaeth ariannol yn broblem barhaol, ac fel y sylwasom, 'roedd Parry yn benderfynol na fyddai unrhyw fyfyriwr galluog, pa mor dlawd bynnag, yn colli cyfle i astudio. Disgrifiodd ei resymau dros sefydlu ei goleg mewn darlith ar 'Musical Education in Wales'. Ynddi, fe ddywedodd y dylid darparu ar gyfer y rhai na fedrai fforddio mynd i'r colegau cerdd yn Llundain, yn yr un modd ag yr oedd rhai yn ceisio darparu ar gyfer y rhai nad oeddent yn medru astudio yn Rhydychen neu yng Nghaergrawnt. Cyfeirio yr oedd at y bwriad i sefydlu colegau prifysgol ym Mangor ac yng Nghaerdydd. Byddai pobl a oedd yn gweithio'n ystod y dydd yn cael cyfle naill ai i fynychu ei goleg gyda'r nos neu i ddilyn cwrs gohebu.

Er bod rhannau helaeth o Gymru yn dlawd iawn yn y cyfnod hwnnw, cyn pen blwyddyn 'roedd ei goleg, 'The Musical College of Wales', wedi denu bron cant o fyfyrwyr. Cynorthwyid ef gyda'r dysgu a'r gweinyddu gan ei ddau fab, Joseph Haydn Parry a D. Mendelssohn Parry. Cymaint oedd llwyddiant y coleg fel yn fuan iawn dechreuwyd cynnal cyngherddau blynyddol yn yr 'Albert Hall' pan dderbyniai'r myfyrwyr llwyddiannus eu gwobrau wrth iddynt ddangos i'r cyhoedd faint eu datblygiad yn ystod y flwyddyn. Ar ôl y pedwerydd cyngerdd blynyddol ym mis Mehefin, 1885, sylwai un beirniad: 'the pianoforte playing was exceedingly good and the vocal pupils showed great efficiency'. Rhoddwyd y gwobrau canlynol:

A Friend's Instrumental Scholarship	£20
The Penllergare (sic) Vocal Scholarship	£20
The Stephen Evans Instrumental Scholarship	£5
The Theory Prize	

Rhoddwyd medalau arian a phres hefyd.

Er i Joseph Parry gael ymateb brwd iawn ar y cychwyn ni ddylem gredu bod Abertawe'n anialwch cerddorol cyn iddo ymsefydlu yn y dre. Bu yma gerddorion proffesiynol drwy'r ail ganrif ar bymtheg a'r ddeunawfed yn cynnig eu gwasanaeth i unrhyw un a chanddo ddiddordeb mewn cerddoriaeth. Pan gyrhaeddodd Joseph Parry yn 1881 'roedd nifer o gerddorion eisoes yn y dre yn ennill bywoliaeth fel athrawon neu fel cerddorion ymarferol. Dengys papurau newydd a chylchgronau fod yma o leiaf bedwar ar bymtheg o bobl yn

191

hysbysebu eu parodrwydd i ddysgu nifer o offerynnau, yn ogystal â chanu a phynciau damcaniaethol. Er enghraifft, 'roedd Mr W. B. Board, 'dilynydd i'r diweddar Mons. Jules Allard' yn cynnig gwersi ar yr organ, yr harmonium a'r piano yn ogystal â gwersi mewn canu, cynghanedd a gwrthbwynt. Addawai ymweld â Chastell-nedd, Llansawel, a'r Mwmbwls yn wythnosol. Yna, 'roedd Mr H. Lord, 'Professor of Music at Bishop Gore's Grammar School (who) attends pupils for instruction in music'. Yr oedd Mr Benvenutti a'i wraig yn cynnig gwersi mewn cerddoriaeth yn ogystal ag mewn llawer o ieithoedd gwahanol. Hysbysebai Mr Mitchell, organydd newydd Eglwys y Santes Fair, ei barodrwydd i ddysgu, fel y gwnâi W. F. Hulley a W. T. Samuel hefyd. Cynigiai Mr Bargeer Wall, 'disgybl i Herr Polanski' wersi mewn canu, canu'r ffidil a chyfeilio ac, yn 1884, wele Mr Riseley, 'who begged to thank the residents of Swansea and neighbourhood for their liberal patronage during the past ten years and assures them that the same patient, careful system would always be adhered to.' Yn ogystal â'r rhain cynigiai pedwar aelod o deulu Mr J. F. Fricker, sef ei wraig ac yntau a'u dwy ferch, Minnie a Florence, wersi ar y piano, y delyn, y ffidil a'r llais.

Teulu arall a fu'n ddylanwadol iawn ym mywyd cerddorol y dre oedd teulu John Squire. Er mai rheolwr banc ydoedd, 'roedd yn gerddor amatur penigamp. 'Roedd ei wraig, hithau'n gerddores, a'i fab, y cyfansoddwr W. H. Squire, a'i ferch, Mary. Nid digon oedd bod aelodau'r teulu'n barod i ddysgu; gelwid eu tŷ yn Wind Street, 'The Musical College', ac yr oedd croeso i bawb a fynnai i ymweld â'r teulu a gwrando ar eu cyngherddau anffurfiol.[17]

Ond, er gwaethaf ymdrechion a doniau lliaws yr athrawon hyn a'u tebyg, nid oedd Abertawe, na Chymru o ran hynny, yn llwyddo i gynhyrchu offerynwyr. Nodwyd hyn gan arholwr a ddaeth i gynnal arholiadau ar gyfer yr Academi Frenhinol yn Llundain yn haf 1888, pan ysgrifennodd:

'We notice that the list of 44 entrants contains only four candidates in singing — even in this land of song — and three in the lower grades of theory. Wales sadly wants a strong impetus to the study of orchestral instruments without which the truly magnificent world of orchestral music is closed to it.'[18]

(Dim ond un offerynnwr fu ger bron yr arholwr, a feiolinydd ifanc oedd hwnnw.)

Clywid yr un feirniadaeth ar gulni a phrinder profiad cerddorol y Cymry gan Joseph Bennett yn ei anerchiad i'r Cymmrodorion yn 1881. Ei destun oedd 'The Possibilities of Welsh Music' ac fe soniodd am sefydlu cymdeithas gerddorol genedlaethol i Gymru. 'Roedd yn bendant ei farn ar un peth: 'the measure of a nation's knowledge of and skill in instrumental music is the measure of its status in the Art (of music)'.[19] Fe fyddai Joseph Parry yn cytuno'n llwyr, fel y prawf ei syniadau yn ei bapur ar *Musical Education in Wales*. Ynddo dywedodd mai oblegid nad oedd yng Nghymru ddigon o gerddorion proffesiynol i hyfforddi ei myfyrwyr yr oedd y Cymry wedi'u cyfyngu i ddatblygu cerddoriaeth leisiol yn unig. Ac ymhellach, teimlai, gan fod cymaint ohonynt wedi llwyddo fel cantorion, y gallent ddatblygu lawn cystal fel offerynwyr, pe caent eu hyfforddi'n llwyr ac yn drwyadl.

Mae'n bur annhebyg y byddai'r mwyafrif o'i gydweithwyr yn y maes yn cydweld a chydymdeimlo â'i opiniynau. Ac eto i gyd, fe fyddai'n rhaid iddynt gytuno fod cerddoriaeth offerynnol a cherddorfâol yng Nghymru yn wannach o lawer ac yn fwy hwyr-frydig nag ydoedd yn Lloegr, er cymaint y ddawn a'r ymdrechion. Er enghraifft, ni chafodd y Cymry gyfle i wrando ar gerddorfa broffesiynol o'r radd flaenaf cyn Eisteddfod Genedlaethol Caerdydd yn 1883, mae'n debyg. A'r pryd hwnnw daeth cerddorfa o ryw drigain o chwaraewyr o Lundain i roi dau gyngerdd am dâl o £600. Cafwyd ganddynt simffonïau gan Beethoven, Mendelssohn a Schubert; agoriadau gan Mozart, Rossini a Weber, a consierto i'r organ gan Handel. Dichon y byddai cerddoriaeth o'r math yma'n ormod i stumog cynulleidfa werinol a oedd yn hollol anghyfarwydd â phethau o'r math. Eto i gyd, fel y sylwodd gohebydd o Loegr: 'these works were heard with intense interest by thousands who probably had never listened to a first-class orchestra in their lives'.[20]

Wedi mwynhau cerddoriaeth o'r ansawdd yma droeon yn ystod ei flynyddoedd yn Llundain 'roedd Joseph Parry yn ymwybodol iawn o'r bylchau ym mhrofiad ei gyd-Gymry. Hefyd, 'roedd yn hollol argyhoeddedig fod gan y Cymry, fel cenedl, ddawn gynhenid a theimlad dwfn, angerddol at gerddoriaeth. Gan hynny, gallwn ddychmygu iddo gydymdeimlo â gohebydd y *Musical Times* a ysgrifennodd o'r Eisteddfod Genedlaethol yn 1883:

'I can speak with some assurance of the general merit displayed. Often, of course, candidates were found seriously wanting in even ordinary requirements; but many more showed great natural powers with a fair measure of cultivation. I should say what Wales most wants for her music is good teachers . . . I heard in Cardiff solo singing, playing upon orchestral instruments, and concerted vocal performances — all by working men and women — such as proved that, were Wales to be properly cultivated, she would contribute most valuable help towards the progress of the nation at large. This is one reason why Englishmen have a direct interest in the proper development of the Eisteddfod. Every step in advance is a gain for them'.[21]

Gobaith Joseph Parry, yntau, oedd gweld Cymru wedi'i meithrin yn briodol, hynny yw, er mwyn Cymru ei hun, ac er mwyn y Cymry, ac yn arbennig, 'those aspiring musicians waiting to gain their freedom from the colliery or the village shop'.

Ond, ni throdd ei freuddwyd am Goleg Cerdd i Gymru yn realiti, ac fe adawodd Abertawe yn 1888 yn ddyn siomedig, i lenwi swydd newydd fel darlithydd cerdd yn y coleg newydd yng Nghaerdydd. Megis ei ymadawiad ag Aberystwyth, fe adawodd Abertawe eto o dan gwmwl. Gellir clywed atsain o'r cenfigennu a'r cynhenna a fu mewn llythyr a gyhoeddwyd yn y *Cambrian*, 31 Awst, 1888, rai misoedd wedi i'r cyfansoddwr ddatgan ei fwriad i adael y dref. Awdur y llythyr oedd Mr Board, athro piano.

Nationality and the music of Wales

Sir, Welsh musicians are arousing themselves and endeavouring to establish a Welsh National Society of Musicians. The time has fully come for such an institution. No impartial musician will think of denying that which is so patent a fact — that Wales literally teams with musical ability, which, however has greatly suffered from want of education. Of encouragement there had been plenty, but too often bestowed in a manner which has led to results the reverse of desirable . . . Doubtless the newly formed Society will guide the steps of those who wish to become artistes.

My object is . . . to point to the present time as being the opportunity for laying the foundations of a Welsh school of music . . . by encouraging those with the spirit of composition to study the art in earnest, and cultivate the talents entrusted to them in the *best schools of the day*, before giving flight to their imagination and rushing into print with the only preparation of having read a standard work on the subject.

No Welsh School will be possible — no Welsh School can exist — if the compositions illustrating it are simply imitations of the styles of other nations. No counterfeit presentment of Bach, Beethoven, Handel, Mozart, Weber, Mendelssohn, Sullivan or any other well-known master can ever lend any aid to the establishment of a Welsh School . . . The experiment of establishing a Welsh School is well worthy (of) a trial for any truly national school widens the area and increases the charms of the "Divine Art", but it is only by carrying on its face a distinct mark of its own nationality that a Welsh School can ever make itself felt. We have already a great deal of Welsh Music — that is, music written by Welshmen — but how much of it carries on its face any distinct spirit which would separate it from cosmopolitan music and mark it as belonging to a special school?[22]

Er i Mr Board gyffwrdd â mater pwysig a difrifol yn ei lythyr, ac er iddo gyfleu ei deimladau'n hollol ddidwyll, ni fyddai ei feirniadaeth ar ansawdd a safon cerddoriaeth Gymreig yn dderbyniol iawn gan ddilynwyr a disgyblion Joseph Parry. Cyn pen mis yr oedd y cyfansoddwr siomedig wedi gadael y dref a chofnodwyd ei ymadawiad yn y *Cambrian*.

Dr Joseph Parry's Removal to Cardiff

On Tuesday, Dr Joseph Parry, the composer of Blodwen, Emmanuel and etc. the well known and popular principal of the Musical College of Wales, Blodwen House, Swansea, left our town, taking with him his household gods (sic), in order to settle in Cardiff, where he has undertaken the musical Professorship at the College of South Wales and Monmouthshire. Dr Parry's new residence will be at Penarth, which he has chosen for the double reason that the place is healthily situated, and is not occupied by music teachers. We heartily wish Dr Parry and his family happiness and success in their new sphere of life and labour. During his stay in Swansea Dr Parry has added much to his reputaion as a composer and has done a good deal of excellent work as a teacher. But for the intrusion of the discordant feeling — known as Y diawl y canu — between his immediate followers and other sections of local musical life, especially in connection with the late Swansea Choral Society he might have achieved much more in the direction of elevating the taste for music in our midst. It is only fair to say that, for any such falling short of the highest influence, Dr Parry is not himself to blame. He was merely the victim of that hot and unreasoning spirit which damages so much that is good and liberal and noble in "Willt Walia". And, really, the manner in which Dr Parry has been crippled in public musical usefulness in Swansea ought to be a serious warning to those [who are] enthusiastic partizans first, and musicians afterwards. We understand that Dr Parry will continue to visit Swansea weekly for some three months to come, at the urgent request of a considerable number of friends and pupils, in order to continue his teaching on Saturdays and his duties as organist at Ebenezer Chapel on Sundays.[23]

Felly daeth i ben freuddwyd Joseph Parry am sefydlu ei Goleg Cerdd i Gymru yn Abertawe, a chyda hynny, unrhyw obaith a fu gan y dref o ddatblygu'n ganolfan bywyd cerddorol y genedl.

Can mlynedd yn ddiweddarach, wele'r ddinas a'i chyffiniau'n dal i gynhyrchu to ar ôl to o gerddorion ifainc, talentog, brwdfrydig, er nad oes coleg cerdd o unrhyw fath yn y cylch na hyd yn oed adran gerddoriaeth yng Ngholeg y Brifysgol. Trist yw sylwi fod cenhedlaeth ar ôl cenhedlaeth o gerddorion ifainc wedi'u gorfodi i adael eu cynefin i dderbyn eu hyfforddiant; a thrist hefyd fod cyn lleied ohonynt wedi dychwelyd.

Gan mor fywiog a chyffrous y bu datblygiadau'r wythdegau, oni bai am Gythraul y Canu a'i ddylanwad llechwraidd, andwyol, a'i allu i ffaglu mân genfigen a chwyddo ambell anghydweld dibwys, hwyrach y byddai Joseph Parry wedi ymsefydlu yn Abertawe yn llwyddianus a gosod ei Goleg Cerdd ar sylfaen solet. Pe digwyddasai hynny, buasai bywydau ei gyfoeswyr yn gyfoethocach heb os, a'n bywyd ninnau heddiw'n ogystal mi greda i.

NODIADAU

1. E. Harris, *Swansea, its port and trade and their development*, 1934, t. 131
2. J. T. Barber, *A Tour through South Wales and Monmouthshire*, 1803, t. 18
3. *Gloucester Journal*, Awst 28 a Medi 4, 1797
4. *The Public Advertiser* (Llundain), Ebrill 16, 1765
5. *Cambrian*, Mehefin 22, 1805
6. *Y Cerddor Cymreig*, Gorffennaf 1, 1861 tud. 39.
   'Y Gantores Newydd — Adelina Patti. Er pan ysgrifenasom o'r blaen y mae seren newydd, o'r maintiolaeth mwyaf, wedi ymddangos yn yr haner-gylch dwyreiniol o'r byd cerddorol.'
7. Lindsay Evans, 'Adelina Patti and Craig y Nos', *Welsh Music*, Cyf. 5 rhif 2, Gwanwyn 1976, t. 41

8.   Diolchaf i Dr Hywel Francis a Dr John Alban am y wybodaeth ganlynol:
     Yn yr un cyfnod byddai gweithwyr fferm yn ennill cyn lleied â 15s yr
     wythnos a gweithwyr glo rhywbeth rhwng 21/- a 33/-. Byddai athrawon ysgol
     yn derbyn llai na hyn hyd yn oed: y mae sôn am rai yng Ngŵyr yn yr
     wythdegau yn ennill rhwng £18 a £30 y flwyddyn!

9.   *Musical Notes* (Llundain), 1886, t. 82-83

10. Meredydd Evans, 'Cyngherddau'r Ganrif Ddiwethaf', *Eisteddfota* 2, 1978,
     t. 80-98

11. *Cambrian*, 30 Ionawr, 1880

12. *Cambrian Daily Leader*, 11 Tachwedd, 1929

13. loc. cit.

14. Ifano Jones, *Bywyd a Llafur W. T. Samuel*, 1920

15. *Musical Notes* (Llundain), 1887, t. 97

16. *Cambrian*, 6 Mai, 1881

17. *Western Mail*, National Eisteddfod Supplement, 31 Gorffennaf, 1926

18. *Cambrian*, 22 Mehefin, 1888

19. *Musical Times*, Medi 1888, t. 594-5

20. ibid. Medi 1883, t. 499

21. loc. cit.

22. *Cambrian*, 31 Awst, 1888

23. ibid., 28 Medi, 1888

Gwyddoniaeth yn Abertawe

M. R. Hopkins

Y mae sôn am wyddoniaeth mewn perthynas ag ardal, gwlad, dinas neu dref yn anodd ar yr un llaw am fod gan egwyddorion a datblygiadau gwyddonol gyffredinolrwydd sydd yn torri ar draws ffiniau lleol. Ar y llaw arall, y mae yna ddiddordeb mewn ceisio sylwi ar y llwybrau a ddilynwyd gan weithwyr ac ymchwilwyr o fewn cymdogaeth yr ŷm yn gyfarwydd â hi. Bwriad y bennod hon fydd trafod ryw gymaint ar ddatblygiadau gwyddonol yng nghymdogaeth Abertawe a gwneud hynny yn arbennig o safbwynt y berthynas rhwng cymdeithas ddiwydiannol y cylch ac adnoddau'r brifysgol sydd yn ei ganol.

Cyn dechrau trafod datblygiadau gwyddonol sydd o ddiddordeb ynglŷn ag Abertawe, gadewch i ni oedi am ysbaid er mwyn ceisio ystyried beth a olygwn wrth wyddoniaeth yn yr ystyr eang. Disgyblaeth yw sydd yn rhan o'r ymdrech a wnawn i ddeall y cyfanfod yr ŷm yn byw ynddo, ac yn wir yn rhan ohono.

Wedi wynebu sefyllfa neu wedi sylwi ar rywbeth sydd yn bod neu sydd yn cymryd lle yn y byd allanol, mae anelu at ei ddeall yn golygu disgrifio a chasglu a threfnu yr hysbysrwydd hynny sydd yn debyg o fod yn berthnasol. Mae hyn yn gofyn am feirniadaeth ar beth sydd yn berthnasol neu yn ddamweiniol, a gadael yr olaf allan o ystyriaeth. Ond y mae hyn, hyd yma, ymhell o gyrraedd y pwynt o fod yn wyddoniaeth, sydd yn ddyfnach na chofnodi a chofrestru ac yn fwy na chatalog o ddigwyddiadau ac amgylchiadau.

Y cam nesaf yw cynllunio model meddyliol sydd yn cynnwys patrwm o syniadau yn gyson â'r hyn a ddaw i'n sylw. Yr offerynnau a ddefnyddir yn awr yw rheswm, rhesymeg, mathemateg a'r gwyddorau sydd yn dibynnu arnynt. Y mae bod yn gyfarwydd â'r model neu'r patrwm yn gyfystyr â deall y sefyllfa a fu'n achos i ofyniadau godi ynglŷn â hi. Ond y mae mwy na hyn i'r model. Fel rheol bydd yn rhoi cyfle i drafod sefyllfaoedd newydd na fu o dan sylw o'r blaen a hefyd i ragfynegi canlyniadau newydd. Y mae symud ymlaen a datblygu ymhellach yn gofyn am abrofi pwrpasol i geisio darganfod gwallau yn y model a'i newid os bydd angen. Weithiau cawn newidiadau yn ymwneud â manylion, gan adael y patrwm cyfan yn debyg i'r hyn yr oedd. Ar y llaw arall y mae yna uchelbwyntiau yn hanes gwyddoniaeth a nodweddir gan newidiadau sylfaenol yn ein ffordd o feddwl. Oddi ar blynyddoedd cynnar y ganrif hon nid yw amser na gofod yn cario'r arwyddocâd clasurol a fuasai'n gyfarwydd am ganrifoedd. Hefyd, nid yw'n bosib yn awr feddwl am belydredd fel rhywbeth sydd yn caniatáu ei rannu yn ddarnau mor fân ag y mynnir. Hyn sydd wrth wraidd damcaniaeth y cwantwm, damcaniaeth sy'n sylfaenol mewn ffiseg a chemeg a phob gwyddor arall sydd yn gysylltiedig â hwynt, ac a fu'n fawr ei dylanwad ar athroniaeth fodern.

Arferir gwahaniaethu rhwng dwy agwedd ar wyddoniaeth, sef gwyddoniaeth bur a gwyddoniaeth gymhwysol. Gwyddoniaeth bur yw'r astudiaeth sydd yn ymwneud ag egwyddorion a'u canlyniadau heb yr un pwyslais ar eu defnyddioldeb tu allan i wyddoniaeth ei hunan. Y mae gwyddoniaeth gymhwysol ar y llaw arall, yn trafod problemau a gyfyd o ddefnyddio egwyddorion gwyddonol er mwyn gweithredu. Anghywir, er hynny, fyddai tybio bod yna ryw fath o len haearn rhwng y ddwy agwedd. Y mae diwydiant yn dibynnu ar wyddoniaeth gymhwysol, ond o bryd i'w gilydd y mae canlyniadau ymchwil mewn gwyddoniaeth bur yn dylanwadu er gwell ar ddiwydiant ac nid yn anfynych yn arwain at sefydlu diwydiannau newydd. Hefyd cawn enghreifftiau lawer o'r ymgais i ateb gofynion mewn gwyddoniaeth gymhwysol yn awgrymu llwybrau newydd i'w dilyn ym myd gwyddoniaeth bur. Ymhellach, er iddi fod yn draddodiadol a chyfleus i gydnabod adrannau neilltuol o fewn gwyddoniaeth, hwylus iawn yw dod ar draws syniadau yn camu dros y ffiniau rhwng adran ac adran a gweled darganfyddiad a wnaeth-pwyd neu ddyfais a gynlluniwyd o fewn un ddisgyblaeth yn dod, yn hollol rwydd a naturiol, yn ddefnyddiol o fewn un arall.

Ynglŷn â'r berthynas rhwng deall a gweithredu, diddorol yw sylwi ar beth a ddywedwyd, bedair canrif yn ôl, gan Francis Bacon.

'Yn gyntaf, gan hynny, ymhlith cymaint o sefydliadau gwych o golegau yn Ewrob, syndod yw i mi weled eu bod yn ymroddedig i alwedigaethau, heb yr un wedi ei adael yn rhydd i'r celfyddydau a'r gwyddorion yn eu ehangder. Felly os barnu wna dynion y dylai dysgeidiaeth gyfeirio at weithredu, barnu yn dda a wnânt. Ond yn hyn, syrthiant i'r camgymeriad a ddisgrifiwyd yn yr hen chwedl, lle yr oedd rhannau eraill o'r corff yn honni mai segur oedd yr ystumog gan iddi beidio â chyflawni'r weithred o symud fel y gwna'r coesau a'r breichiau, na hefyd o synhwyro fel y gwna'r pen. Ond er hynny, yr ystumog sydd yn treulio ac yn dosbarthu i bob dim arall. Felly os bydd unrhyw un yn credu bod athroniaeth a chyffredinolrwydd yn astudiaethau ofer, nid yw'n ystyried bod y galwedigaethau i gyd yn cael eu gwasanaethu a'u cyflenwi ganddynt. Dyma a gymeraf fel achos mawr a rwystrodd datblygiad dysgeidiaeth, sef na chafodd yr astudiaethau hyn sylw ond wrth fyned heibio. Pe baech am i goeden ddwyn mwy o ffrwyth na chynt, nid dim a allech ei wneud i'r canghennau, eithr troi'r pridd a gosod gwrtaith newydd am y gwreiddiau, a wnâi hynny.'

Hyd yma buwyd yn ceisio sôn am deithi cyffredinol gwyddoniaeth gan nodi'r berthynas waelodol rhwng gwyddoniaeth bur a gwyddoniaeth gymhwysol. Gwnaethpwyd hynny am ei bod hi'n rhaid deall y berthynas hon cyn y gellir gwerthfawrogi'n llawn paham y gwreiddiodd, a sut y datblygodd gwyddoniaeth yn Abertawe, yn arbennig fel maes astudiaeth ac ymchwil yng Ngoleg y Brifysgol yno. Y mae hanes diwydiant yn Abertawe a'r cylch yn ymestyn yn ôl dros yn agos i dair canrif, gydag amryw weithfeydd glo, copor, haearn a dur, tun a nicel; a diwydiannau eraill yn ymwneud â phuro olew crai ac â pheirianneg metelegol, cemegol, trydanol, mecanyddol a sifil. Yn amgylchedd y diwydiannau hyn, naturiol oedd i ddynion ystyried fod mwy i'w gwaith na'r hyn a gyflawnwyd o raid o ddydd i ddydd. Yr oedd ynddynt yr awydd hwnnw, sy'n rhan o fywyd pob crefftwr, i geisio gwella a datblygu ei grefft ei hun ac ar yr un pryd ystyried ei lle mewn perthynas â chrefftau eraill. Golyga hyn ehangu a dyfnhau gwybodaeth, a hynny yn ei dro yn arwain at sefydlu cymdeithasau a rydd gyfle i drafod pynciau o ddiddordeb arbennig. Dyna sut y daeth i fod yn Abertawe yn 1835 Sefydliad Brenhinol De Cymru, sefydliad sydd yn fyw ac iach heddiw. Chwaraewyd rhan bwysig ym myd addysg ffurfiol mewn gwyddoniaeth yn Abertawe gan y Coleg Technegol a sefydlwyd ar ddechrau'r ganrif ac a bery'n llewyrchus hyd y dydd heddiw. Gyda help, mewn mwy nag un ystyr, gan y Coleg hwnnw y sefydlwyd Coleg y Brifysgol, Abertawe, yn 1920.

Godoswyd carreg sylfaen y Coleg newydd ym Mharc Singleton gan Ei Fawrhydi Sior V ar Orffennaf 19, 1920. Y mae'n werth sylwi ar ei eiriau:

'Eich uchelgais, 'rwy'n gwybod, yw gwneud y Coleg yn ysgol fawr o dechnoleg gan roi sylw arbennig i broblemau'r diwydiannau metelegol y bydd eich ardal yn enwog mewn cysylltiad â hwynt. Yr ydych yn bwriadu hefyd ddarparu ar gyfer anghenion eich diddordebau mewn llongau a marchnata, a bydd hyn, yn ddiamau yn golygu astudio ieithoedd a thraddodiadau'r gwledydd tramor hynny yr ymwneir â hwynt. Ni fwriadwch ychwaith esgeuluso'r hyn a adnabyddir fel Astudiaeth y Celfyddydau sydd yn ffurfio rhan mor bwysig o fewn addysg ryddfrydig ac sy'n debyg o ddarganfod maes addawol yng ngwaith allanol y Coleg. Yn y dyddiau hyn, dysgwn nad yw hi'n ddigon i brifysgol agor ei drysau led y pen; y mae'n rhaid iddi hefyd helpu i ddod â chyfle newydd i fyfyrio o ddifrif hyd at ddrysau'r bobl.

Dylai gweithredu rhaglen mor eang ei dychymyg â hon roi i'r Coleg wir awyrgylch Prifysgol lle y cesglir at ei gilydd athrawon a myfyrwyr o amryw ddiddordebau. Mewn cyfeillach feunyddiol fel hyn y cânt yr amddiffyniad gorau rhag y perygl o fod yn rhy un-ochrog neu yn rhy faterol eu barn.

Cymaint ag yw effeithlonrwydd, nid yw yn bopeth. Peidiwn byth ag anghofio bod addysg yn baratoad ar gyfer bywyd, a'i wir nod yw mawrhau'r ysbryd dynol. Gorchwyl eich Coleg fydd danfon allan i'r byd ddynion a merched, wedi eu llawn baratoi ar gyfer y gwaith materol a fydd yn aros iddynt, a'u meddyliau mewn cytundeb â delfrydau uchel, yn agored i ddiddordebau amryw a ffrwythlon bywyd heddiw ac wedi eu cyfeirio yn gadarn tuag at wasanaeth i'w cyd-ddynion.'

Y flwyddyn 1920-1921 oedd y flwyddyn academaidd gyntaf yn hanes Coleg Abertawe. I ddechrau yr oedd yno saith adran, sef Mathemateg, Ffiseg, Cemeg, Daeareg, Meteleg, Peirianneg a Hanes, a dwy gyfadran, un i wyddoniaeth a'r llall i'r celfyddydau. Ar y pryd, dim ond un aelod oedd i gyfadran y celfyddydau — pennaeth yr adran Hanes. Yr oedd hyn yn rhoi'r hawl iddo i honni 'Myfi yw cyfadran y celfyddydau'. Fi hi ddim felly'n hir. O fewn blwyddyn sefydlwyd adrannau i ofalu am y Clasuron, Saesneg, Cymraeg, Ffrangeg ac Addysg, yn ogystal â Botaneg. Er i'r Coleg yn y dyddiau cynnar fod yn ddyledus iawn i'r Coleg Technegol ac i bobl y dref am gymorth a charedigrwydd, rhaid oedd cael mwy o le. Yr oedd adeiladau newydd ar gyfer adrannau Meteleg a Ffiseg yn barod yn 1922 ac adeilad yr adran Gemeg yn 1923. Erbyn 1926 yr oedd pob adran wedi symud i Barc Singleton. Ar Hydref 1, 1925, sefydlwyd adran newydd Athroniaeth, fel arwydd o bwyslais y Coleg ar y cysylltiad rhwng gwyddoniaeth ac athroniaeth.

Nifer y myfyrwyr yn astudio gwyddoniaeth bur a gwyddoniaeth gymhwysol yn 1920-1921 oedd 209 ond o'r rhain dim ond 89 oedd yn fyfyrwyr llawn-amser, y gweddill yn dyfod i'r Coleg am ran o bob wythnos fel yr oedd eu gwaith yn caniatáu. Ugain oedd rhif staff academaidd y gyfadran wyddoniaeth. Erbyn heddiw mae'r sefyllfa'n hollol wahanol. Ar ddiwedd y flwyddyn 1980-81 'roedd dros fil o fyfyrwyr di-radd yn yr adrannau gwyddoniaeth bur a dros wyth cant yn yr adrannau gwyddoniaeth gymhwysol. At hynny 'roedd yno dri chant o fyfyrwyr ymchwil. Cynhwysai cyfadran wyddoniaeth bur 13 o adrannau. Dyma nhw, a nodi nifer y staff academaidd a berthynai i bob un mewn cromfachau: Mathemateg bur (13), Mathemateg gwymhwysol (4), Ffiseg (13), Cemeg (16), Botaneg (10), Daeareg (12), Daearyddiaeth (17), Biocemeg (6), Swoleg (13), Geneteg (6), Cyfrifianneg (7), Eigioneg (5), Ystadegaeth (5). Yn yr un flwyddyn 'roedd gwyddoniaeth gymhwysol yn cynnwys Meteleg (10), Perianneg Sifil (15), Peirianneg Trydanol (14), Peirianneg Mecanyddol (11), Peirianneg Cemegol (15), Astudiaethau Rheolaeth (6).

Amhosibl yn y fan yma byddai ceisio rhoi disgrifiad o'r holl wyddorau hyn gan na ellid gwneud unrhyw fath o chwarae teg â hyd yn oed un ohonynt. Byddai ceisio disgrifio maint ac ehangder y gwaith ymchwil a gyflenwir yn y Coleg o flwyddyn i flwyddyn yr un mor amhosibl. Yn 1980-81, er enghraifft, cyhoeddwyd dros bedwar cant o bapurau o'r cyfadrannau gwyddoniaeth mewn cylchgronau safonol.

Gadewch i ni am foment sylwi ar beth a olygir wrth ymchwil mewn gwyddoniaeth, gan gymryd i ddechrau, mathemateg fel enghraifft. Y mae ymchwil mewn mathemateg yn golygu gwneud astudiaeth o batrwm o syniadau a'r problemau a ddaw i'r golwg wrth eu clymu wrth ei gilydd, darganfod cysylltiadau rhwng y syniadau o fewn y patrwm a hefyd, rhwng y patrwm cyfan a phatrymau eraill. Y syniad sylfaenol yr adeiledir mathemateg arno yw'r syniad o gasgliad neu set. Trwy gymryd rhesymeg yn ganiataol a rhoddi priodwedd neu briodweddau i set gellir adeiladu theori a fydd yn rhan o fathemateg. Gall y pwynt cychwyn ddod o fewn mathemateg ei hun neu o wyddor arall fel ffiseg neu beirianneg er enghraifft. Wrth gwrs, mewn ymchwil neilltuol nid yw'n angenrheidiol mynd yn ôl at sylfaen y wyddor bob tro. Yr arfer yw dechrau o safle a fydd yn dderbyniol i bawb a fydd yn fedrus yn y grefft ac anelu at effeithlonrwydd mewn sefyllfaoedd mathemategol nad oeddynt efallai yn amlwg ymlaen llaw.

A throi yn awr at ffiseg, cemeg, peirianneg a gwyddorau tebyg iddynt neu a fo'n dibynnu arnynt, y mae ymchwilio yn golygu tri pheth. Yn gyntaf, arsyllu er mwyn gweled yr hyn sydd yn bod ac yn digwydd yn y byd allanol; yn ail, cynllunio damcaniaeth er mwyn ceisio esbonio a threfnu ein syniadau am yr hyn a welir; ac yn drydydd, gwneud arbrofion er mwyn ceisio darganfod gwallau yn y ddamcaniaeth, a newid y ddamcaniaeth os bydd eisiau. Dyma'r tri cham yn yr ymdrech i ddarganfod cyfansoddiad ac adeiladaeth yr hyn sydd o'n hamgylch. Y mae'n rhaid weithiau dilyn y drefn yma drosodd a thro cyn cyrraedd sefyllfa foddhaol. Y mae rhan o ffiseg yn ymwneud â'r byd macroscopig, yn cynnwys hydrodynameg (hylif yn llifo), thermodynameg (gwres yn llifo) a thrydan yn llifo. Y mae rhan arall o ffiseg yn ymwneud â'r byd meicroscopig — ymddygiad gronynnau elfennol fel electronau, protonau, niwtronau, cwarciau ac yn y blaen. Arbrofion ar ryngweithiad sydd o bwys ynglŷn â'r rhai hyn. Ond y mae yna lawer enghraifft o arbrawf neu ffordd o arbrofi a gynlluniwyd ar gyfer profi damcaniaeth wyddonol, fod yn addas hefyd o fewn amgylchiadau hollol wahanol. Y mae'n ddiddorol bod pelydr o niwtronau yn cael eu defnyddio i wneud profion diagnostig ar rai o dan ofal meddygol yn Ysbyty Singleton. Gwneir hyn yn Adran Ffiseg y Coleg.

Diddorol yw dyfod ar draws, o bryd i bryd, ddamcaniaeth wedi ei sefydlu ar syniad cyffredin iawn, sydd yn ddefnyddiol ac yn nerthol mewn mwy nag un wyddor. Y fath ddamcaniaeth yw Theori Cyfathrebiaeth. Syniad cyfarwydd yw'r syniad o gyfathrebu. Y mae'n cynnwys pob ffordd y gall patrwm o syniadau fynd o un meddwl i feddwl arall. Ceir enghreifftiau mewn siarad ac ysgrifennu, mewn llenyddiaeth, barddoniaeth, cerddoriaeth ac arluniaeth. Fe fyddwn yn cyfathrebu wrth ddefnyddio'r teleffôn, ac o astudiaeth o hyn gan Shannon a'i gydweithwyr yn labordai Bell yn yr Unol Daleithiau y tarddodd y wyddor a elwir bellach yn Ddamcaniaeth Cyfathrebiaeth.

Wrth sôn am drosglwyddo gwybodaeth nid oes dim angen i ni gyfyngu ein hunain i gyfathrebiaeth rhwng dyn a dyn. Gallwn feddwl hefyd am gyfathrebiaeth rhwng dyn a pheiriant neu rwng peiriant a dyn neu rwng peiriant a pheiriant neu efallai weithiau rwng un rhan o beiriant a rhan arall neu o un man mewn corff dyn a man arall. Y mae'n bosibl sôn hefyd am gyfathrebiaeth mewn sefyllfa ffisegol lle mae gwybodaeth yn ein cyrraedd o'r byd allanol.

Gadewch i ni, er mwyn arwain at rai o'r syniadau hanfodol, ystyried cyfathrebiaeth o'r safbwynt technegol. Mewn cyfundrefn gyfathrebol cawn, i ddechrau, darddiad hysbysrwydd yn dewis un neges o gasgliad o negesau y gellid eu danfon. Y mae hyn yn bwysig dros ben. Pe bai dim ond un neges yn bosibl, ofer byddai danfon y neges. Er mwyn bod unrhyw fath o arwyddocâd yn y weithred o drosglwyddo neges y mae'n hanfodol bod yna fwy nag un neges yn bosibl. Nodwedd sylfaenol y sefyllfa yw bod yna elfen o ansicrwydd neu anwybodaeth. Pe byddai sicrwydd neu holl-wybodaeth ni fyddai neges yn cyfrannu dim o gwbl. Pwysigrwydd tarddiad hysbysrwydd felly yw ei fod yn dewis neges — un allan o nifer ohonynt.

O'r tarddiad fe â'r neges i drosglwyddydd a dry'r neges yn arwydd cyn danfon yr arwydd ar hyd sianel cyfathrebu i dderbynnydd. Yr hyn a wna'r derbynnydd yw troi'r arwydd yn neges unwaith eto a throsglwyddo'r neges i'r gyrhaeddfa. Ond y mae un peth arall yn digwydd, sef tarddiad sŵn yn ychwanegu arwyddion estron at yr arwydd a ddaw o'r trosglwyddydd cyn iddi gyrraedd y derbynnydd. Mater o dechneg yw cael gwared ar gymaint a fo'n bosibl o'r sŵn.

Gofyn a wnawn 'Sut mae mesur hysbysrwydd?' Yn y theori nid oes yna ddim cysylltiad o gwbl rhwng hysbysrwydd ac ystyr unrhyw neges. Cawn sefyllfa debyg yn rhesymeg, sydd yn delio â ffurf brawddegau ar wahân i'w hystyr. Y peth sydd yn sylfaenol ynglŷn â chyfathrebiaeth yw ein bod yn ystyried neges, nid wrth ei hunan ond fel un o gasgliad o negesau a fydd yn bosibl.

Tybier felly fod yna nifer n o negesau. Tybier ymhellach mai p_1 yw tebygolrwydd y neges gyntaf, p_2 yw tebygolrwydd yr ail, ac yn y blaen, fel y cawn y rhestr

$$p_1, p_2, p_3, \ldots, p_n$$

Diffiniwn yr hysbysrwydd sydd yn nodweddu'r sefyllfa, neu'r hysbysrwydd a gynhyrchir gan y tarddiad yn

$$H = - p_1 \log p_1 - p_2 \log p_2 - \ldots - p_n \log p_n$$

$$= - \Sigma \, (p_1 \log p_1)$$

lle cymerir pob logarithm ar y sail 2, a $\Sigma \, p_1 = 1$

Cawn, o nifer o negesau, $H = 0$ os, a dim ond os, bydd pob $p_1 = 0$

ond un, a hwnnw yn hafal i un. Golyga hyn bod H yn sero mewn sefyllfa hollol sicr, a dim ond y pryd hynny.

Ym mhob sefyllfa arall bydd $H > 0$

Os bydd n wedi ei rhoi bydd H ar ei fwyaf ac yn hafal i log n pan fo pob p_1 yn hafal i $1/n$.

Dyma'r sefyllfa fwyaf ansicr.

Y mae o ddiddordeb mawr bod yr H a gawn yn theori cyfathrebiaeth yr un peth a elwir yn entropi yn ffiseg. Ail ddeddf thermodynameg yw bod yr entropi ar y cyfan yn cynyddu ym mhob sefyllfa naturiol. Yr un H yn ei hanfod a gawn yn theorem enwog Boltzmann tua diwedd y ganrif ddiwethaf.

Ar briodweddau H gellir sefydlu adran bwysig o ffiseg a elwir yn fecaneg ystadegol — adran o'r arwyddocâd mwyaf.

Y mae astudiaeth danfon negesau ar hyd llinellau yn sylfaenol mewn electroneg a hefyd mewn bioleg a ffysioleg. Wedi'r cwbl y mae pob gweithred a gyflawnwn yn dilyn o negesau yn mynd ar hyd nerfau'r corff.

Yr ŷm wedi sôn am ddiwydiant — diwydiant yn arbennig mewn perthynas ag Abertawe a'r cylch, ond eto yng nghyswllt diwydiant byd-eang. Hefyd yr ŷm wedi sôn yn fyr am wyddoniaeth yng

Ngholeg y Brifysgol yn Abertawe, ond sydd yn ogystal yn rhan o wyddoniaeth yn gyffredinol. Mewn pennod fel hon dim ond braidd-gyffwrdd â rhai agweddau a fu'n bosib. Erfynir maddeuant am beidio ag enwi unigolion. Y mae nifer fawr ohonynt, a byddai gwneud chwarae teg â gwaith hyd yn oed un yn mynnu pennod gyfan. Yn nyddiau cynnar y Coleg, yr oedd problemau diwydiant yn gofyn am ymchwil i ennill gwybodaeth am gyfansoddiad, adeiladaeth a phriodweddau meteloedd. Yn y Brifysgol bu ymchwilio i briodweddau soledau a lled-ddargludyddion a'r modd y mae arwyddion trydanol yn symud trwyddynt. Wrth ddanfon arwyddion trydanol mewn soledau a'u danfon hefyd trwy nwyau o fewn y labordy ac allan trwy'r atmosffêr y mae dysgu am y byd naturiol a hefyd ennill gwybodaeth am egwyddorion gwyddonol. Datblygiad pwysig ym myd cyfathrebiaeth yw'r posibilrwydd o gynllunio cylchedau trydanol cyfannol ar ddarnau crisialog sydd yn hynod o fach. Mae ffurf y cyfrifiadur heddiw yn ddyledus i hyn. Y mae gwyddoniaeth yn rhan o fywyd pob un ohonom ac mae prifysgol yn rhan o'r gymdeithas y bo ynddi. Y mae llwyddiant y ddau yn dibynnu ar beidio â bod yn hollol annibynnol ond ar yr un pryd ar gadw a gwerthfawrogi'r cyfle o allu cymryd cam yn ôl o'r hyn sy'n amlwg ddefnyddiol ar y pryd i geisio meddwl ar yr hyn sy'n ehangu a dyfnhau ein dealltwriaeth.